Du monde entier

ORHAN PAMUK

ISTANBUL
Souvenirs d'une ville

Traduit du turc
par Savas Demirel, Valérie Gay-Aksoy
et Jean-François Pérouse

GALLIMARD

Titre original :

İSTANBUL
HATIRALAR VE ŞEHİR

À mon père, Gündüz Pamuk
(1925-2002)

La beauté d'un paysage réside dans sa tristesse.
Ahmet Rasim

1

Un autre Orhan

Dès mon enfance, et pendant de nombreuses années, j'ai toujours eu, dans un coin de l'esprit, l'idée qu'il existait, dans un appartement ressemblant au nôtre, situé quelque part dans les rues d'Istanbul, un autre Orhan qui était mon semblable, mon jumeau, voire mon double. Je n'arrive pas à me souvenir d'où ni comment est née cette impression. Elle avait sans doute fini par me gagner à la suite d'une longue période tissée de malentendus, de coïncidences, de jeux et d'angoisses. Laissez-moi vous raconter l'un des premiers moments où je l'ai vécue le plus concrètement pour expliquer ce que j'ai ressenti lorsqu'elle s'est manifestée en moi.

Quand j'avais cinq ans, j'avais été envoyé dans un autre appartement pendant un certain temps. À la suite d'une de ces séparations qui suivaient leurs disputes, mes parents s'étaient finalement retrou-

vés à Paris, et mon frère et moi, qui étions demeurés à Istanbul, avions été séparés. Mon aîné était resté avec ma grand-mère et tout le reste de la famille, dans l'Immeuble Pamuk situé à Nişantaşı. Quant à moi, on m'avait envoyé chez ma tante, à Cihangir. Sur le mur de cet appartement où l'on m'a toujours accueilli avec un grand sourire et beaucoup d'amour, se trouvait, dans un cadre blanc, la photo d'un petit enfant. De temps en temps, ma tante, ou bien son mari, me disait en souriant : « Regarde, c'est toi », tout en me montrant cette photo.

Cet aimable petit garçon aux grands yeux, c'est vrai, me ressemblait un peu. Il avait sur la tête l'une des casquettes que je mettais lorsque je sortais dans la rue. Cependant, je savais que ce n'était pas véritablement ma photo. (En fait, il s'agissait d'une photo rapportée d'Europe et qui était la reproduction *kitsch** d'un mignon petit enfant.) Était-ce donc cet autre Orhan, qui vivait dans une autre maison et auquel je pensais tant ?

Cependant, moi aussi, j'avais commencé à vivre dans une autre maison. C'était comme si j'avais dû déménager pour rencontrer mon semblable qui habitait dans une autre demeure à Istanbul, mais je n'étais nullement ravi de cette rencontre. Je souhaitais retourner dans ma vraie maison, dans l'Immeuble Pamuk. Quand ils me disaient que la photo qui était accrochée au mur était la mienne, toutes ces questions que je me posais au sujet de moi-même, ma photo, la photo de quelqu'un qui me ressemblait, mon semblable, une autre maison, rendaient mon esprit confus ; j'avais envie de rentrer chez moi, et d'être tout le temps avec les autres personnes de la famille.

Mon souhait s'est réalisé et je suis rapidement retourné à l'Immeuble Pamuk. En revanche, l'idée qu'un autre Orhan vivait dans une autre maison quelque part à Istanbul ne m'a jamais abandonné. Durant toute mon enfance et mon adolescence, cette fascinante pensée est toujours restée vivace dans un coin facilement accessible de

13

mon esprit. Pendant mes promenades dans les rues d'Istanbul durant les soirs d'hiver, tandis que j'essayais de voir l'intérieur de certaines maisons éclairées par une lumière virant à l'orange, en m'imaginant que des gens heureux et contents y habitaient et y menaient une vie tranquille, je ressentais soudainement un frisson à l'idée qu'un autre Orhan résidait peut-être dans l'une de ces demeures. Au fil des années, cette imagination s'est transformée en une fantaisie, et cette fantaisie en une scène de rêve. Dans mon rêve, la rencontre avec l'autre Orhan, qui se passait toujours dans une autre maison, me faisait parfois hurler de peur; parfois les deux Orhan se regardaient en silence et avec un sang-froid surprenant et implacable. Pendant ces moments, alors que je me trouvais entre le sommeil et l'éveil, je m'accrochais plus fortement à mon coussin, à ma maison, à ma rue, à l'endroit où je vivais. Lorsque j'étais malheureux, je me mettais à imaginer que j'allais me rendre dans une autre maison, dans un autre monde, là où vivait l'autre Orhan, et je faisais passer le temps en songeant au bonheur de cet autre Orhan que je croyais être en partie. Ces songes me rendaient si heureux que je ne ressentais plus le besoin de partir vers une autre demeure.

Nous voici maintenant au cœur du sujet: depuis ma naissance je n'ai jamais quitté les maisons, les rues et les quartiers de mes

origines. Je sais qu'il y a un rapport entre le fait d'habiter encore et toujours, cinquante ans après (même si j'ai par moments résidé dans d'autres endroits à Istanbul), dans l'Immeuble Pamuk, à partir duquel ma mère m'a fait découvrir le monde pour la première fois en me prenant dans ses bras, et dans lequel mes premières photos ont été prises, et cette consolation qui consiste à croire en l'idée qu'il existe un autre Orhan dans un autre endroit à Istanbul. Et c'est pour cette raison que je sens que mon histoire a quelque chose de particulier pour la ville et pour moi-même : à une époque marquée par l'abondance des migrations et la créativité des migrants, je suis resté au même endroit, pendant cinquante ans, dans la même maison. Ma mère me disait toujours, d'un ton triste : « Sors un peu, va ailleurs, pars en voyage. »

Il existe des auteurs comme Conrad, Nabokov, Naipaul, qui ont réussi à écrire en changeant de langue, de nationalité, de culture, de patrie, de continent, et même de civilisation. En ce qui les concerne, leur créativité a puisé ses forces dans l'exil ou la migration. De la même manière, je sais que mon attachement à la même maison, à la même rue, au même paysage, et à la ville, a exercé une influence sur mon identité. Cet attachement à Istanbul signifie que son destin fait désormais partie de votre caractère.

Cent deux ans avant ma naissance, Flaubert, en arrivant à Istanbul, impressionné par la foule et l'originalité de la ville, écrit dans une lettre qu'il pense que Constantinople deviendra, cent ans plus tard, « la capitale de la Terre ». Contrairement à cette prévision, l'Empire ottoman s'est écroulé et a fini par disparaître. À ma naissance, Istanbul, en tant que ville d'importance mondiale, vivait les jours les plus faibles, les plus misérables, les plus sombres et les moins glorieux de ses deux mille ans d'histoire. Durant toute mon existence, le sentiment d'effondrement de l'Empire ottoman et la tristesse générée par la misère et les décombres qui recouvraient la ville ont représenté les éléments caractéristiques d'Istanbul. J'ai passé ma vie à combattre cette tristesse, ou bien, comme tous les habitants d'Istanbul, à finalement essayer de me l'approprier.

Quiconque souhaite donner un sens à sa vie s'interroge également, au moins une fois dans son existence, sur sa situation et l'époque au moment de sa naissance. Que signifie être né à tel endroit du monde et à tel moment de l'Histoire? Cette famille, ce pays, cette ville qui nous sont attribués à la manière d'un ticket de loterie, que l'on nous demande d'aimer et que l'on finit le plus souvent par aimer pour de bon, sont-ils le fruit d'un partage équitable? Parfois je trouve que je suis malchanceux d'être né à Istanbul, en voyant ce que l'Empire ottoman a laissé derrière lui tomber en ruine ou se transformer en cendres, dans une ville vieillissant dans une atmosphère de défaite, de pauvreté et de tristesse. (Mais une voix à l'intérieur de moi-même me dit qu'il s'agit là en réalité d'une chance.) S'il faut parler de richesse, il m'arrive parfois de penser que j'ai de la chance d'être né dans une famille aisée d'Istanbul (même si certains ont affirmé le contraire). Mais, le plus souvent, je réalise qu'Istanbul, l'endroit où je suis né et où j'ai passé toute ma vie, tout comme mon corps (si seulement j'avais eu des os plus épais et si j'avais pu être un peu plus beau) et mon sexe (la sexualité m'aurait-elle posé moins de problème si j'avais été une femme?) dont j'ai fini par me convaincre qu'il ne fallait pas m'en plaindre, fait partie du destin et ne peut donc pas être remis en question. Ce livre est à propos de ce destin...

Je suis né le 7 juin 1952, peu après minuit, dans un petit hôpital privé de Moda, à Istanbul. Cette nuit-là, les couloirs, ainsi que le monde, étaient calmes. Hormis l'éruption du volcan Stambolini en Italie avec les flammes et les cendres qu'il s'était mis à projeter depuis deux jours, il n'y avait rien de sensationnel sur notre planète. Les journaux parlaient brièvement des soldats turcs partis faire la guerre en Corée du Nord, et de certaines rumeurs de source américaine qui laissaient entendre que les Nord-Coréens s'apprêtaient à utiliser des armes biologiques. Mais les véritables informations que ma mère, tout comme la majorité des Stambouliotes, avait attentivement lues quelques heures avant ma naissance avaient trait à «notre ville»: deux jours plus tôt, à Langa, on avait aperçu une personne portant un horrible masque en train de pénétrer dans une maison par la lucarne des toilettes. Pourchassé par les veilleurs et les «courageux» étudiants de la résidence étudiante Konya, le voleur récidiviste s'était fait pincer dans une scierie, où il s'était suicidé après avoir insulté les policiers qui étaient à ses trousses. Le lendemain, un marchand de textile avait identifié le corps de ce brigand qui avait également cambriolé sa boutique l'année précédente à Harbiye, en pleine journée, une arme à la main. Restée seule à l'hôpital, ma mère lisait ces informations, car, comme elle me l'a raconté plusieurs années après avec un peu de colère et de tristesse, mon père, qui s'impatientait parce que ma naissance tardait, était parti rejoindre ses amis. Dans la salle d'accouchement, ma tante, qui avait réussi à pénétrer dans l'hôpital très tard dans la nuit en sautant par-dessus la clôture, était la seule personne présente aux côtés de sa sœur. En me voyant pour la première fois, ma mère, en me comparant à mon frère qui avait deux ans de plus que moi, m'avait trouvé plus maigre, plus fragile, et plus fin.

Ou plutôt, je devrais dire qu'elle « m'aurait trouvé » ainsi. En effet je pense que le discours rapporté[1], utilisé pour raconter des choses que l'on n'a pas directement vécues, ou les rêves et les contes, et qui me plaît beaucoup, semble être le plus adapté pour relater les moments où l'on se trouve encore dans son berceau, dans sa poussette, ou quand on parle de ses premiers pas. Nos premières expériences de la vie nous sont en effet, plusieurs années après, racontées par nos parents, et nous éprouvons un terrible contentement à les entendre narrer notre propre histoire ; quand ils nous parlent de nos premiers mots, de nos premiers pas, on les écoute en ayant le sentiment qu'il s'agit de l'histoire d'une autre personne. Mais cette agréable impression qui rappelle le plaisir de se voir soi-même dans un songe vient également semer dans notre âme une habitude qui nous empoisonnera tout au long de la vie : celle de donner un sens à ce que nous vivons – même les joies les plus intenses – en fonction du regard des autres. Ces « souvenirs » de petite enfance, que l'on apprend par d'autres en les écoutant avec un certain plaisir, et que l'on s'est appropriés en croyant commencer à s'en souvenir, on se met à les raconter avec conviction aux autres. De la même manière, ce qui est dit à propos des différentes choses que l'on fait dans la vie, au bout d'un certain temps, prend la forme d'un souvenir, et ce souvenir devient bien plus important que ce qui a été réellement vécu. Le plus souvent, tout comme le sens de notre vie, on apprend le sens de la ville dans laquelle on habite, par les autres.

Pendant ces moments où je me mets à considérer ce que les autres ont dit à mon sujet et au sujet d'Istanbul comme un souvenir personnel, j'ai envie d'écrire ainsi : « J'aurais fait de la peinture pendant un moment, je serais né à Istanbul, et j'y aurais grandi, j'aurais été un garçon plus ou moins curieux et, à partir de vingt-deux ans, je ne sais pour quelle raison, je me serais mis à écrire des romans.» J'aurais aimé écrire ce livre de cette manière, parce qu'elle donne au récit de la vie l'impression qu'il s'agit de l'histoire de quelqu'un d'autre, et qu'elle lui donne la forme d'un agréable rêve où la voix et la volonté du narrateur s'estompent. Mais je trouve que présenter son histoire sous une forme de conte ne serait pas crédible, dans la mesure où elle nous préparerait à une deuxième vie où, une fois le conte terminé, comme si l'on venait de sortir d'un rêve, les choses paraîtraient plus vraies et plus précises. En effet, la deuxième vie que mes semblables et moi-même peuvent mener n'est pas autre chose que le livre qu'ils tiennent entre les mains. Cela aussi dépend de ton attention, ô lecteur. Il faut que je fasse preuve de franchise à ton égard, et toi de sollicitude envers moi.

2

Les photographies
de la sombre maison-musée

Ma mère, mon père, mon grand frère, ma grand-mère paternelle, mes tantes, mes oncles et leurs épouses, nous vivions tous ensemble, répartis dans les cinq étages du même immeuble. Un an avant ma naissance, la grande résidence, construite en pierre, aux nombreuses pièces et divers espaces dans lesquels toute ma famille vivait, à la manière des grandes familles ottomanes, avait été abandonnée et donnée en location à une école primaire privée, et nous avions déménagé dans le «moderne» immeuble, construit en 1951 sur le

terrain voisin, dont nous habitions le quatrième étage, et qui portait fièrement, comme cela était en vogue à l'époque, la mention *Pamuk Apt.*[2] à l'entrée. À chacun des étages de cet immeuble, auquel j'ai commencé à monter et à descendre dans les bras de ma mère, se trouvaient un ou deux pianos. Mon oncle, que je me figure en train de lire un journal chaque fois que je me souviens de lui, s'était marié en dernier et, avec son épouse ainsi que son piano, il s'était installé dans l'appartement du premier étage, où il allait habiter pendant un demi-siècle, en regardant par la fenêtre les gens passer dans la rue. Ces pianos dont personne ne jouait éveillaient en moi un sentiment de tristesse, une mélancolie.

Outre ces pianos muets, ces vitrines que l'on avait remplies, sans y laisser la moindre place, de porcelaines chinoises, de tasses à café, de couverts en argent, de sucriers, de boîtes de tabac à priser, de verres en cristal, de carafes d'eau de rose, d'assiettes, d'encensoirs, et qui restaient pourtant toujours fermées à clef (et sous lesquelles une petite voiture viendrait un jour se coincer), ou encore les lutrins aux ornements de nacre, les chapeaux accrochés au mur et inutilisés, les paravents dans le style Art nouveau ou japonais mais qui ne servaient pas à isoler quoi que ce soit, ou encore la bibliothèque dans laquelle mon oncle avait rangé ses livres de médecine, reliés et recouverts de poussière, avant d'immigrer aux États-Unis vingt ans auparavant, et dont les battants en verre n'avaient jamais été ouverts depuis, tous ces objets et ces meubles qui remplissaient les différents étages de l'immeuble éveillaient aussi en moi le sentiment qu'ils ne s'y trouvaient pas pour être utilisés, mais qu'ils y étaient exposés dans le but de rappeler la mort. (Parfois, une table basse ou bien une caisse décorée de gravures se déplaçait mystérieusement du salon d'un étage à celui d'un autre.)

Notre grand-mère, lorsqu'elle nous voyait nous asseoir en manquant un peu de délicatesse sur ces fauteuils aux ornements de nacre et aux fils argentés, nous mettait en garde : « Tenez-vous tranquilles là-dessus ! » Derrière l'aménagement des salles de séjour qui ressemblaient davantage à un mini-musée destiné à accueillir des visiteurs imaginaires dont on ne connaissait nullement la date de passage qu'à des lieux conçus pour l'agrément et la tranquillité de leurs habitants, on remarquait bien évidemment le désir d'occidentalisation. (La conscience d'une personne qui ne jeûne pas pendant le mois du ramadan est moins tourmentée au milieu des buffets et des pianos que dans une maison où elle doit s'asseoir en tailleur sur un divan en s'aidant des coussins pour s'appuyer plus agréablement contre le mur.) En l'espace de cinquante ans, non seulement à Istanbul, mais dans toute la Turquie, les salons étaient devenus des lieux utilisés pour exposer, de manière assez triste (et parfois poétique) et avec le souci d'en mettre toujours un peu plus, des symboles de richesse et d'occidentalisation. Mais cette pratique, influencée par l'occidentalisation, dont on ne savait pas à quoi elle allait servir en dehors du fait qu'elle permettait de s'affranchir des exigences religieuses, a commencé à être abandonnée à la fin des années soixante-dix, avec l'arrivée de la télévision dans les foyers. Durant ces années, le plaisir de se retrouver rassemblés devant l'écran, de parler et de rire à propos du film ou des informations que l'on regardait, a transformé ces musées qu'étaient les salons en de petites salles de cinéma. Je me souviens d'avoir pourtant rencontré certaines anciennes familles qui avaient installé leur télévision dans leur pièce d'entrée, et qui n'ouvraient la porte fermée à clef de leur salon-musée qu'à l'occasion des jours de fête, ou bien pour recevoir des convives très importants.

Parce qu'il y avait sans cesse des allées et venues entre les différents étages, comme entre les différentes parties de la demeure d'une grande famille, les portes des appartements de l'Immeuble Pamuk restaient le plus souvent ouvertes. Les premières années où mon aîné avait commencé à aller à l'école, je me rendais, en demandant l'autorisation à ma mère, ou bien avec elle, à l'étage au-dessus. Le matin, alors que ma grand-mère paternelle était encore au lit, je jouais, tout seul, à des jeux sur les grands tapis lourds de ce salon qui ressemblait, surtout à cette heure de la journée, à cause de l'obscurité due au rideau en tulle tiré et à la proximité des immeubles de l'autre côté de la rue, à la boutique d'un antiquaire. Je jouais au «garagiste» en alignant et rangeant suivant un ordre préétabli les petites voitures que l'on m'avait rapportées d'Europe, ou bien à «quitter la terre» en évitant de marcher sur les tapis qui se prolongeaient jusque dans le couloir et que j'imaginais être la mer, en sautant d'un meuble à un autre, comme par exemple sur un fauteuil ou une table, petites îles au milieu de cette mer (à l'instar du Baron perché de Calvino qui avait passé sa vie à sauter d'un arbre à un autre sans jamais toucher le sol), ou encore je m'amusais, inspiré par les carrosses que j'avais vus à Heybeliada, à diriger une voiture à cheval en enfourchant l'accoudoir d'un fauteuil. Lorsque je me retrouvais fatigué à cause de mes jeux, et épuisé en raison de mon imagination qui avait pris la relève, et qui me forçait, tellement je m'ennuyais – et j'allais poursuivre cette pratique tout au long de ma vie –, à me représenter cette chambre, ce salon, ce cabinet de travail, ce dortoir militaire, cette chambre d'hôpital, ce local administratif comme un autre endroit, je me mettais à contempler désespérément la table des repas, les trépieds et les murs qui m'entouraient, sans trouver aucun autre divertissement que de regarder les photographies.

Parce qu'on en faisait également le même usage dans les étages inférieurs, je pensais à l'époque que les pianos servaient à exposer ces clichés que l'on avait fait encadrer. Dans la salle de séjour ainsi que dans le salon de ma grand-mère, on pouvait voir des photos de toute taille sur n'importe quel objet offrant une surface plane. Dans l'endroit le plus visible de la pièce, au-dessus de la cheminée que l'on n'utilisait jamais, se trouvaient côte à côte, dans deux cadres accrochés au mur, l'immense portrait de mon grand-père paternel, décédé en 1934, ainsi que celui de ma grand-mère. Ces grandes photos, mises en couleurs grâce à des retouches, où mes grands-parents, tournés l'un vers l'autre tout en fixant l'objectif, me faisaient penser aux timbres de certains pays européens sur lesquels on pouvait voir un roi et une reine poser de façon identique, faisaient comprendre au visiteur pénétrant dans le salon-musée que c'était à partir d'eux que toute l'histoire avait commencé.

Ils étaient tous deux de Gördes, un bourg rattaché à Manisa, et ils étaient issus d'une famille qu'on appelait les Pamuk[3] en raison de l'extrême blancheur de leur peau et de leurs cheveux. Ma grand-mère avait du sang circassien, comme ces grandes et belles filles qu'on envoyait depuis plusieurs siècles au harem impérial. Lors de la guerre ottomano-russe entre 1877 et 1878, son père avait immigré en Anatolie, puis la famille s'était installée à Izmir (on parlait parfois de cette maison abandonnée à Izmir), pour se rendre par la suite à Istanbul où mon grand-père fit des études d'ingénieur en bâtiment. Ce dernier avait fait fortune dans les constructions de chemins de fer pour lesquels la République de Turquie dépensait beaucoup d'argent, puis avait monté, au bord du ruisseau Göksu qui se jette dans le Bosphore, une grosse usine qui fabriquait des cordes de toutes sortes, depuis les ficelles utilisées pour faire sécher le tabac jusqu'aux câbles. Il était mort en 1934, à l'âge de cinquante-deux ans, laissant derrière lui une immense fortune que mon père et mon oncle n'allaient pas réussir à dépenser en dépit des nombreuses banqueroutes que leurs différentes entreprises allaient connaître.

Sur les murs du bureau qui donnait sur le salon, on pouvait voir des grands cadres accrochés avec un extrême souci de symétrie dans lesquels apparaissaient les photos de la nouvelle génération, prises et retouchées par ce même photographe qui s'était amusé à ajouter des couleurs à l'aide de pastels. Mon oncle Özhan, qui, après avoir étudié la médecine, avait émigré aux États-Unis, n'était jamais retourné en Turquie parce qu'il n'avait pas accompli son service militaire, ce qui procurait la possibilité à ma grand-mère d'entretenir en elle une sorte de deuil permanent. Il était gros et paraissait être en bonne santé. Mon oncle Aydin, qui était plus jeune que lui et qui s'était installé au rez-de-chaussée, portait des lunettes, et, comme mon père, était ingénieur dans le bâtiment. Il s'était très vite engagé dans de grands chantiers qui allaient lui poser de sérieuses difficultés. Quant à ma tante, qui avait suivi des cours de piano pendant de nombreuses années, et qui avait poursuivi cette activité à Paris, elle avait fini par abandonner la musique pour épouser un assistant à la faculté de médecine avec lequel elle s'était installée dans l'appartement du dernier étage, sous les combles, où j'allais emménager des années après et dans lequel j'habite alors que je suis en train d'écrire ce livre.

Lorsqu'on quittait le bureau, rendu encore plus triste par la lumière des lampes en cristal, pour pénétrer dans la grande pièce du salon, la vie prenait soudain une tout autre allure, au milieu de cette multitude de photos, plus petites, sans retouche, et en noir et blanc. C'étaient celles des fiançailles et des mariage de tous les enfants, prises par un professionnel devant lequel on avait posé à l'occasion d'un événement, les premières photos en couleurs envoyées par mon oncle des États-Unis, celles de repas de fête dans les parcs d'Istanbul, les rives du Bosphore, la place de Taksim, des portraits de ma mère, mon père, mon frère et de moi-même dans un mariage auquel nous étions allés ensemble, dans le jardin de notre ancienne maison d'à côté, ou encore devant les voitures et les immeubles qui appartenaient à mon grand-père ou à mon oncle. En dehors de cas exceptionnels, comme le remplacement des portraits de la première épouse de mon oncle par ceux de la deuxième, on ne touchait jamais à ces photos, pas plus qu'à une collection entièrement constituée et terminée que l'on peut

trouver dans les anciens musées. Je les avais déjà toutes contemplées une par une plusieurs centaines de fois, mais dès que je pénétrais dans ce salon, je me mettais de nouveau à regarder cette foule.

Chaque nouveau regard porté sur ces photos me rappelait l'importance de la vie et de ces instants que l'on avait voulu préserver du temps en les isolant pour les mettre en valeur à l'intérieur d'un cadre. En observant à la fois mon oncle qui interrogeait mon aîné sur un problème mathématique et une photo de lui prise trente ans plus tôt, ou bien mon père feuilletant les pages de son journal tout en écoutant les plaisanteries échangées autour de lui, comme on pouvait le deviner grâce à son sourire, à côté d'une photo où il est âgé de cinq ans et dans laquelle ses cheveux, comme les miens, étaient aussi longs que ceux d'une fille, j'avais soudainement l'impression que l'existence était faite pour offrir des occasions de vivre ces moments particuliers que l'on mettait à l'intérieur des cadres. Lorsque j'observais ma grand-mère paternelle qui, de temps à autre, parlait de mon grand-père (qui était mort assez jeune) comme s'il était le fondateur d'un État, montrant de sa main les photos qui se trouvaient sur les tables et les murs, elle me paraissait mettre l'accent sur cette dualité qui existait entre la vie et l'instant inoubliable, la banalité et le protocole. Je comprenais alors avec humilité l'importance et la signification de ces instants particuliers que l'on conservait dans des cadres, pour les préserver du temps et de l'usure qui atteint les objets et les personnes. D'un autre côté, tout cela me gênait.

Durant ma prime enfance, j'aimais beaucoup voir toute la famille se rassembler pour dîner et plaisanter, ou bien à l'occasion d'un repas pendant les jours de fête du Ramadan ou de l'Aïd, ou encore pour un repas de Nouvel An, auquel je me disais que « je ne viendrais plus l'an prochain » et auquel j'étais pourtant présent chaque année, et qui se terminait par un tirage de tombola auquel nous jouions tous, ce qui me plaisait tant. Les plaisanteries et les rires qui s'échangeaient lors de ces repas en famille, notamment ceux de mon oncle, sous l'effet du *rakı*[4] et de la vodka, et de ma grand-mère, qui avait bu un peu de bière, me faisaient croire que la vie qui restait en dehors des cadres était bien plus amusante. Et cette ambiance me procurait aussi l'impression fallacieuse que le bonheur était en fait un sentiment de sécurité, une plaisanterie, un moment de tranquillité que l'on parta-geait avec sa famille ou bien avec d'autres personnes. Mais en même temps j'avais remarqué, depuis que j'étais en âge de comprendre, à quel point les membres de ma famille, qui s'amusaient et riaient tous ensemble au cours d'un long repas de fête, pouvaient devenir impi-toyables entre eux au sujet du partage des biens et de l'héritage qui suscitait par moments des disputes enflammées. Lorsque nous nous retrouvions dans notre appartement au sein de notre famille nucléaire de quatre personnes, ma mère nous racontait avec colère le mal que nous avaient fait ceux de la famille élargie, et elle parlait d'eux en disant « votre tante », « votre oncle », « votre grand-mère ». Les dis-cussions autour du partage de certaines choses, comme les actions de la fabrique de cordes, ou l'étage d'un immeuble, provoquaient toujours des débats, des disputes et des bouderies qui duraient très longtemps. Les boutades échangées au sein de cette foule dans l'ap-partement de ma grand-mère me faisaient peut-être oublier pendant un moment ces sombres histoires, qui ressemblaient aux fissures que l'on pouvait voir sur les verres fins protégeant les photos de bonheur déposées sur le piano, mais, dès mon plus jeune âge je comprenais déjà que derrière ces plaisanteries se cachaient des règlements de comptes et des insinuations. Je remarquais également que même les femmes de ménage de chacune de ces petites familles qui consti-tuaient notre grande famille s'étaient fait un devoir de se quereller entre elles avec ce même esprit de compétition (par exemple notre domestique madame Esma et İkal, celle de ma tante).

«Dis donc, as-tu entendu ce qu'a dit Aydin?» demandait ma mère le lendemain au petit déjeuner.

Mon père répondait alors, d'un air curieux: «Qu'a-t-il dit?» puis après avoir écouté l'histoire, il mettait un terme au sujet en disant: «Laisse tomber, s'il te plaît», avant de se plonger dans son journal.

Je sentais que les liens de cette famille, qui vivait encore comme une grande famille ottomane traditionnelle d'Istanbul, regroupée dans le même konak en bois, avaient pourri et étaient en train de lâcher non pas à cause de toutes ces querelles, mais à cause des faillites répétées de mon oncle et de mon père qui se lançaient sans cesse dans de nouvelles affaires, et aussi en raison des absences de plus en plus fréquentes de ce dernier. Ma mère nous emmenait de temps en temps rendre visite à «notre grand-mère maternelle», à Şişli. Mon frère et moi passions notre temps à jouer dans les différentes chambres remplies de fantômes de sa maison, tandis que ma mère racontait à la sienne que les affaires n'allaient pas très bien. Et ma grand-mère, tandis qu'elle lui recommandait de garder son sang-froid, nous faisait comprendre que cette maison à trois étages et recouverte de poussière, dans laquelle elle vivait seule et dans laquelle ma mère risquait de retourner, n'avait absolument rien d'attrayant.

Mon père, en dehors des moments où il était en colère, était quelqu'un qui s'estimait heureux de son sort, satisfait de sa personne, de son physique et de son intelligence, et manifestait toujours ses joies avec une grâce enfantine mesurée. Je me rappelle ces moments où il sifflotait sans se lasser à l'intérieur de la maison, en s'admirant devant la glace, tout en appliquant sur ses cheveux, afin de les faire

briller, le jus d'un citron qu'il avait pressé dans sa paume. Il aimait plaisanter, faire des jeux de mots, des blagues, réciter des poèmes par cœur, montrer ses connaissances, et partir très loin en avion. Il n'était pas de ces pères qui grondaient, qui interdisaient ou qui punissaient. Durant les premières années de mon enfance notamment, lorsque je me promenais avec lui, lorsque je l'accompagnais quelque part, j'avais l'impression que la Terre était un endroit amusant où l'on venait pour être heureux.

Alors que mon père restait silencieux face à ce qui était mauvais, hostile ou bien tout simplement ennuyeux, ma mère, elle, nous mettait en garde, nous imposait des interdits, et prenait des mesures contre les éléments sombres de la vie en fronçant les sourcils. Cela la rendait moins amusante que mon père, mais j'avais énormément besoin de son amour et de son affection, parce qu'elle nous consacrait

beaucoup de temps, comparé à mon père qui s'enfuyait de la maison chaque fois que l'occasion se présentait. D'ailleurs, l'obligation de rivaliser avec mon aîné pour bénéficier de l'affection de ma mère était, depuis le début, une réalité fondamentale dans ma vie.

Le violent combat auquel je me livrais contre mon frère dans le cadre de cette concurrence, qui visait à obtenir l'affection de ma mère, a laissé dans mon âme des marques bien plus importantes que celles que m'auraient infligées l'autorité, la force, et le pouvoir que mon père ne nous a jamais fait ressentir. Mais à l'époque, je ne pouvais pas analyser cette situation comme aujourd'hui. En effet, au début, cette rivalité ne se manifestait jamais directement, mais elle faisait partie d'un jeu et elle s'exprimait alors que, au cours de ce jeu, nous nous imaginions être un autre personnage. Le plus souvent, nous ne nous affrontions pas en tant que Şevket et Orhan, mais sous l'identité d'un footballeur ou d'un héros auquel nous nous étions chacun identifiés. Nous étions tellement plongés dans le jeu et dans la peau des personnages, réels ou imaginaires, que nous interprétions que nous semblions oublier que ces deux individus qui se battaient, en cherchant jalousement à blesser, ridiculiser et écraser l'autre, étaient en fait des frères. Mon frère, qui allait manifester sa vie durant un intérêt particulier pour les statistiques de réussite et les détails dans les récits des vainqueurs, remportait, comme il allait me le dire après l'avoir calculé des années plus tard, quatre-vingt-dix pour cent de nos jeux et de nos batailles.

Lorsque le pessimisme, la tristesse, l'ennui m'accablaient, je quittais sans rien dire notre appartement pour descendre chez ma tante jouer avec mon cousin, ou bien, comme c'était le plus souvent le cas, je montais à l'étage de ma grand-mère paternelle. (Un jour, ma mère m'avait dit : « Pendant ton enfance, tu n'as jamais dit que tu t'ennuyais, comme le font les autres enfants. ») L'intérieur de chacun de ces appartements, et les objets qui s'y trouvaient, comme par exemple la vaisselle et les sucriers, ou encore les fauteuils et les cendriers, se ressemblaient énormément ; cependant, chaque étage me semblait être un autre monde, un autre pays. Le salon rempli d'objets de ma grand-mère était très triste, mais c'est peut-être pour cette raison que j'aimais aller y jouer ; je m'imaginais, à l'ombre des vases, des photos encadrées et des tables basses de ce salon, qui avait les airs d'un musée, que je me trouvais dans un endroit tout autre.

J'avais assimilé l'appartement de ma grand-mère, dans la lumière duquel toute la famille se retrouvait le soir, à la demeure du capitaine d'un grand bateau. Nous étions à la fois le capitaine et l'équipage de ce navire qui avançait sous la tempête, mais aussi ses voyageurs qui s'inquiétaient de plus en plus au fur et à mesure que les vagues devenaient plus fortes. Cette imagination devait beaucoup aux songes que je faisais la nuit en entendant le triste sifflet des bateaux naviguant sur le Bosphore, et l'idée que le sort du navire et le nôtre se trouvaient entre mes mains me remplissait de fierté.

Malgré cette imagination, qui me rappelait également les héros des romans illustrés que lisait mon frère, je réalisais que, tout comme lorsque je pensais à Dieu, notre sort, tout simplement parce que nous, nous étions riches, n'avait rien à voir avec celui des foules qui constituaient cette ville. Mais dans les années qui ont suivi, les faillites de mon oncle et de mon père, les partages de biens et de propriétés, les disputes entre mes parents ont provoqué par endroits des fissures qui ont rapidement effrité et appauvri la famille et notre petite famille nucléaire ; cela éveillait en moi de la tristesse chaque fois que je venais visiter l'appartement de ma grand-mère. Ce sentiment de défaite, de perte, et de tristesse dont Istanbul avait hérité suite à la chute de l'Empire ottoman avait, quoique avec un peu de retard et sous un autre prétexte, fini par nous affecter nous aussi.

3

« Moi »

Dans mes moments de bonheur – et mon enfance en fut comblée –,
ce n'était pas ma propre existence que je ressentais, mais plutôt le
fait que le monde était bon, beau, plaisant et ensoleillé. Un plat que
je n'aimais pas, un mauvais goût, une aiguille enfoncée dans ma
main, être enfermé, bébé, à en mordre de rage les barreaux, dans une
cage de bois (appelée malgré tout « parc ») destinée à m'empêcher de
m'échapper, ou bien – et il s'agit d'un de mes souvenirs d'enfance les
plus douloureux – pleurer des heures durant pour avoir coincé mon
doigt dans la porte de la voiture de mon oncle, m'ont enseigné non
pas ce que j'étais moi-même, mais une certaine idée du mal et de la
souffrance à éviter absolument. Cependant, parmi les tâtonnements,
les illusions et les tensions de ma propre conscience, le sentiment
que je m'appartenais, que je constituais un moi à part entière, me travaillait de l'intérieur comme un très grave sentiment de culpabilité.

Quand mon grand frère, âgé de deux ans de plus que moi, commença à aller à l'école, j'ai été privé, entre quatre et six ans, du sentiment d'amitié et de solidarité que nous avions créé entre nous. Cependant, comme cela me permettait d'échapper à sa supériorité physique et d'éviter les rapports de concurrence, et comme l'Immeuble Pamuk, la tendresse et l'intérêt de ma mère m'étaient alors intégralement réservés pour une grande partie de la journée, durant ces deux années scolaires où je me suis mieux senti moi-même, j'ai pu à la fois découvrir ce que signifiait demeurer tout seul et accumuler des premiers souvenirs bouleversants et inoubliables.

Je faisais d'abord lire par mon frère les bulles de ses romans illustrés, puis, quand il était à l'école, je «lisais» moi-même en me rappelant ce que j'avais entendu. Par un après-midi doux et chaud où je regardais des pages de la revue *Tommiks* – on m'avait couché dans mon lit pour la sieste d'après le déjeuner, mais je ne m'étais pas endormi immédiatement –, j'ai senti que mon zizi (ce que ma mère appelait «bibi») devenait tout dur. Cela eut lieu à la vue du dessin d'un Peau-Rouge à moitié nu. Il n'avait rien d'autre qu'une très fine ficelle pour dissimuler son bibi avec un bout de chiffon qui tombait droit comme un drapeau à partir de l'aine : un rond avait été dessiné au milieu du tissu.

Un autre jour, également lors d'une sieste d'après le déjeuner, je me suis allongé en pyjama sous la couverture et, alors que je discutais avec l'ours que j'ai toujours possédé, aussi loin que je me souvienne, je ressentis de nouveau le même durcissement. Ce changement agréable dont je ne comprenais pas la magie – mais que je voulais dissimuler aux autres – se produisit juste au moment où je disais au nounours « Attention, je vais te manger ! ». À d'autres moments, alors que j'empoignais mon petit nounours – pour lequel je n'éprouvais pas un attachement excessif –, cet étrange durcissement survint encore tandis que je le menaçais avec les mêmes mots. L'expression « Attention, je vais te manger », c'est surtout dans les passages effrayants des contes que me racontait ma mère que je l'ai entendue. Les « *div* », qui dans la littérature classique iranienne sont les frères des diables et des djinns – et dont j'ai réalisé des années après qu'ils étaient dessinés à l'encre, il y a quatre cents ans, comme d'affreux monstres courtauds flanqués d'une queue –, sont devenus gigantesques en passant du persan au turc d'Istanbul et de ses contes. Je m'étais forgé une idée de ce qu'était un géant à partir de la couverture d'un opuscule de morceaux choisis tirés des *Contes de Dede Korkut*[5]. Là, une créature phénoménale à moitié nue – tout comme les Peaux-Rouges –, puissante et quelque peu repoussante, donnait l'impression de régner sur le monde entier.

L'expression « Attention, je vais te manger » des contes entendus de la bouche de ma mère signifiait : avaler tout cru, tuer, anéantir. Ces mêmes années, mon oncle paternel avait fait l'acquisition d'un petit projecteur et avait commencé à montrer – sur le mur blanc au-dessus de la cheminée (on décrochait à l'occasion, avec force cérémonial, les photos de mon grand-père et de ma grand-mère paternels) –, à toute la famille élargie réunie, pour les fêtes ou les jours de l'An, des petits films de dix ou douze minutes (Charlot, Walt Disney, Laurel et Hardy) loués à la boutique d'un photographe de Nişantaşı. Un court métrage de Walt Disney, pièce de la collection inventoriée de mon oncle, ne fut pas montré à plus de deux reprises, par ma faute. Dans ce film, un géant archaïque de la taille d'un immeuble, assez niais et lourdaud, poursuivait la petite souris Miki ; celle-ci se cachait au fond d'un puits. Le géant arrachait alors d'un coup le puits de la terre et, au moment où il le portait à sa bouche comme s'il buvait un verre d'eau, la minuscule souris lui tombait dans la gueule. Orhan se mettait alors à pleurer à gros sanglots. Aujourd'hui encore, la toile de Goya exposée au musée du Prado intitulée *Saturne en train de dévorer un de ses enfants* – que je vois comme la représentation d'un petit homme qu'un géant arrache du sol pour le porter à sa bouche – continue à me glacer le sang.

Une fois, à l'heure de ma sieste de la mi-journée, tandis que je menaçais de nouveau mon nounours et lui prodiguais par là même une étrange affection, la porte s'ouvrit brusquement et mon père m'entrevit un instant, la culotte baissée et le sexe durci. La porte se referma plus doucement qu'elle ne s'était ouverte, mais avec un respect que je ressentis bien à cette époque. En effet, lors de la pause de midi, mon père passait à la maison, mangeait un morceau et, après s'être un peu reposé, venait me faire une bise avant de repartir à son travail. Le sentiment que j'avais fait quelque chose d'incorrect, et que, pire, je l'avais fait pour le plaisir, empoisonna insidieusement, petit à petit, l'idée même de plaisir.

Une autre fois, ma mère ayant quitté la maison après l'une de ses sempiternelles disputes avec mon père, alors que la nounou employée à la maison me lavait dans le bidet, il m'arriva de nouveau la même chose. Je me souviens que la femme avait dit, avec une voix à mille lieues de toute affection, que j'étais «comme les chiens», mais ce qui me procurait du plaisir c'était l'eau, c'était d'être lavé et c'était la chaleur.

Ce qui rendait toutes ces expériences écœurantes et honteuses, ce n'était pas seulement que je ne pusse pas exercer de contrôle sur cette réaction de mon corps. Le pire, c'était de croire que cette affaire de durcissement était une bizarrerie qui n'affectait que moi. Je n'ai compris que cinq ou six ans après que le durcissement n'était pas une affaire qui m'était exclusivement réservée. C'était au collège, alors que j'étais tombé dans une classe où les filles étaient séparées des garçons, en entendant des conversations d'enfants dans le genre : « la mienne s'est levée ».

De cette crainte que le durcissement et le mal me fussent exclusivement réservés, j'ai tiré la conclusion qu'il était nécessaire de cacher ce «mal» qui m'habitait. Cela aussi me conforta dans cette habitude de vivre dans un monde parallèle, fermé aux autres, auquel personne ne pourrait accéder. Outre le durcissement – qui n'était pas si fréquent que cela –, je sentais que la principale source du mal qui m'habitait était mon inconvenante capacité de rêver. Vivant dans un appartement qui ressemblait à un musée, poussé par l'ennui sans fin qui m'étreignait la plupart du temps, je rêvais que je vivais dans un autre lieu et que j'étais quelqu'un d'autre. Fuir dans ce monde parallèle que je cachais dans ma tête comme un secret était une chose très facile : par exemple, alors que j'étais assis dans le salon de ma grand-mère paternelle, je me mettais à imaginer que je me trouvais dans un sous-marin. C'est à cette époque qu'on me conduisit pour la première fois au cinéma – à Beyoğlu, au cinéma Saray[6] qui sentait la poussière – voir l'adaptation de *Vingt Mille Lieues sous les mers* de Jules Verne, film dont les silences me faisaient peur. Les scènes à moitié obscures du film en noir et blanc, et les espaces intérieurs pleins d'ombre que la caméra ne quittait jamais me rappelaient notre maison. J'ai sans doute manqué beaucoup de choses, étant donné que je ne pouvais pas encore lire les sous-titres, mais est-ce que je ne lisais pas aussi de cette façon les romans illustrés de mon grand frère ? Avec ma puissance d'imagination, il m'était très facile de recréer les lieux où je ne pouvais pas aller. (Ce qui reste encore très important pour moi quand je lis, c'est moins de comprendre que de me fabriquer des fictions en rapport avec ce que je lis). Ces fictions que je me bricolais en partant d'un élément personnel, comme on intervient consciemment dans un rêve, n'étaient pas des épiphénomènes qui m'échappaient, comme le « durcissement », mais des mondes sur lesquels je pouvais aisément exercer mon contrôle. Sous l'effet de ma puissance d'imagination, j'effaçais d'un coup la table ouvragée sous le grand luminaire, table au large plateau et incrustée de nacre, j'effaçais ses ornements gravés, que je pourrais qualifier de presque baroques, et j'imaginais qu'il y avait là une grande montagne digne des romans illustrés que je « lisais », puis je rêvais qu'il y avait là une civilisation différente, à l'image de cette haute montagne étrange. Ce faisant, je me mettais à voir tous les objets de la pièce comme autant de montagnes, je devenais un avion volant entre les sommets, je faisais des pointes de vitesse.

« Arrête de balancer les jambes comme ça, j'en ai la tête qui tourne », disait ma grand-mère assise en face de moi.

Je les immobilisais, mais l'avion de mes chimères s'enfonçait pour disparaître dans la fumée de la cigarette Gelincik[7], que ma grand-mère recrachait sans l'inhaler, et mon regard pénétrait dans une forêt où se trouvait toute une foule bigarrée de lapins, de feuilles, de serpents et de lions – que j'avais auparavant déjà identifiés et découverts parmi les motifs des tapis. De là, il plongeait dans une aventure digne des romans illustrés. Je provoquais un incendie, tuais quelques personnes, montais à cheval, me rappelais à quel point j'avais éparpillé les billes de mon grand frère à l'école ; et, comme je restais en partie attentif aux bruits de l'immeuble, je réalisais, au bruit de la porte de l'ascenseur, que le concierge İsmail était arrivé à notre étage ; sur ces entrefaites, j'étais entraîné vers une nouvelle aventure parmi des Peaux-Rouges à moitié nus. Je me plaisais à incendier des maisons, à cribler de balles les gens qui s'y trouvaient, ou à penser que je m'en échappais en creusant un tunnel. Je prenais plaisir à tuer, en l'écrasant progressivement, un moustique que j'avais coincé entre la vitre de la fenêtre et le rideau de tulle imprégné d'odeur de tabac ; enfin, une fois qu'il était tombé sur le bois troué à la surface du radiateur, j'imaginais que l'insecte agonisant était un bandit qui subissait là un châtiment mérité. Jusqu'à mes quarante-cinq ans, dans ce suave intervalle entre sommeil et veille, j'ai toujours occis quelques personnes car que je savais que ces pensées me feraient du bien. Je présente mes excuses à ces personnes, pour partie des parents proches – et même des personnes extrêmement proches comme mon grand frère –, pour partie des politiciens, des hommes de lettres, pour partie des commerçants, mais en grande majorité des produits de mon imagination. Il m'est très souvent arrivé de rire en donnant un coup de pied – sans que personne me voie, dans un moment de doute, de désespoir et de vacuité – à des chats que j'avais chaleureusement caressés ; puis d'en avoir honte, et de me retrouver rempli d'affection envers les chats. Vingt-cinq ans après, au service militaire, après un déjeuner, alors que tout le régiment était assis à papoter en fumant, j'ai imaginé que toutes les têtes des sept cent cinquante soldats – qui de loin se ressemblaient tous – étaient détachées de leur corps, et que les sections sanglantes se mettaient petit à petit à vaciller dans le grand réfectoire que la fumée de cigarette avait coloré en un bleu doux et translucide ; au point que l'un de mes camarades soldats s'écria : « Eh, l'ami, arrête de balancer les jambes, ça suffit, j'en ai marre. »

Enfant, il me semblait que seul mon père était au courant de l'existence de ce monde parallèle, que je cachais comme un secret, de même que mon « durcissement ». Plus je le cachais, plus l'évidence de son caractère non nuisible s'imposait à moi.

Alors que je pensais au nounours dont j'avais arraché l'œil unique dans un moment d'émoi coléreux et que j'avais amaigri en lui arrachant encore un peu de paille par le trou du ventre; alors que j'imaginais que le jouet acheté pour la troisième fois, car je l'avais déjà brisé à deux reprises, par excès d'amour et d'enthousiasme (le joueur de foot de la taille d'un doigt qui shoote quand on presse le bouton situé sur sa tête), rendait peut-être l'âme à l'endroit où j'avais caché son corps blessé – après l'avoir brisé une troisième fois; ou bien alors que je pensais avec une très grande crainte aux fouines dont Esma Hanım, la domestique de notre étage, prétendait, en invoquant Dieu, qu'elles se promenaient sur les toits d'à côté, mon père me dit soudain : « Quoi que tu aies en tête, dis-le, je te donnerai vingt-cinq *kuruş*. »

Tandis que je restais muet, tiraillé entre la résolution de dire ce que j'avais dans la tête, celle de le dire en changeant un peu les choses, ou bien celle de fabriquer un mensonge, il ajouta en souriant : « Tu as oublié maintenant, tu aurais dû le dire tout de suite. »

Mon père pouvait-il lui aussi vivre dans ce monde parallèle ? Cette pratique – dont je comprendrai seulement des années plus tard qu'elle est depuis longtemps légitimée avec l'expression « bâtir des rêves » –, à quel point était-il exact de penser à l'époque qu'il s'agissait d'une bizarrerie propre à moi seul ? Cette question aussi, j'ai bien évité de me la poser à moi-même, non seulement parce que mon esprit était accaparé par la panique suscitée par les propos de mon père, mais parce que j'étais doté d'une faculté d'oublier, avec la meilleure intention, les choses dérangeantes.

Mis à part l'idée que bâtir des rêves était une bizarrerie propre à ma personne, une autre raison de cacher ce qui me passait par la tête était la crainte que ce monde parallèle ne m'empêchât de revenir à la réalité. Alors que ma grand-mère était assise en face de moi, je clignais des yeux en fixant la lumière du soleil frappant l'intérieur de la pièce à travers les rideaux – ou alors, la nuit, les étranges lumières des projecteurs des *vapur* sur le Bosphore. Soudain commençaient à passer devant mes yeux des vaisseaux spatiaux conformes à mes fantaisies, et je fabriquais à ma guise les images que je souhaitais, telles que je les avais imaginées ; mais après, je pouvais quand même retourner au monde normal, tranquillement, après avoir refermé le rêve, comme quelqu'un qui éteint la lumière en sortant d'une pièce (« Éteins la lumière » : voilà une des expressions que j'ai le plus entendues lors de mon enfance).

La différence entre l'homme qui croit être Napoléon en personne et l'homme qui se plaît à rêver en permanence qu'il est Napoléon, c'est la différence entre un malheureux schizophrène et un heureux rêveur. Je comprends très bien la personne « schizophrène » qui ne parvient pas à vivre sans rêver un autre monde et sans revêtir une autre personnalité, mais j'ai pitié des schizophrènes et je les méprise (secrètement), parce qu'ils sont prisonniers du monde parallèle et dépourvus d'un monde « originel » heureux et solide où ils peuvent revenir. Ce qui me faisait courir vers le monde parallèle ou bien qui me faisait penser qu'il existait à Istanbul un autre Orhan, dans une autre maison, et que je pourrais prendre sa place, c'était que les salons et les couloirs des maisons-musées, les tapis (je déteste les tapis) et la multitude des hommes positivistes versés dans les mots croisés et les mathématiques était éminemment ennuyeuse ; c'était aussi la surabondance des indices de l'absence d'esprit, de l'absence d'amour, de l'absence de dessin et de littérature (ou de conte) – et en vieillissant ils nient cette évidence; c'était enfin que la maison était un lieu sombre et mélancolique plein à craquer d'objets. Ce n'était en rien mon propre malheur.

Parce que durant mon enfance, et tout particulièrement au cours des deux années qui ont précédé mes débuts à l'école, je me suis senti très heureux. Disons-le avec ironie : j'étais un enfant que l'on trouvait très «mignon», «adorable», un enfant qu'on embrassait goulûment et qui passait de bras en bras, un enfant intelligent et sage, pas uniquement en famille, avec les amis et intimes, mais aussi en général.

Les petits bisous, les louanges, les mots doux, mais aussi la pomme que me donnait gratuitement le marchand des quatre-saisons («Ne la mange pas sans la laver», disait aussitôt ma mère), la figue sèche que m'offrait le vendeur de café (et ma mère de dire : «Tu la mangeras après le repas», tout en envoyant un sourire poli au monsieur), le bonbon donné par la tata vaguement apparentée, rencontrée par hasard dans la rue («Dis merci», disait ma mère), tout ça et bien d'autres choses semblables me faisaient sentir qu'il fallait que je me cache à moi-même les effrois, la bizarrerie et l'inconvenance de mon monde parallèle imaginaire. Ce dont j'avais à me plaindre de mon enfance avait trait à l'impossibilité de voir au-delà des murs, au fait de ne pouvoir apercevoir que le ciel, et non pas l'immeuble d'en face, quand je regardais par la fenêtre, au fait de ne pouvoir – chaque fois que j'allais avec ma mère à la boucherie malodorante située en face du poste de police (après un moment, j'oubliais sa mauvaise odeur, mais dès qu'on sortait dans la rue, je me la rappelais à nouveau) – voir le boucher découper la viande sur le comptoir avec ses couteaux, grands, chacun, comme une de mes jambes, à l'impossibilité de voir à l'intérieur des boîtes de glaces ou à la surface des comptoirs et des tables, et enfin, à mon impossibilité d'atteindre les boutons de l'ascenseur et de la porte. Lorsqu'un incident avait lieu dans la rue, ou lorsque soudain j'apercevais six policiers qui passaient, un adulte se mettait devant moi et je ratais la moitié des événements. Dans les matchs de football où mon père nous mena alors que nous étions encore tout jeunes, lorsque soudain une action dangereuse se dessinait, tout le monde se levait d'un seul coup devant nous et j'étais dans l'impossibilité de voir comment les buts étaient marqués. Mais comme, dans les matchs, mon attention se portait moins sur le ballon que sur les *pide*[8] au fromage, les toasts au *kaşar*[9], et les chocolats emballés dans du papier doré que mon père avait apportés pour nous, je ne souffrais pas autant de cette frustration visuelle que mon grand frère. Ce que je détestais le plus, c'était de me retrouver coincé à la sortie des matchs, prisonnier entre les jambes des hommes qui avançaient en foule compacte dans un coude à coude sans pitié, et, dans ce contexte étouffant, de voir le monde entier comme une forêt sombre et asphyxiante de jambes d'hommes, aux pantalons froissés et aux chaussures boueuses. Aussi dois-je avouer que, hormis les belles femmes comme ma mère, je n'aimais pas plus que ça les adultes. Ils étaient laids, poilus et grossiers. Ils étaient par trop lourdauds, pesants et réalistes. Ils avaient bien vu à une époque qu'il existait un monde parallèle au sein de ce monde, mais ils avaient perdu leurs facultés de s'étonner et d'imaginer. Certes, ça me faisait plaisir qu'ils me trouvent adorable, qu'ils disent sans cesse que j'étais extrêmement mignon, qu'ils me sourient avec douceur dès qu'ils me voyaient, qu'ils me gâtent avec des cadeaux, mais j'étais dérangé par leurs bisous systématiques.

L'odeur de cigarette qu'ils exhalaient ou bien les lourds effluves de parfum me repoussaient, les poils ou les barbes de leur visage m'importunaient. Je n'aimais pas du tout chez les hommes les poils sur les doigts ou ceux du cou, pas plus que ceux qui jaillissent des oreilles, des narines, et je pensais qu'ils étaient des créatures plutôt mauvaises et vulgaires. Toutes ces récriminations conduisent notre propos vers la vie hors de la maison, vers les rues d'Istanbul.

4

La tristesse des konak *de pachas qu'on détruit : la découverte des rues*

L'Immeuble Pamuk a été construit à Nişantaşı, dans le coin d'un vaste terrain qui jadis avait été le jardin d'un grand *konak* de pacha. Le nom du quartier de Nişantaşı provenait des pierres (sur lesquelles étaient inscrits un ou deux vers commémorant l'événement) que les sultans réformistes et pro-occidentaux de la fin du XVIIIe et du début du XIXe (Selim III, Mahmut II) faisaient ériger pour signaler l'endroit qu'ils prenaient pour cible dans les collines vides et où leurs flèches s'étaient fichées, au cours de leurs séances de tir à l'arc pour le sport ou pour le plaisir, ou bien, parfois, pour signaler l'endroit où s'était brisées les cruches vides qu'ils visaient au fusil. Quittant le palais de Topkapı au nom du confort à l'occidental, mus par la volonté de changer et la peur de la tuberculose, les sultans ottomans s'étaient installés dans les nouveaux palais qu'ils avaient fait édifier à Dolmabahçe et à Yıldız ; de la sorte, les vizirs, les grands vizirs, les enfants de sultan avaient fait construire sur la colline de Nişantaşı, proche des nouveaux palais, de grands *konak* en bois. J'avais commencé le primaire dans le *konak* du pacha Şehzade Halil Rifat (lycée Işık) puis poursuivi dans le *konak* de Sadrazam Halil Rifat Pacha (lycée Terakki de Şişli). Mais ces deux *konak* brûlèrent lors d'une partie de foot dans le jardin, à une époque où je faisais encore mes études dans le secteur. L'immeuble en face du nôtre a été construit sur les ruines du *konak* du chambellan Faik Bey. C'était le seul ancien *konak* solide de l'endroit, un bâtiment en pierres édifié à la fin du XIXe siècle où avaient habité autrefois des grand vizirs, puis qui avait été confié aux préfets, après l'effondrement de l'Empire ottoman et le transfert de la capitale à Ankara. J'étais même entré pour me faire vacciner contre la variole dans un *konak* d'un autre pacha ottoman qui était désormais utilisé comme sous-préfecture. Mais le *konak* des Affaires étrangères (où jadis l'État ottoman logeait ses hôtes occidentaux), les *konak* des filles d'Abdülhamit ou bien les vestiges calcinés et effondrés de leurs *konak* – murs de brique, vitres brisées, quelques marches d'escalier affaissées ou entrelacement de figuiers et de fougères qui n'ont de cesse d'éveiller en moi une profonde tristesse ainsi que la nostalgie de l'enfance –, tout ça n'avait pas encore été totalement anéanti par les immeubles.

Le *konak*, dont les ruines subsistaient entre les cyprès et les tilleuls du jardin qu'on apercevait des fenêtres arrière de notre immeuble avenue Teşvikiye, avait été construit par le pacha Hayrettin de Tunis, éphémère grand vizir pendant la guerre ottomano-russe de 1877-1888. Tcherkesse de naissance, ce pacha avait été vendu comme esclave à Istanbul dans les années 1830, alors qu'il était encore en-fant – soit dix ans avant que Flaubert n'écrivît qu'il voulait s'installer à Istanbul et s'acheter une esclave ; de là, il avait été vendu au préfet de Tunis, avait passé son enfance en France et grandi dans la langue et la culture arabes ; ensuite, il avait intégré l'armée à Tunis, y avait fait une ascension fulgurante, puis, après avoir exercé les fonctions les plus distinguées – commandant, préfet, diplomate, contrôleur des finances –, il s'était installé à Paris à la fin de sa vie. Là-dessus, Ab-dülhamit, alors qu'il allait sur ses soixante ans, avait appelé le pacha à Istanbul sur les conseils de Şeyh Zafiri, lui aussi de Tunis ; et après l'avoir placé un court moment à la tête des affaires financières, il le nomma grand vizir. On plaça de grands espoirs dans le pacha, comme dans ceux qui l'ont suivi, tout simplement parce qu'il n'était pas trop ottoman, pas trop « local », pas trop turc, et qu'il avait désormais l'es-prit d'occidental. En cela il fut l'un des premiers grands exemples en Turquie (et dans les pays pauvres) de ces financiers-administrateurs sauveurs, appelés d'un pays occidental dont ils étaient devenus partie intégrante, dans l'espoir de réformes qui permettraient de tirer le pays du marais de l'endettement. Mais pour les mêmes raisons qui avaient motivé sa venue, à savoir qu'il n'était pas assez turc et pas assez « local », il fut disgracié. Selon la rumeur, le pacha Hayrettin de Tunis prenait des notes en arabe dans la calèche qui le ramenait du Palais où il avait eu ses entretiens et ensuite il les faisait écrire en français à son secrétaire français. En raison des racontars diffusés par ses adversaires, selon lesquels il ne connaissait pas suffisamment le turc, et sur la base d'un rapport estimant que son but caché était de fonder un État arabe (Abdülhamit prenait au sérieux même les dénonciations dont il sentait que le degré de véracité était faible), il fut démis de ses fonctions de grand vizir. Comme il était préjudiciable qu'un grand vizir ottoman tombé en disgrâce retournât en France, pays qu'il aimait tant, il mena pour le restant de ses jours une vie de semi-captivité tout empreinte de mélancolie, l'hiver dans le *konak*, dans le jardin duquel, plus tard, nous ferions construire notre immeuble, et l'été, au bord du Bosphore, dans son *yalı* de Kuruçeşme, rédigeant ses mémoires en français, tout en écrivant des rapports pour Abdülhamit. Il dédia à ses fils ces mémoires, publiés en turc seulement quatre-vingts ans plus tard, qui témoignent chez ce pacha, plus que d'un esprit ironique, de son profond sens du devoir. Vingt ans après, alors qu'un de ses fils était exécuté pour avoir trempé dans l'attentat contre Mahmut Şevket Pacha, le *konak* avait déjà été acheté depuis longtemps par Abdülhamit qui l'avait offert à sa fille Şadiye Sultan.

Chacun de ces *konak* brûlés et effondrés était assimilé dans nos esprits à un héritier impérial qui avait perdu la raison, à un homme

du Palais adonné à l'opium, à un enfant enfermé sous les toits, à une fille de sultan victime de trahison, à l'histoire d'un pacha envoyé en exil ou bien abattu, ainsi qu'à la décomposition et à la dissolution de l'Empire ottoman ; mais dans notre immeuble, tout cela était passé sous silence.

Notre famille était arrivée à Nişantaşı dans les années trente, à un moment où, avec l'élimination par la République de tous ces pachas ottomans, héritiers impériaux et autres hauts fonctionnaires de l'Empire, les *konak* dépendants du Palais commençaient à être évacués, faute d'entretien, et à être détruits par le feu.

Par ailleurs, la tristesse de cette culture agonisante et de cet Empire englouti se ressentait de toute part. Et l'effort d'occidentalisation, plus que d'une volonté de modernisation, me semblait procéder davantage de l'angoisse de se libérer des atours chargés de souvenirs affligeants et douloureux hérités de l'empire écroulé : tout comme, pour se libérer du souvenir destructeur d'un bel amour soudainement décédé, on se débarrasse avec angoisse de ses vêtements, bijoux, objets et autres photos. Et, face à l'impossibilité d'instituer à la place un monde puissant, fort, un monde neuf, occidental ou «local» mais moderne, tous les efforts se sont davantage portés vers l'oubli du passé; ce qui ouvrit la voie à l'anéantissement par le feu des *konak*, au tarissement de la culture par excès de simplification, à la transformation des intérieurs domestiques en musées d'une culture jamais vécue. Des années après, j'ai éprouvé toute cette incongruité et cette tristesse qui m'avaient contaminé et agissaient pesamment en moi, à la manière d'une grave mélancolie sise au cœur de mon enfance. Ce sentiment de tristesse enfoui définitivement dans les tréfonds de la ville me fit prendre conscience de la nécessité de construire mon propre imaginaire, si je ne voulais pas être prisonnier de cette angoisse mortelle, comparable à celle que je ressentais à l'écoute de la musique «Alaturka» dont ma grand-mère maternelle marquait le tempo avec le bout de sa pantoufle.

Il y avait une seconde voie pour ne pas verser dans la tristesse et l'angoisse: c'était de sortir dans la rue avec ma mère. Comme on n'avait pas encore l'habitude de conduire les enfants dans les parcs, les jardins ou dans un endroit où ils pussent prendre l'air, ces jours où l'on me menait dehors étaient revêtus pour moi d'une importance toute singulière. «Demain je vais sortir dans la rue», disais-je avec fierté au fils de ma tante maternelle, mon cadet de trois ans. Je dévalais les escaliers en colimaçon en tournant, et tournant encore; je jetais un dernier coup d'œil sur ma tenue et mes boutons, parvenu devant la petite fenêtre de l'appartement du concierge, d'habitude au sous-sol, qui regardait la porte (pour assurer le contrôle des entrées dans l'immeuble), puis, débouchant dans la rue, je murmurais avec émerveillement «la rue!»

Soleil, air pur, lumière. La maison était parfois tellement sombre que, quand je sortais dans la rue, mes yeux en étaient tout éblouis par la lumière, comme lorsque l'on ouvre les rideaux les jours d'été. En premier lieu, marcher sur le trottoir me plut énormément. Tout en tenant la main de ma mère, je regardais avec attention les vitrines des magasins: je comparais les cyclamens derrière la vitre embuée du fleuriste à des loups colorés au long nez, je suivais les fils invisibles suspendant en l'air les chaussures à talon qui semblaient voler dans la vitrine du chausseur, et, en voyant qu'était exposé dans celle de la papeterie le même livre scolaire *Sınıf Bilgisi* que celui de mon grand frère, j'avais l'intuition que cette première information fournie par la rue était un indice du fait que les autres avaient une vie semblable à celle que nous menions dans l'immeuble. L'école primaire où allait mon grand frère, et où j'allais moi-même faire mes débuts une année plus tard, était contiguë à la mosquée de Teşvikiye où se déroulaient tous les enterrements. Comme mon grand frère se complaisait à évoquer à la maison « ma maîtresse, ma maîtresse », je croyais que, de la même façon que chacun avait une nounou, chaque élève avait aussi une maîtresse pour lui tout seul. Quand j'ai commencé à aller à l'école, l'année d'après, la vue d'une seule maîtresse pour les trente-deux élèves de la classe bien bondée ajouta la déception engendrée par le sentiment d'être une virgule au milieu de la foule à la tristesse d'être loin de la tranquillité de la maison et de ma mère. Un autre lieu où nous passions de temps en temps, et qui sentait la buée, tout comme la boutique du fleuriste, était l'endroit où mon père faisait repasser et empeser ses chemises. Alors que ma mère était entrée dans la Banque des Affaires, sans lui en signifier préalablement la raison, je ne montai pas à ses côtés à la caisse par les six marches d'escalier, parce que la peur de pouvoir tomber et disparaître par les vides entre les marches de bois s'était emparée de moi. Et d'en haut,

tout cn continuant à faire la queue à la caisse, ma mère de s'écrier : « Pourquoi ne viens-tu pas par là ? ». Je ne répondis pas, et, face à mon incapacité à expliquer mon problème, sous le coup d'une inquiétude inédite, je me sentis étranger à moi-même, et me mis à dériver parmi mes phantasmagories, tout en m'assurant régulièrement que ma mère était encore là : j'étais dans un palais ou alors au fond d'un puits...

Si l'on allait en direction d'Osmanbey et de Harbiye, le cheval volant qui recouvrait la façade latérale de tout l'immeuble en bas duquel il y avait une station d'essence de la compagnie Mobil se rajoutait à ces phantasmagories. Les gueules de chevaux, de loups et de créatures effrayantes, leurs museaux me restèrent à l'esprit et je me mis à penser que j'allais disparaître dans l'un de ces gouffres. Il y avait aussi une femme *rum*[10] passablement âgée qui, tout en repassant des chaussettes en nylon, vendait boutons et ceintures ; elle proposait aussi, avec l'air de faire des faveurs spéciales, des « œufs de ferme » qu'elle sortait un à un d'un tiroir laqué comme si elle sortait des bijoux. Les poissons rouges aux mouvements très pesants du petit aquarium de sa boutique actionnaient leur bouche, petite mais effrayante, pour manger le doigt que j'appuyais sur la vitre, avec une stupidité obstinée qui me plaisait. Sur notre chemin, il y avait une autre boutique devant laquelle nous passions, c'était celle de Yakup et Vasil, qui faisait à la fois bureau de tabac et librairie-papeterie ; mais elle était si exiguë que généralement on n'y pénétrait pas de peur d'y rester coincé. De même qu'autrefois en Amérique latine on désignait par « Turcs » les Arabes, on appelait « Arabes » les quelques Noirs d'Istanbul. Il y avait donc un magasin de café qu'on appelait « la boutique de l'Arabe ». Et quand l'énorme machine à courroie à moudre le café se mettait en marche, en faisant tout trembler alentour avec un bruit comparable à celui de la machine à laver le linge de la maison, je m'éloignais un peu ct je sentais que l'« Arabe » souriait avec tendresse devant mon effroi. Les quarante années d'histoire de ces boutiques, fermées une à une, après avoir été peu de temps l'expression de la fièvre passagère de la mode, puis rouvertes sous une autre forme et à nouveau fermées au fil du temps, nous les avons fixées sur papier avec mon grand frère, moins par nostalgie que pour nous livrer à un exercice de mémoire. Par exemple, pour la pauvre boutique en face du lycée de cours du soir pour filles, nous avons dénombré sept états successifs : ce fut la pâtisserie d'une dame *rum*, puis un fleuriste, un vendeur de sacs, un horloger, même un relais pour jeux de chance pendant un moment, une librairie-galerie d'art, et enfin une pharmacie.

Comme je l'avais prémédité avant de pénétrer dans l'obscurité pareille à celle d'une grotte de la boutique d'Alaadin « tabac-jouets-journaux-papeterie », à la même place, elle, depuis cinquante ans, je demandais à ma mère de m'acheter un sifflet, ou bien quelques billes, ou bien un livre à colorier, ou bien un yo-yo. Dès que le cadeau prenait place dans le sac de ma mère, le désir de rentrer à la maison commençait à me travailler.

« Allez, marchons jusqu'au parc », disait ma mère.

Soudainement, une étrange douleur commençait à se faire sentir dans mes jambes et dans tout mon corps, et l'absence de volonté se diffusait du moral au physique. Des années plus tard, après avoir mené ma fille du même âge marcher dans ces mêmes rues, après avoir entendu de sa part les mêmes plaintes, et après en avoir parlé avec un médecin, je me suis efforcé de me persuader que cette fatigue et cet ennui atypiques étaient quelque chose entre la fatigue banale et la douleur des membres en pleine croissance. Une fois cette fatigue et cet ennui progressivement bien installés en moi, je commençais à voir toutes les rues, et même les vitrines que je ne voulais plus regarder, comme si elles perdaient peu à peu toutes leurs couleurs ; la ville entière devint un lieu noir et blanc.

« Maman, porte-moi !

– Allez, marchons jusqu'à Maçka, disait ma mère, ensuite, nous prendrons le tramway. »

J'aimais le tramway qui, passant dans notre rue depuis 1914, reliait Maçka, Nişantaşı, à la place Taksim, au Tünel, au pont de Galata et aux recoins pauvres, désuets et vieillots de la ville qui me donnaient l'impression à l'époque de constituer un autre pays. Et j'aimais son gémissement qui parvenait comme une musique triste à mes oreilles les nuits où je m'étais couché de bonne heure ; j'aimais aussi son intérieur plaqué de bois, la vitre couleur indigo de la porte coulissante séparant l'espace du chauffeur des sièges des voyageurs, et, quand nous attendions avec ma mère le moment du départ au dernier arrêt, le chauffeur qui me donnait l'autorisation de jouer avec la manivelle en fer... Sur le chemin du retour, les rues, les immeubles, et même les arbres me semblaient être en noir et blanc.

5

Noir et blanc

J'ai vécu l'Istanbul de mon enfance comme un lieu en deux teintes, à moitié obscur, couleur de plomb, dans le style des photographies en noir et blanc ; c'est aussi ainsi qu'il m'en souvient. Bien que j'aie

grandi dans la semi-obscurité d'une maison-musée à l'ambiance pesante, je lui dois sans doute une part de ma passion pour les espaces intérieurs. L'extérieur, les rues, les avenues, les quartiers éloignés m'ont toujours fait l'impression d'être des lieux dangereux, comme sortis de films de gangsters en noir et blanc. J'ai toujours préféré l'hiver à l'été d'Istanbul. J'aime contempler les crépuscules précoces, les arbres dénudés qui tremblent dans le *poyraz*[11], et, au cours des jours de transition de l'automne à l'hiver, les gens qui rentrent chez eux à pas empressés, par les rues à demi obscures, vêtus de leur manteau noir et de leur veste. Et les murs des anciens immeubles et des *konak* en bois effondrés, qui prennent une teinte propre à Istanbul, fruit de l'absence d'entretien et de peinture, éveillent en moi une agréable tristesse et le plaisir de la contemplation.

En hiver, dans la pénombre du soir précoce, les teintes noir et blanc des gens qui rentrent chez eux à pas précipités me procurent le sentiment que j'appartiens à cette ville et que je partage quelque chose avec eux. Et j'ai l'impression que l'obscurité de la nuit va recouvrir le dénuement de la vie, des rues et des objets et que, en inspirant et

expirant à l'intérieur des maisons, dans les chambres et sur les lits, nous allons tous nous retrouver confrontés aux rêves et aux illusions issus de l'ancienne richesse d'Istanbul désormais bien lointain, et de ses bâtisses et légendes perdues. Et j'aime aussi les ténèbres des froides soirées d'hiver qui descendent à la façon d'un poème, malgré les lampadaires falots, sur les faubourgs déserts, parce que nous sommes loin des regards étrangers, occidentaux et parce qu'elles recouvrent le dénuement de la ville dont nous avons honte et que nous voulons cacher.

Cette photographie d'Ara Güler me vient parfois à l'esprit, parce qu'elle montre bien la fusion des maisons de bois et des immeubles en béton dans les rues secondaires désertes (ensuite, petit à petit, les maisons en bois furent détruites et les immeubles, qui m'apparaissent en définitive être dans leur continuité, n'ont pas cessé de me procurer le même sentiment, dans la même rue, au même endroit), parce que la lumière falote des lampadaires n'éclaire rien du tout et parce qu'elle reflète fort bien le sentiment « noir et blanc vespéral », pour moi constitutif d'Istanbul. Et ce qui m'attache à cette photo, tout autant que ce qui me renvoie à mon enfance – les pavés, les chemins empierrés, les garde-fous en fer des fenêtres ou les maisons en bois désertées et toutes bancales –, c'est qu'on a l'impression qu'il est tard, alors que le soir n'est pas encore complètement là, et que ces deux personnes poursuivies par leur ombre, en train de rentrer chez elles, ont avec elles apporté la nuit à la ville.

Moi aussi, dans les années cinquante et soixante, à chaque coin de la ville, j'ai croisé ces petites équipes de tournage composées d'un minibus de société cinématographique garé sur le côté, de deux grosses lampes alimentées par un générateur, d'un *suflör* (selon le mot français) criant de toutes ses forces à cause du bruit du générateur pour venir en aide au bellâtre jeune premier et à la femme maquillée à outrance, qui n'avaient pas pu apprendre par cœur leur rôle, ainsi que d'un rempart de gros bras employés pour éloigner du champ de vision de la caméra, à coups de pied et de claques, la foule des curieux et les enfants contemplant la scène ; et moi aussi, comme tout un chacun, je les ai regardés des heures et des heures. Et quarante ans plus tard, quand je vois les scènes de rue de ces films en noir et blanc tous rediffusés sur les chaînes de télévision – l'industrie turque du cinéma s'étant effondrée, du fait de la médiocrité de ses propres scénaristes, acteurs et producteurs, et un peu aussi du fait de l'insuffisance de ses moyens financiers pour pouvoir imiter les grandes industries de la force de Hollywood –, je me laisse emparer par le sentiment que ce que je regarde, parfois, ce n'est pas le film, mais mes souvenirs, et, pendant un moment, je m'abandonne à l'étourdissement de la tristesse.

Un élément consubstantiel de cette texture noir et blanc de la ville, ce sont les pavés des rues, qui m'émeuvent chaque fois que je regarde ces vieux films.

Quand j'avais dans les quinze ou seize ans et que je m'imaginais en peintre impressionniste des rues d'Istanbul, je prenais plaisir à souffrir en dessinant les pavés un par un. Avant que les municipalités zélées ne les recouvrent impitoyablement d'asphalte, les chauffeurs de *dolmuş* et de taxi se plaignaient sans cesse des voies pavées, au motif qu'elles usaient très vite leurs véhicules. Il y avait bien sûr d'autres sujets de lamentation dont les chauffeurs de *dolmuş* faisaient continuellement part à leurs clients, comme les tranchées sans cesse creusées pour les réparations des égouts, du réseau électrique ou que sais-je. Lors de ce type d'intervention, je prenais grand plaisir à suivre l'arrachage méticuleux des pavés et, une fois l'opération enfin achevée – on pensait qu'elle ne finirait jamais : on tombait parfois sur des tunnels byzantins –, à observer les ouvriers replacer les pavés, avec une habileté fascinante, comme s'ils tissaient un tapis.

Il y avait une autre chose qui rendait pour moi la ville noir et blanc, c'étaient les *konak* en bois de mon enfance, et les vieilles maisons en bois à l'état de ruine, qu'on ne pouvait pas qualifier de *konak*, mais qui étaient quand même bien vastes. Comme je voyais côte à côte, dans les quartiers retirés, de nombreuses demeures qui offraient cette teinte spéciale et cette texture, cette nuance obscure faite de blanc et de noir mêlés, effroyablement belle – aucune de ces maisons n'ayant été peinte du fait de la pauvreté ou de la négligence, leur bois s'était assombri, noirci au fil du temps sous l'effet du froid, de l'humidité, de la pollution et de l'âge –, enfant, je pensais qu'il s'agissait de la couleur originelle de ces bâtiments. Peut-être que dans les rues les plus pauvres, il y en avait quelques-unes qui n'avaient jamais été peintes une fois terminées, qui portaient donc depuis le début cette teinte entre le noir et le blanc, tirant par endroits sur la couleur café. Mais les écrits des voyageurs occidentaux venus à Istanbul au milieu du XIXe siècle, ou même avant, nous renseignent sur la beauté puissante, pleine et riche que conféraient à la ville, tout spécialement, les couleurs et l'atmosphère resplendissante des opulents *konak*. Au cours de mon enfance, j'ai même parfois nourri le rêve de repeindre tous ces bâtiments de bois, mais j'ai eu de tristes regrets une fois que ce vieux tissu sans pareil de bois noirci et cette atmosphère ont disparu de la ville et de ma vie. L'été, le bois de ces vieilles maisons – si on le cassait alors qu'il était tout sec, il prenait une texture tirant sur la couleur café ou mate comme de la craie et il donnait l'impression qu'à chaque instant il pouvait s'embraser et se pulvériser en étincelles incandescentes – sentait l'humidité et le moisi, rappelant les longs froids d'hiver, les neiges répétées et les pluies. Les bâtiments en bois des *tekke*, qui n'abritaient plus aucune activité religieuse d'aucune sorte en vertu des lois de la République, ces lieux pour la plupart vidés, où depuis des années plus personne d'autre ne pénétrait que les enfants casse-cou, les fantômes et les chasseurs d'objets anciens, ont éveillé en moi les mêmes sentiments mêlés de crainte, de curiosité et d'attirance, et j'ai regardé ces édifices avec leurs murs de jardin à moitié effondrés, à la fois effrayé et tenté, par les carreaux cassés, à travers les arbres trempés.

Et je prends toujours plaisir à regarder les dessins au fusain qu'ont réalisés les voyageurs curieux de l'Orient tel Le Corbusier, comme à lire des romans illustrés à la main, en noir et blanc, qui se déroulent

à Istanbul, parce qu'ils me laissent presque chaque fois en compagnie de cet esprit noir et blanc de la ville. (Certes Hergé n'a jamais dessiné, malgré les longues années d'attente de mon enfance, les aventures de Tintin à Istanbul, mais le premier film sur Tintin fut tourné à Istanbul en 1962. Avec certaines photos tirées de plans de ce mauvais film, et au terme d'un montage avec des images extraites d'autres aventures de Tintin, un éditeur pirate imaginatif d'Istanbul a

produit un livre d'aventures en noir et blanc intitulé *Tintin à Istanbul*).
J'ai aussi lu dans de vieux journaux (tous en noir et blanc) des nouvelles d'assassinat, de suicide et de vol, mais plus avec une certaine
nostalgie et tristesse qu'avec l'effroi de mon enfance.

Les rues secondaires de Tepebaşı, Cihangir, Galata, Fatih et Zeyrek, de certains villages des bords du Bosphore, d'Üsküdar, sont des
lieux encore hantés par cet esprit noir et blanc que j'essaie d'exprimer. Les matins de brouillard et de fumée mêlés, les nuits de pluie
et de vent, les groupes de mouettes posés sur les coupoles des mosquées, la pollution de l'air, les tuyaux de poêle braqués des maisons

vers les rues comme des bouches de canon, crachant une sale fumée,
les conteneurs poubelles rouillés, les parcs et les jardins demeurés
déserts et négligés les jours d'été, et l'inquiétude des gens rentrant
chez eux dans la neige et la boue des soirs d'hiver, tout cela me renvoie à ce sentiment noir et blanc qui me travaille comme un triste

bonheur : les vieilles fontaines brisées ici et là, taries depuis des années, les boutiques de bric et de broc apparues spontanément aux abords immédiats des vieilles mosquées des quartiers excentrés, ou même à présent aux abords des grandes mosquées, indifféremment, la foule des élèves du primaire se déversant dans les rues en un instant, avec leur blouse bleue et leur collerette blanche, les camions vieux et fatigués chargés de charbon, les petites épiceries obscurcies par le désœuvrement et la poussière, les cafés de quartier pleins de chômeurs accablés, les trottoirs sales tout tordus et défoncés, les cyprès plus noirs que pétrole, les vieux cimetières égrenés sur les

hauteurs, les murailles effondrées de la ville semblables à des rues pavées dressées à la verticale, les entrées de cinéma qui depuis un certain temps se mettent à toutes se ressembler, les boutiques de *muhallebeci*[12], les vendeurs de journaux sur les trottoirs, les rues où errent au milieu de la nuit des gens ivres, les lampadaires falots, les *vapur* des lignes urbaines qui montent et descendent le Bosphore et les fumées que crachent leur cheminée, les paysages de la ville sous

la neige, tout cela constitue pour moi comme des manifestations du même esprit noir et blanc.

La neige faisait indéfectiblement partie de l'Istanbul de mon enfance. Comme certains enfants attendent, impatients, les vacances d'été, avec l'espoir d'entreprendre quelque voyage, moi aussi dans mon enfance j'ai attendu que la neige tombât. Non pas pour sortir

dans les rues et jouer dans la neige, mais plutôt parce que la ville sous la neige m'apparaissait infiniment plus «belle». Et par ce terme de beauté, plus qu'au sentiment de renouveau et d'étonnement que procure cette dissimulation de la boue, de la saleté, des lézardes et des lieux négligés de la ville, je fais ici référence à l'atmosphère d'affolement et de catastrophe qu'apporte la neige à la ville. Bien qu'il ne neige chaque année qu'entre trois et cinq jours, et que la ville ne reste sous la neige que d'une semaine à dix jours, à chaque chute, les Stambouliotes étaient pris à l'improviste comme s'il s'agissait de la première fois ; les routes étaient coupées et, comme dans les périodes de guerre ou de catastrophe, des queues se formaient immédiatement devant les boulangeries ; de même, et c'est le plus important, toute la ville était comme unie autour de la neige, sujet unique, par un sentiment de communion. Et comme la ville et les gens, passablement coupés du reste du monde, se repliaient sur eux-mêmes sous l'effet de leurs propres embarras, j'avais l'impression qu'Istanbul, durant les jours neigeux d'hiver, à la fois se vidait davantage et se rapprochait un peu plus des anciens jours sortis de légendes.

Parmi les événements météorologiques extraordinaires qui ont uni la ville, événements dont on a parlé et reparlé pendant des années, je me rappelle l'entrée dans le Bosphore des blocs de glace en provenance du Danube, par la mer Noire. Cette irruption, qui réjouit tous les Stambouliotes comme des enfants, fut une source d'étonnement et d'effroi du fait de son incongruité – est-ce qu'Istanbul n'est pas une ville méditerranéenne ? – et constitua en même temps un souvenir inoubliable. Des années après, on en parle encore.

Une part de ce sentiment noir et blanc avait certainement trait à la pauvreté de la ville et au fait que, son histoire et sa beauté n'ayant pas été mises en valeur, elle s'était flétrie, avait fané, était tombée en disgrâce et avait été mise à l'écart. Une autre part a trait à la modestie épurée de l'architecture ottomane, même aux époques les plus ostentatoires et glorieuses. Influencés par cette tristesse héritée d'un grand empire, si l'on compare à l'Europe pourtant géographiquement si proche, les Stambouliotes sont comme condamnés à être la proie d'une espèce de pauvreté éternelle, maladie indigne aux sources de cet esprit introverti de la ville.

Pour mieux saisir cette atmosphère noir et blanc, composante essentielle du sentiment de tristesse intrinsèque à la ville, atmosphère perpétuellement recréée, comme si les Stambouliotes la partageaient à la manière d'un destin, il faut venir à Istanbul en avion, d'une riche ville de l'Occident, et sans tarder plonger dans les rues populeuses ; ou alors, un jour d'hiver, monter sur le pont de Galata, cœur de la ville, et y regarder marcher les foules avec leurs vêtements aux couleurs indifférenciées : fanées, grises et fantomatiques. Les Stambou-

liotes de mon époque, qui portent très rarement des couleurs vives – des rouges, des orange lumineux ou des verts, à l'inverse de leurs ancêtres riches et fiers –, paraissent à première vue, aux yeux des personnes venues de l'extérieur, s'efforcer de ne pas attirer l'attention par leur accoutrement, en vertu d'une mystérieuse loi morale. Bien sûr, une telle loi morale n'existe pas, mais un intense sentiment de tristesse est à l'origine de cette modestie. Depuis cent cinquante ans, un lourd sentiment de défaite et de perte s'est abattu pesamment sur la ville, la pauvreté et les signes d'effondrement se perçoivent en toute chose, depuis les paysages noir et blanc, jusque dans la tenue des Stambouliotes.

Et ce que tous les voyageurs occidentaux venus dans la ville au XIXe siècle ont décrit à ce propos avec le même enthousiasme, de Lamartine à Nerval ou à Mark Twain – les meutes de chiens dans les rues par exemple –, nourrit davantage l'intensité du sentiment noir et blanc lové en moi. Ces chiens – tous semblables ou rassemblés en un peloton gris, cendre, terne, de couleurs mêlées dont aucune ne ressort de façon distincte, et qui se baladent dans la ville avec ce permanent sentiment de liberté et de puissance, malgré tous les efforts d'occidentalisation et de modernisation, malgré les coups d'État militaires, malgré l'État, la discipline scolaire et les préceptes et discours municipaux inspirés de l'Occident, rappellent qu'aux mystérieuses extrémités nerveuses d'Istanbul, bien plus que la force de l'État et du pouvoir, c'est un sentiment de vanité, de laisser-aller et de tendresse qui vagabonde ici et là, au hasard.

Il y a une autre chose qui rend encore plus persistant le sentiment noir et blanc, c'est que les victoires et bonheurs colorés du passé de la ville n'ont pas été peints par des mains guidées par des yeux originaires de la ville. Il n'existe pour ainsi dire pas de peintre ottoman capable de susciter aisément aujourd'hui notre plaisir visuel. Dans aucun endroit du monde contemporain il n'existe un écrit ou une œuvre à même de familiariser notre œil avec la peinture ottomane ou avec la peinture de l'Iran classique dont elle s'est inspirée. Les décorateurs ottomans, qui n'ont su s'inspirer que d'une part limitée de l'énergie des miniatures iraniennes, ont vu Istanbul – et Matrakçı Nasuh en est le meilleur exemple –, non pas comme un paysage avec du volume, mais comme une surface et une carte (tout comme les poètes du divan ont loué et aimé la ville, non pas comme un lieu réel, mais comme un simple mot). Tant que l'on a concentré l'attention sur la richesse des accessoires, des maîtres et des objets, sur les sujets du sultan, sur les corporations, comme dans les *surname*[13], la ville fut peinte non pas comme le lieu de la vie quotidienne, mais comme un théâtre de revues officielles ou bien comme un détail important sur lequel se focaliserait obstinément une caméra tout au long d'un film.

C'est pourquoi, lorsque l'on eut besoin de paysages de l'Istanbul d'autrefois pour des journaux, revues ou livres d'école, comme les assez nombreuses photos et cartes postales avaient été achetées à un prix élevé par des collectionneurs amateurs, on a utilisé les gravures des voyageurs et dessinateurs occidentaux, souvent tirées en noir et blanc. Bien que les jours les plus heureux de la ville aient été peints avec de modestes gouaches, à la manière de Melling – comme je le raconterai plus loin –, les Stambouliotes n'ont même pas eu le plaisir de voir avec ces couleurs leur propre passé heureux, et ils ont vécu leur ville en permanence avec un sentiment noir et blanc, pour des raisons techniques contre lesquelles ils n'ont pas tellement lutté, et qu'ils ont acceptées comme un destin. Ce manque était en parfaite harmonie avec leur tristesse.

Pendant mon enfance, les nuits étaient belles parce que la ville, au fur et à mesure qu'elle s'appauvrissait, s'enfouissait en elle-même, se recouvrait d'une atmosphère trouble et pesante – comme de la neige –, qui l'imprégnait de poésie. La nuit d'Istanbul, parce que les hauts bâtiments étaient encore peu nombreux durant mon enfance, se glissait dans les maisons, entre les arbres et leurs branches, sur les cinémas en plein air, les balcons, les fenêtres laissées ouvertes, non pas comme sur une surface grossièrement plane, mais avec une élégance conforme à la structure tout en sinuosités de la ville, à ses raidillons et à ses collines. J'aime cette gravure que Thomas Allom a réalisée en 1839 pour un récit de voyage, parce qu'elle montre l'obscurité à la façon d'un mystérieux élément de légende. J'aime la demi-lune ou bien, comme sur cette image, son estompement par les nuages, à

la manière d'une lampe voilée le temps de commettre un crime, et j'aime sa lumière affaiblie, parce qu'elle parvient à mettre en scène – plus que la pleine lune dont tout Istanbul partageait le culte, car elle affranchissait la nuit du risque de l'obscurité aveugle – le mystérieux pouvoir des ténèbres source du mal.

La nuit, mystérieuse source du mal qui confère à la ville une atmosphère de rêve et de légende, souligne l'ambiance noir et blanc d'Istanbul. Le regard des Stambouliotes incapables de comprendre les intrigues qui se nouent à l'intérieur des palais, et celui des voyageurs occidentaux sur une nuit qui recouvre tout de ses mystères, qui dissimule la bigarrure sans pareille de la ville et qui semble avoir pour fonction, par la magie des ténèbres, de rendre possible l'accomplissement de nouveaux maux, sont des regards qui se ressemblent. L'histoire du cadavre – d'une femme du harem assassinée, ou bien d'un coupable exécuté – que l'on passe par une porte ouverte à travers les murs du palais sur la Corne d'Or, que l'on installe dans une barque et que l'on jette à la mer, c'est une histoire que chérissent et relatent à loisir autant les voyageurs que les Stambouliotes.

Le crime de Salacak, commis dans l'été 1958 avant que j'apprenne à lire et écrire – une affaire constituée des mêmes éléments que l'histoire précédente, avec lesquels je me sentais lié par un lien spécial, à savoir la nuit, la barque et les eaux du Bosphore –, a non seulement enrichi en moi la représentation en noir et blanc des eaux du détroit, mais a continué tout au long de ma vie à mener en moi son existence propre, tel un imaginaire de l'horreur. Le jeune héros de cette affaire – dont j'ai entendu parler pour la première fois dans une conversation à la maison, et qui a vite pris une dimension de légende dans tout Istanbul tant les journaux l'ont relaté à satiété – était un pauvre pêcheur ivre. À cause du caractère effrayant du « Monstre de Salacak » qui, souhaitant violer la mère, avait noyé en les jetant dans les eaux les enfants de celle-ci, et même leurs camarades également montés dans sa barque pour se promener, on nous interdit, dans notre maison d'été de Heybeliada, non seulement les divertissements tels que sortir en mer avec les pêcheurs pour jeter les filets, mais aussi, pendant un certain temps, de se balader seul dans le jardin. L'image des enfants jetés par le pêcheur dans la mer mauvaise, essayant de s'accrocher bec et ongles au rebord de la barque, les cris de la mère, le pêcheur frappant de sa rame la tête des enfants et de la mère, tout cela avait pris place dans mon esprit sous la forme d'une image en noir et blanc, lorsque, des années après, je lisais dans les journaux d'Istanbul des nouvelles sur des crimes (activité à laquelle je me livre avec plaisir).

6

La découverte du Bosphore

Après le crime de Salacak, il ne fut plus question de refaire des promenades en barque sur le Bosphore avec ma mère et mon grand frère. Pourtant, comme l'hiver d'avant nous avions eu tous deux la coqueluche, pendant toute une époque nous étions allés avec mon frère nous promener en barque sur le Bosphore presque tous les jours. Ce fut mon frère qui commença à être malade, je le suivis dix jours après. D'ailleurs, d'un certain côté la maladie me rendait heureux : ma mère était encore plus gentille avec moi, elle disait de ces mots qui m'étaient si agréables, elle allait m'acheter les petits jouets que je voulais. La souffrance que j'endurais tenait moins à la maladie qu'au fait de ne pas pouvoir participer aux déjeuners et aux dîners pris soit tous ensemble à notre étage, soit en haut, et à ma curiosité

frustrée de ne pas pouvoir écouter, même à distance, les conversations de table, le bruit des fourchettes, des couteaux et des assiettes, et les plaisanteries.

Le docteur Alber dont nous redoutions tous les attributs, depuis son sac jusqu'à sa moustache, prescrivit pour notre rétablissement, après l'épreuve des premières nuits de fièvre, de nous conduire impérativement tous les jours au bord du Bosphore mon frère et moi, pour que nous puissions prendre l'air ; et ce pendant un bon moment. L'acte de «prendre l'air» se confondit ainsi inextricablement dans

ma tête avec la signification courante du mot «Bosphore» en turc[14]. C'est sans doute la raison pour laquelle je n'ai pas été exagérément surpris quand j'appris qu'on appelait jadis «Therapia» (thérapie) ce tranquille village de pêcheurs grecs où, il y a plus de cent ans, le célèbre poète Kavafis passa une partie de sa jeunesse, village qui n'a plus rien à voir avec le fameux Tarabya d'aujourd'hui, fréquenté par les touristes pour ses restaurants et ses hôtels. Et c'est sans doute parce qu'il est toujours associé dans ma tête à l'idée de cure que la vue du Bosphore me procure chaque fois un grand réconfort.

Face au parfum de défaite, d'effondrement, d'humiliation, de tristesse et de dénuement qui pourrit insidieusement la ville, le Bosphore est profondément associé en moi aux sentiments d'attachement à la vie, d'enthousiasme de vivre et de bonheur. L'esprit et la force d'Is-

tanbul viennent de lui. Pourtant la ville, dès l'origine, ne lui a pas accordé trop d'importance ; elle a vu en lui une voie maritime, de beaux paysages et, ces deux derniers siècles, un lieu d'implantation de palais d'été ou bien de *yalı*.

Jusqu'au début du XVIIIe siècle, hormis la population d'une série de villages de pêcheurs grecs, pas grand monde n'a daigné vivre au bord du Bosphore, mais à partir de cette époque, les élites ottomanes ont commencé à en faire un lieu de villégiature ; dès lors une culture fermée à l'extérieur, propre à Istanbul et à la civilisation ottomane,

se développa notamment aux environs de Göksu, Küçüksu, Bebek, Kandilli, Rumelihisarı et Kanlıca. Les *yalı* que les pachas ottomans, les élites et les riches du XIXe siècle y ont fait construire pour y résider ont, par la suite, au cours du XXe siècle, dans l'enthousiasme de la République et du nationalisme turc, été érigés en exemples de l'identité et de l'architecture turco-ottomanes. Les bâtiments «modernes», ou leurs imitations, à hautes et fines fenêtres, à larges avant-toits, à fines cheminées et à oriel que Sedad Hakkı Eldem prend comme exemples de *yalı* dans son ouvrage intitulé *Souvenirs du Bosphore* – où il

a rassemblé d'anciennes photos de ces *yalı*, des gravures exécutées par des dessinateurs comme Melling et des plans –, ne sont que les ombres rescapées de cette culture détruite, anéantie.

La ligne d'autobus Taksim-Emirgân passait par Nişantaşı dans les années cinquante. Pour nous rendre au Bosphore, nous montions dans l'autobus, ma mère et moi, à l'arrêt situé juste en face de la maison. Si nous y allions avec le tramway, il fallait marcher longtemps sur la rive à partir du dernier arrêt (Bebek) pour monter dans la barque qui nous attendait toujours au même endroit. J'ai pris un immense plaisir, dans l'anse de Bebek, à naviguer entre les barques, les cotres, les *vapur* des lignes urbaines, les pontons aux rebords couverts de moules et les phares, à prendre du large et à éprouver le courant du Bosphore, à sentir la barque secouée par les vagues des bateaux qui passaient, et j'ai souhaité que ces balades ne se terminent jamais.

Le plaisir de se promener sur le Bosphore, de se mouvoir au sein d'une ville si vaste, si riche historiquement et si mal entretenue, vous fait éprouver la liberté et la force d'une mer profonde, puissante et

animée. Le voyageur qui file, porté par les rapides courants, au milieu de la saleté, de la fumée et du brouhaha d'une ville tellement
populeuse, sent que la force de la mer passe en lui et qu'au sein de
toute cette multitude, de toute cette densité historique et de tous ces
bâtiments, il est tout de même possible de demeurer libre, la tête

haute. Cette masse d'eau qui passe au sein de la ville ne peut en
aucun cas être comparée aux canaux d'Amsterdam ou de Venise, pas
plus qu'au fleuve qui partage Paris ou Rome : ici c'est du courant, du
vent, des vagues, de la profondeur et des ténèbres. Quand vous êtes
poussés par le courant, ou que, en sa compagnie, vous commencez
à être entraînés et déviés de côté tel un crabe, en plein sur les *vapur*
des lignes urbaines, alors, Istanbul défile devant vous. D'abord les
femmes d'un certain âge qui vous regardent en buvant le thé sur
leur balcon, les immeubles, les *yalı*, le café avec sa treille à côté de
l'embarcadère, les enfants qui se baignent en slip à l'endroit où les
égouts se déversent puis qui se sèchent allongés sur l'asphalte, les
pêcheurs sur la rive, ceux qui végètent à l'intérieur de leur cotre, les
élèves qui sortent de l'école cartable à la main et qui marchent le long
de l'eau, les passagers qui regardent la mer à travers les fenêtres de
l'autobus bloqué par la densité de la circulation, les chats qui guettent
les pêcheurs sur le quai, les platanes dont vous découvrez à présent
combien ils sont hauts, les *konak* à l'intérieur de leur jardin dont vous
ne pouvez constater l'existence que si vous regardez depuis la mer
et non pas depuis la route littorale de laquelle on n'aperçoit rien, les

raidillons, les collines derrière ces raidillons, et les hauts immeubles à l'horizon – Istanbul défile, avec tout le poids de son chaos, avec ses mosquées, ses quartiers éloignés, ses ponts, ses minarets, ses tours, ses jardins et ses hauts bâtiments dont le nombre augmente chaque jour. Se promener sur le Bosphore en *vapur*, en *motor*[15], et, comme j'ai pu le faire enfant, en barque, procure à l'homme à la fois le plaisir d'observer Istanbul de près, bâtisse par bâtisse, quartier par quartier, et de loin, telle une silhouette sans cesse changeante ou une figure imaginaire.

Un des principaux plaisirs du Bosphore que j'éprouvais, même enfant, à l'époque où nous allions nous promener tous ensemble en voi-

 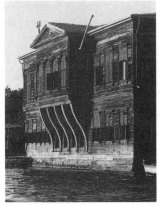

ture, c'était cela : voir les vestiges d'une époque si riche, et révolue, au cours de laquelle la civilisation et la culture ottomanes passaient sous influence occidentale, mais sans perdre leurs caractéristiques et leurs forces propres. À la vue de la magnifique porte en fer à la peinture écaillée d'un grand *yalı*, de la solidité des hauts murs épais colonisés par les algues d'un autre, des persiennes et des boisures ouvragées d'un troisième n'ayant pas encore brûlé, et des jardins s'étirant jusqu'au sommet des hauteurs à l'arrière de certains *yalı* – jardins ombragés par les arbres de Judée, les pins du Bosphore et les platanes tous centenaires –, je sentais les traces d'une civilisation somptueuse, désormais disparue, et je me disais que jadis, certains êtres nous ressemblant sans doute un peu avaient mené là une exis-

tence complètement différente, et que nous nous distinguions aussi un peu de ces êtres, parce que nous étions plus pauvres, plus brisés, plus opprimés et plus provinciaux.

À partir du milieu du XIXᵉ siècle, sous l'effet de la paupérisation, du pourrissement, du laisser-aller, de l'explosion démographique, des guerres perdues une à une et de l'occidentalisation, le vieux centre d'Istanbul, dans la péninsule historique, a été malmené et écrasé par les grands bâtiments de la bureaucratie ottomane moderne ; cette même bureaucratie (les nantis et les pachas) s'enfuyait loin de là, l'été, vers les *yalı* qu'elle avait fait construire sur les bords du Bosphore, pour y élaborer une culture fermée au monde extérieur. À propos de ces lieux, que les étrangers au quartier n'ont pas pu visiter en toute liberté (parce qu'ils n'étaient pas encore intégrés à la ville, du fait de l'absence de route, les premiers temps en tout cas, et malgré les lignes maritimes et les embarcadères apparus à compter du milieu

du XIXᵉ siècle), comme à propos de leur culture repliée sur elle-même, nos connaissances s'appuient surtout sur les souvenirs rédigés avec nostalgie par la deuxième ou troisième génération, puisque les Ottomans qui ont vécu dans ces lieux à l'époque n'ont rien écrit.

Parmi les auteurs de ce genre de souvenirs, le plus brillant fut Abdülhak Şinasi Hisar (1887-1963); il a décrit cette micro-société qu'il dénommait la « civilisation du Bosphore », avec la sensibilité et les longues phrases de Proust, qu'il lisait avec plaisir. Hisar a passé son enfance dans un *yalı* à Rumelihisarı, puis une partie de sa jeunesse à Paris où il a étudié les sciences politiques en compagnie de son ami le poète Yahya Kemal (1884-1958), tout en prenant goût à lire les écrivains français. Dans ses livres intitulés *Clairs de lune du Bosphore* et les *Yalı du Bosphore*, il a éprouvé le besoin « de peaufiner et d'ouvrager, comme une miniature de jadis, avec toute l'attention et tout le soin possibles, en vue de faire revivre, ne serait-ce que l'espace d'un moment », cette culture et ce monde singuliers, anéantis et disparus.

De temps en temps, je me plais à relire la partie « Le *fasıl*[16] du silence » du livre *Clairs de lune du Bosphore*. Il raconte toute une journée et une longue nuit, en commençant par les préparatifs entamés dès le matin en vue d'écouter du *fasıl* joué sur une barque effilée, parmi les caïques, et de contempler, lors des nuits de pleine lune sur le Bosphore, le jeu des reflets argentés de la lune sur les eaux. Je prends aussi plaisir à m'affliger sur ce monde englouti dans lequel je n'ai pas pu pénétrer, et, au sein de cet univers disparu restitué par cet écrivain plein de nostalgie, à m'énerver face à l'avènement de la haine, de la faiblesse humaine, de la diabolique et maléfique négligence déployée au nom de la force et du pouvoir. Lors des nuits de clair de lune, quand le *fasıl* qu'on écoutait sur des barques immobilisées en grappe sur la mer s'était tu, le silence de la nuit s'établissait, alors, selon A. Ş. Hisar : « En l'absence de tout souffle de vent, les eaux, parfois, se moiraient, comme sous l'effet d'un tressaillement monté de leurs tréfonds. »

Lors des promenades en barque avec ma mère, les couleurs jaillissant des collines du Bosphore ne me paraissaient pas être les reflets d'une lumière venue de l'extérieur. C'était à mon sens comme si une lueur un peu falote sourdait de l'intérieur des toits, des platanes, des

arbres de Judée, de l'intérieur des ailes des mouettes qui filaient rapidement devant nous, de l'intérieur des hangars à caïques à moitié effondrés. Même les jours d'été les plus chauds, où les enfants pauvres se jettent à l'eau depuis les voies sur berges, le soleil sur le Bosphore n'est jamais entièrement maître du climat et du paysage. Et j'aime, tout en essayant de comprendre le phénomène, à contempler cette lumière sans pareille quand, à la tombée des soirs d'été, le Bosphore mêle les rougeoiements du ciel au propre mystère de son obscurité. J'aime voir les changements de couleur de l'eau qui s'écoule déchaînée, tout écumante, et qui entraîne, démente, les barques qui lui font obstacle. Et maintenant, étonné, je regarde avec plaisir, dans un autre endroit, à deux pas de là, les eaux qui changent de teintes en clapotant lourdement, comme dans le bassin aux nénuphars de Monet.

Quand j'étais au Robert College au milieu des années soixante, debout dans la foule de l'autobus matinal Beşiktaş-Sarıyer, j'aimais contempler le lever du soleil par-dessus les collines d'Asie, sur l'autre rive, et la mise en lumière graduelle, couleur par couleur, des eaux du Bosphore agitées comme une mer mystérieuse. Lors des nuits printanières de brouillard, quand pas la moindre feuille ne bouge, ou bien lors des heures avancées des nuits d'été sans clair de lune, sans vent et sans bruit, l'homme triste qui marche seul, infatigable, au bord du Bosphore, ne percevant que le crissement de ses propres pas, puis qui, parvenu soudain à un cap – celui d'Akıntıburnu, ou bien au phare devant le cimetière d'Aşiyan –, entend sans transition au cœur du silence le grondement effrayant du courant, plein d'énergie, et

découvre non sans crainte l'écume à la surface des eaux, d'un blanc étincelant traversé par une lumière inconnue, cet homme stupéfait, à cet instant, est bien obligé d'admettre que le Bosphore possède un esprit éminemment singulier.

Et je parle de la couleur des cyprès, de celle des bois obscurs dans les replis des vallées, de celle des *yalı* abandonnés, vidés, négligés, je parle de la poésie des bateaux et des *yalı* du Bosphore, que seuls peuvent comprendre ceux qui ont consumé leur existence sur ces rives ; je parle de la découverte du goût de vivre entre les ruines d'une civilisation ayant atteint un style absolument singulier, je parle de l'indécision, des souffrances, des joies et des expériences de ce qu'on nomme la vie, en écrivain de cinquante ans, avec sa soif d'être heureux et de s'amuser comme un enfant pour qui l'Histoire et les cultures ne comptent pas, avec sa soif de comprendre ce monde avec sincérité. Cependant, dès que je commence à évoquer la beauté ou la poésie du Bosphore, des rues sombres d'Istanbul, une voix en moi me prescrit de ne pas exagérer les beautés de la ville où je vis, comme pour me cacher à moi-même l'incomplétude de la vie que je vis, à la manière des écrivains des générations précédentes. Si la ville nous apparaît belle et fascinante, notre vie doit l'être également. Chaque fois que les très nombreux écrivains des générations qui m'ont précédé évoquent Istanbul et content leur ivresse face à la beauté de la ville, d'un côté, je suis impressionné par la magie de leurs récits et de

leur langue et, de l'autre, je suis amené à penser qu'ils ne pourraient désormais pas vivre dans la grande ville qu'ils ont évoquée, et qu'ils pourraient préférer vivre le confort moderne de l'Istanbul désormais occidentalisé. J'ai appris de ces auteurs que le prix à payer pour pouvoir chanter les louanges d'Istanbul avec un enthousiasme lyrique démesuré, c'était de *ne plus* vivre dans cette ville ou bien de regarder de l'extérieur cet objet considéré comme « beau ». L'écrivain en proie à ce genre de sentiments de culpabilité, quand il parle du déclin et de la tristesse de la ville, doit aussi parler de la mystérieuse lumière que ces phénomènes ont jetée dans sa vie, et quand il se laisse saisir par les beautés de la ville et du Bosphore, il doit rappeler que la misère de sa propre vie ne s'accorde en rien à l'atmosphère de triomphe et de bonheur de la ville par le passé.

Une fois terminée la promenade en barque avec ma mère, après avoir bravé à une ou deux reprises quelques dangers comme la violence du courant ou les vagues brutales du sillage d'un bateau qui passait, le marin nous laissait à Aşiyan, juste avant le cap de Rumelihisarı dont le courant nous avait bien rapprochés, puis nous marchions jusqu'à ce cap, le point le plus étroit du Bosphore. Les deux frères étaient installés dans la cour extérieure de la forteresse (petite faveur), puis ils s'amusaient avec les canons datant de l'époque du Conquérant, et à la vue des bris de verre, des saletés, des fragments d'embarcations et des mégots de cigarettes à l'intérieur de ces deux cylindres où les buveurs invétérés et les sans-abri passaient la nuit, ils réalisaient que le grand héritage historique d'Istanbul et du Bosphore était devenu quelque chose d'obscur, de mystérieux et d'incompréhensible pour la majorité des personnes qui vivaient là.

Une fois parvenus à l'embarcadère de Rumelihisarı, ma mère, nous indiquant un lieu juste à côté de l'embarcadère du *vapur*, terrain occupé par un petit café, composé pour moitié d'une voie pavée et pour l'autre moitié d'un trottoir, nous rappelait qu'il se trouvait à cet endroit même, jadis, un *yalı* en bois : «Quand j'étais une petite fille, votre grand-père nous a amenés par là, l'été.» L'histoire que j'avais immédiatement en tête à propos de cette villégiature – que je m'imaginais chaque fois comme une bâtisse en ruine, effrayante, très ancienne, qui n'était bonne qu'à être détruite par le feu – avait trait à l'assassinat par des voleurs, au milieu des années trente, de sa propriétaire, une fille de pacha qui habitait au rez-de-chaussée ; une affaire d'ailleurs restée non élucidée. Ma mère, voyant que je me passionnais pour le côté ténébreux de cette histoire, alors qu'elle nous montrait les restes du hangar à caïques de ce *yalı*, passait à une autre et nous racontait avec un triste sourire comment notre grand-père,

pris d'une subite colère, avait jeté par la fenêtre dans les eaux profondes et vives du Bosphore un ragoût aux bamias, plat qu'il n'aimait pas du tout, préparé par notre grand-mère.

Dans les périodes de tension entre mon père et ma mère, cette dernière allait à İstinye, chez un parent lointain, et restait quelque temps auprès de lui, dans un *yalı* face à l'arsenal ; même cet endroit, il m'en souvient, est tombé en ruine par la suite. Durant mon enfance, pour les nouveaux riches du moment et pour les bourgeois stambouliotes qui commençaient à prendre de l'importance, les *yalı* du Bosphore n'avaient rien d'attirant. Ils n'étaient pas équipés contre le *poyraz* et le froid de l'hiver ; les chauffer coûtait donc extrêmement cher. Étant donné que les nouveaux riches de la période républicaine n'étaient pas aussi puissants que les pachas ottomans et qu'ils se sentaient plus proches de l'Occident dans les quartiers à proximité de Taksim, dans les hauts immeubles avec vue sur la mer, ils n'ont pas acheté les vieux *yalı* du Bosphore, ni ceux des familles de la dynastie ottomane éloignées du pouvoir, ni ceux des enfants de pachas soudain appauvris, ni ceux des héritiers de familles comme celle de A. Ş. Hisar. Ainsi, en tout cas jusqu'à l'accélération de la croissance urbaine dans les années soixante-dix, la plupart des grands *konak* en bois et des *yalı* du Bosphore ont été peu à peu anéantis au cours de mon enfance. Sans parler des procès interminables intentés par les descendants de pacha, parmi lesquels on comptait de vrais fous, à propos du partage de l'héritage – ils ont été subdivisés afin d'être loués, par étages, voire par pièces, ils ont pourri faute d'entretien, ont été rongés par le froid humide, une fois leurs peintures écaillées, et ont été insidieusement incendiés, dans le but de réaliser quelque opération immobilière.

À la fin des années cinquante, la sortie au bord du Bosphore, pour prendre l'air, avec la Dodge modèle 1952 conduite par mon père ou bien son frère, faisait partie des habitudes indéracinables du dimanche matin. Comme elle appartenait à la classe des nouveaux riches de la République, notre famille – même s'il lui arrivait d'être un peu attristée par l'anéantissement de la culture ottomane – éprouvait vis-à-vis de la « civilisation du Bosphore » plus qu'un sentiment de perte et de tristesse, une espèce de fierté consolatrice de s'inscrire dans sa continuité. Chaque fois que l'on allait au Bosphore, on ne manquait pas de passer par Emirgân pour manger du halva au café « Sous le platane », de marcher au bord de l'eau, que ce soit à Bebek ou à Emirgân, de contempler le passage des bateaux ; et ma mère, en chemin, de faire arrêter la voiture pour acheter un pot de fleurs ou bien un ou deux *lüfer*[17] charnus.

Je me souviens m'être de plus en plus ennuyé et senti mal à l'aise au fur et à mesure que je grandissais dans ces sorties familiales centrées sur le noyau maman-papa-les deux fils. Les petites querelles familiales, les jeux avec mon grand frère qui, invariablement, tournaient à la compétition houleuse, les malheurs de la « famille nucléaire » à la recherche, dans une voiture bondée, d'un nouveau souffle hors de sa vie en immeuble, eurent pour effet d'empoisonner l'appel du Bosphore ; cependant, j'étais chaque fois partant pour ces sorties du dimanche. Dans les années suivantes, le fait de voir, à l'intérieur d'autres voitures sur les routes du Bosphore, d'autres familles en sortie du dimanche, aussi malheureuses, désunies et bruyantes que jadis la nôtre, m'incitait non seulement à penser que ce que j'avais vécu n'avait rien d'extraordinaire, mais aussi que le Bosphore était peut-être la seule source de bonheur des familles stambouliotes.

Au fur et à mesure que disparaissait petit à petit, à la manière des *yalı* un par un réduits en flammes, une grande partie de ce qui faisait du Bosphore de mon enfance un lieu à part, y aller devint pour moi une plaisante source de réminiscences. Et désormais, je prends aussi plaisir à parler de la disparition des anciennes bourdigues (de la façon dont mon père expliquait qu'une bourdigue était une espèce de filet-piège tendu aux poissons), des caïques des vendeurs de fruits qui passaient de *yalı* en *yalı* avec leur embarcation, des plages où nous allions avec ma mère, des joies de la nage, des embarcadères, un à un fermés, abandonnés, puis transformés en restaurants de luxe, des pêcheurs tirant leur barque à côté de ces embarcadères et de l'impossibilité que j'avais de faire un petit tour sur leur barque. Pourtant, ce qui pour moi fait que le Bosphore est le Bosphore, c'est, en définitive, la même chose que dans mon enfance : le Bosphore, en tant que source inépuisable de généreux bienfaits, garantit santé et réconfort aux hommes et assure la pérennité de la ville et de la vie.

Parfois je me prends à penser : « La vie ne peut pas être à ce point mauvaise. Mais, quoi qu'il en soit, on peut toujours, en fin de compte, aller marcher du côté du Bosphore. »

7

Les paysages du Bosphore de Melling

Parmi tous les dessinateurs occidentaux qui ont traité les paysages du Bosphore, celui dont je préfère contempler les œuvres et qui me paraît le plus convaincant, c'est Melling. Mon oncle par alliance Şevket Rado, éditeur et poète, a imprimé en 1969 un fac-similé d'une édition format in-folio de l'ouvrage du dessinateur, publié en 1819,

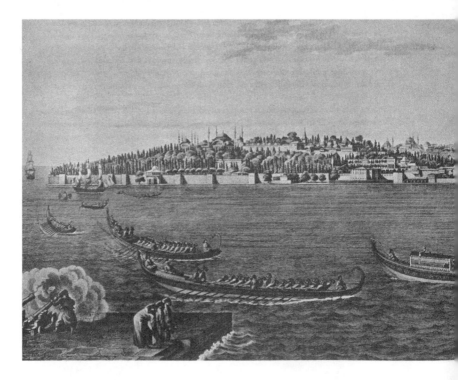

intitulé d'une façon qui sonne si poétiquement à mes oreilles : *Voyage pittoresque de Constantinople et des rives du Bosphore**. Il nous en fit cadeau à une époque où l'ardente passion de la peinture m'habitait. Ces dessins, dont j'allais regarder des heures durant jusqu'au moindre recoin, me donnent l'exacte idée de ce qu'était l'impeccable Istanbul ottoman dans le passé. Cette douce illusion naît en moi moins à la vue des aquarelles travaillées à la gouache, avec ce sens méticuleux du détail de Melling – digne d'un architecte doublé d'un mathématicien –, qu'à celle des traits noir et blanc des gravures réalisées sous son contrôle à partir de ces dessins. La contemplation des gravures de Melling est une consolation dans les moments où je m'efforce de me convaincre que le passé, quoiqu'il en soit, a été brillant, comme quelqu'un de trop sensible à la puissance de la littérature et de l'art de l'Occident peut parfois ainsi verser dans une sorte de nationalisme stamboulie. Mais la tristesse née du sentiment que toute cette beauté et que la plupart de ces bâtiments ont disparu est

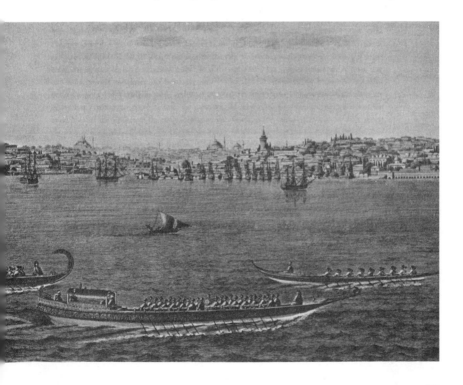

indissociable de cette consolation. En plus, dans les moments d'enthousiasme débordant, ma raison me rappelle que c'est précisément ce sentiment de perte qui est constitutif de la beauté des dessins de Melling. Aussi, c'est sans doute pour me faire un peu de peine que je les regarde.

Né en 1763, Antoine-Ignace Melling est un parfait Européen : d'origine italienne, c'est un Allemand de sang français. Après avoir étudié la sculpture aux côtés de son père, sculpteur au palais du grand duc Charles Frédéric à Karlsruhe, il étudia le dessin, l'architecture et les mathématiques auprès de son oncle paternel à Strasbourg. À dix-neuf ans, il entreprit un de ces voyages en Orient qui commençaient à devenir à la mode à cette époque du romantisme naissant. Ainsi fut-il envoyé à Istanbul. Le jour où il arriva, il ne prévoyait sans doute pas qu'il allait y rester dix-huit ans. À Istanbul, Melling commença tout d'abord par donner des cours dans le cercle des ambassades, occupation à l'origine d'une vie mondaine et cosmopolite, parmi les vignes de Péra porteuses des premiers germes du Beyoğlu d'aujourd'hui, investies par une population qui s'accroissait alors de jour en jour. Lorsque Hatice Sultan, la sœur de Selim III, au cours de la visite du jardin d'un *yalı* que le baron de Hübsch, ancien représentant du Danemark à Istanbul, avait fait construire à Büyükdere, émit le souhait de se faire aménager un jardin semblable, elle se vit recommander le jeune Melling. Pour la sœur du sultan ouverte comme son frère aux nouveautés en provenance d'Europe, Melling aménagea un jardin à l'occidentale, tout en labyrinthe, composé, avant toute chose, de roses, d'acacias et de lilas. Par la suite, il réalisa un petit kiosque dépendant du palais de Hatice Sultan à Defterdarburnu (entre l'Ortaköy et le Kuruçeşme d'aujourd'hui). Le romancier Ahmet Hamdi Tanpınar (1901-1962) prétend d'ailleurs que ce bâtiment néoclassique à colonnes, de facture européenne – bâtiment à présent disparu et que nous connaissons grâce aux dessins de Melling –, était en harmonie avec l'identité du Bosphore et même qu'il a joué un rôle dans la genèse de ce qu'il caractérise comme le « mélange de styles ». Melling réalisa aussi les aménagements intérieurs et les ajouts de style néoclassique – mais, comme dans le cas précédent, complètement respectueux de l'esprit du Bosphore – apportés au palais de Beşiktaş, résidence d'été de Selim III. D'une certaine manière, il

était même devenu pour Hatice Sultan ce que l'on appellerait avec nos mots d'aujourd'hui un conseiller artistique ou bien un décorateur intérieur. Il achetait pour elle des pots de fleurs, contrôlait pour elle le travail des perles destinées aux serviettes brodées, le dimanche il faisait visiter le *yalı* aux femmes d'ambassadeurs, et il s'occupait même des moustiquaires.

Tous ces détails, nous les connaissons par les lettres qu'ils s'écrivaient, aujourd'hui précieusement conservées par un collectionneur privé. Melling et Hatice Sultan firent même une petite découverte intellectuelle, puisque, dans les lettres qu'ils échangeaient, ils avaient commencé à écrire le turc avec l'alphabet latin, cent trente ans avant la « révolution de l'alphabet » imposée par Atatürk en 1928. Grâce à ces lettres, nous sommes aussi plus ou moins renseignés sur la manière dont parlait une sœur de sultan, dans cet Istanbul d'alors, où l'habitude d'écrire des mémoires et des romans n'existait pas :

« Maître Melling, quand arrivera la moustiquaire ? J'aimerais, s'il vous plaît, que ce soit demain. Si tu te mets au travail tout de suite, je pourrais te voir... Un dessin très bizarre de couteau... Le dessin d'Istanbul est envoyé, il n'a pas perdu son éclat celui-ci... Je ne veux pas la chaise, elle ne m'a pas plu. Je voudrais des chaises argentées... Pas trop de soie, mais beaucoup de brocart. J'ai vu le dessin pour le tiroir en argent, je t'en prie, ne le fais pas faire, qu'on en reste au projet précédent, sans rien changer... Je te donnerai mardi l'argent pour les perles et les timbres... »

À l'époque où elle rédige ces lettres à Melling, Hatice Sultan, dont on comprend qu'outre l'alphabet latin elle avait appris un peu d'italien, n'a pas encore trente ans. Son époux Seyyid Ahmet Paşa, préfet d'Erzurum, est rarement à Istanbul. Quand la nouvelle de la campagne de Napoléon en Égypte parvint en ville, un sentiment anti-français se développa au Palais. C'est alors que Melling se maria avec une Génoise et, à lire les lettres affligées qu'il écrit à cette époque à Hatice Sultan, il semble avoir perdu ses faveurs sans raison apparente :

« Votre Excellence, votre esclave (mon humble personne) a envoyé son serviteur samedi pour toucher sa mensualité… on lui a dit qu'il n'y avait plus de mensualité désormais… Après avoir été gratifié de tant de bontés par Votre Excellence, je n'ai pas cru que vous ayez pu

ordonner une telle chose… Je suppose que tout cela n'est que racontars, racontars motivés par la jalousie, parce qu'on voit bien que Votre Excellence aime son esclave… L'hiver arrive à présent, je vais aller à Beyoğlu, mais comment donc vais-je vivre dans ces conditions? Pas un centime. Le propriétaire réclame son loyer, j'ai besoin de charbon, de bois et de choses de ce genre, en plus, ma fille fait une rougeole, le médecin réclame 50 *kuruş*, comment vais-je faire? Combien de fois ai-je supplié, combien de fois ai-je payé pour le trajet et pour le caïque? Cependant aucune réponse favorable ne m'a été faite… Je n'ai plus même un sou en main, je supplie… Votre Excellence, si vous me ne m'aviez pas laissé dans cet état, je ne supplierais pas ainsi…»

Comme aucune réponse ne venait de Hatice Sultan, en dépit de toutes ses supplications, Melling entama ses préparatifs de retour

en Europe, tout en s'engageant dans des affaires qui devaient lui rapporter de l'argent. C'est alors qu'il conçut l'idée de réunir en un livre les grandes gravures détaillées qu'il avait commencé à dessiner bien avant, profitant de sa proximité d'avec le sultan ; ainsi, avec l'aide du célèbre orientaliste Pierre Rufin, ambassadeur de France à Istanbul, il entra en contact avec Paris pour ce projet. Lors des premiers préparatifs de ce livre dont l'édition allait durer dix-sept ans, soit tout le temps de son séjour à Istanbul – Melling aura cinquante-six ans quand l'ouvrage enfin sortira – et sur lequel allaient travailler les graveurs parisiens les plus illustres de l'époque, la réputation du dessinateur en tant que maître excellant dans l'art des détails réalistes était déjà bien établie.

En regardant aujourd'hui les quarante-huit grandes gravures de ce grand livre, la première chose qui me touche c'est cette minutieuse fidélité à la réalité et cette précision. Lorsqu'on regarde ses paysages du monde disparu, Melling, par la magie de son attention

aiguë aux détails architecturaux, et par son talent à jouer des charmes de la perspective, nous procure ce sentiment de vérité que la raison cherche éperdument pour pouvoir contempler dans la sérénité les beautés du Bosphore et d'Istanbul. Parmi ces quarante-huit tableaux, même le plus imaginaire – celui qui représente l'intérieur du harem du pacha –, en raison de son côté «coupe architecturale», de l'utilisation des possibilités de la perspective «gothique», et de sa facture digne et délicate, aux antipodes de la vision phantasmatique des femmes du harem qu'ont les Occidentaux, éveille, même chez le spectateur stambouliote, un puissant sentiment de véracité et de sérieux. Melling tempère le côté académique et sérieux de ses dessins par des détails subtilement disposés dans les coins et les marges. À l'étage de l'entrée du harem, nous voyons sur le côté deux femmes qui se tiennent debout en s'étreignant amoureusement, et qui donnent l'impression de vouloir s'embrasser sur les lèvres ; mais contrairement aux autres artistes occidentaux de l'époque enclins à traiter ce type de détails, Melling ne s'appesantit pas sur ce couple, et se garde bien de mettre en scène leur intimité en plein milieu du dessin.

On a l'impression que les paysages d'Istanbul de Melling n'ont pas de centre. Il s'agit là sans doute de la deuxième raison (après le sérieux de ses détails) pour laquelle je me sens aussi proche de son Istanbul. Sur une carte placée à la fin du livre, Melling indique avec une précision de topographe de quel endroit de la ville et sous quel angle chacun de ses 48 grands tableaux a été dessiné. Cependant les dessins, tout comme les rouleaux chinois ou bien les mouvements de la caméra dans certains films en cinémascope, éveillent en moi le sentiment que la vision n'a ni centre ni fin. Comme Melling ne met jamais en scène au centre de ses dessins des personnages humains, lorsque je regarde les paysages noir et blanc de ce livre, page par page, le sentiment qu'Istanbul est sans centre ni fin s'installe en moi, à la manière d'un conte d'enfance. Je ressentais la même chose, enfant, lorsque je me promenais au bord du Bosphore, une anse maritime succédant à une autre, ou lorsque je découvrais, à chaque sinuosité de la route littorale, que le paysage changeait sans arrêt en fonction des différents points de vue.

La contemplation des paysages du Bosphore de Melling non seulement me fait éprouver la trouble fascination de pouvoir revenir aux paysages de mon enfance – les collines, les pentes, les vallées du Bosphore, dont j'avais oublié que je les avais jadis vues désertes, avant qu'elles soient recouvertes, en quarante ans, par l'immonde marée des immeubles et des blocs, je les revois telles quelles ; mais elle me fait aussi éprouver la pensée à la fois triste et heureuse que le Bosphore a connu une période paradisiaque qui se dévoile, page après page, derrière les beautés entrevues, au fur et à mesure qu'on remonte dans le temps ; pensée aussi que ma vie est faite de certains de ces souvenirs, paysages et lieux issus de ce paradis perdu. À ce point où la tristesse rencontre le bonheur, prendre conscience de la permanence de certains détails – ce à quoi ne peuvent prétendre que ceux qui connaissent de près le Bosphore – me procure l'impression que ces dessins, issus d'un paradis hors du temps, se mêlent à ma vie présente. Oui c'est bien ça, me dis-je à moi même, dès qu'on sort de l'anse de Tarabya, la mer, jusque-là calme, se met soudain à enfler sous l'effet du *poyraz* venu de la mer Noire et, comme Melling le représente si parfaitement, à la surface des vagues violentes et houleuses, on distingue cette écume coléreuse, légère et impatiente. Eh oui, c'est bien ça, les bois sur les flancs de Bebek à la tombée du soir, qui semblent prendre du relief par la magie de cette sorte d'obscurité jaillie d'eux-mêmes. Seuls ceux qui ont vécu des décennies en ces lieux, comme moi-même ou comme Melling, peuvent être sensibles à ces phénomènes singuliers. Oui, c'est exactement ça, les pins et les cyprès du Bosphore, qui prennent toujours place avec cette puissante délicatesse au sein des paysages d'Istanbul.

Et les cyprès, ces héros obligés du jardin musulman traditionnel et du Paradis dans l'iconographie islamique, prennent place dans les dessins du Bosphore de Melling, tout comme dans les miniatures persanes, à la façon de taches d'obscurité, chacune délicatement digne, conférant au paysage l'équilibre d'un poème. Melling, même quand il dessine les pins tout tordus du Bosphore, ne se précipite pas – contrairement à bien d'autres dessinateurs du Bosphore et d'Istanbul, qui font pénétrer le regard à travers les branches des arbres, à la recherche de sensations ou de cadrages dramatiques. De ce point de vue, il ressemble aux miniaturistes : il saisit aussi à distance les êtres humains, tout comme les arbres, dans leurs instants les plus sensibles. Le fait qu'il ne dessine pas de manière totalement magistrale les mouvements du corps humain, qu'il ne se préoccupe nullement – peut-être pour cette raison même – de gestuelle, ou qu'il place parfois avec maladresse à la surface des eaux du Bosphore les barques et les bateaux (surtout quand ils sont perpendiculaires à notre regard), le fait qu'il dessine par moments avec des proportions enfantines les hommes et les bâtiments – ce, malgré toute l'acuité de son attention –, tout en conférant une indéniable poésie à ses dessins, concourent à faire de Melling le peintre auquel un Stambouliote peut s'identifier le plus facilement. Et cette manière de dessiner avec des visages tous identiques toutes les différentes figures de femmes, celles du palais de Hatice Sultan comme celles du harem, révèle une simplicité qui fait sourire le spectateur.

Ce qui rend Melling stupéfiant, c'est l'alliance si subtile de cette simplicité – paraissant issue du meilleur des miniatures islamiques et du premier âge d'or d'Istanbul –, et de ce sens des détails architecturaux, topographiques et quotidiens, qu'aucun peintre oriental n'a su

développer. Le panorama d'Üsküdar et de la tour de Léandre depuis Péra ou, comme il est signalé sur la carte des angles de vue, celui du palais de Topkapı, dessiné par les fenêtres d'un café à Tophane – soit d'un endroit situé à peine à quarante pas du bureau de Cihangir où j'écris ces lignes –, ou alors la vue de Stambul depuis les hauteurs d'Eyüp, deviennent à la fois un paysage familier que l'on connaît de toute éternité et un paradis. Quand on prend conscience du fait que le Palais ottoman voyait le Bosphore, non pas comme une série de villages de pêcheurs *rum*, mais comme un espace propice à l'installation, et quand on réalise en même temps tout ce que l'architecture ottomane doit à l'architecture occidentale, ce paradis vient à point nommé, à une époque de renoncement à la simplicité. À cause de Melling, les époques ottomanes précédant Selim III m'apparaissent comme très éloignées.

Comme Marguerite Yourcenar l'a fait naguère avec les gravures de Rome et Venise entreprises par Piranèse trente ans avant Melling, moi aussi, « loupe à la main », je prends un immense plaisir à contempler les Stambouliotes en mouvement dans les paysages d'Istanbul dessinés par Melling : par exemple, dans le dessin représentant la fontaine et la place de Tophane – où Melling s'est efforcé de saisir les moindres détails –, je me plais à regarder attentivement le ven-

deur de pastèques du côté gauche (l'étal et la manière de présenter les pastèques au client n'ont pas changé), ou bien la façon dont est assis un autre vendeur de pastèques, cette fois situé en bas du centre du dessin. Cette fontaine à la représentation de laquelle Melling a accordé tant d'importance en raison de sa grande finesse par rapport aux autres monuments d'Istanbul, cette fontaine, dont nous voyons sur le dessin qu'elle était à l'époque en position surélevée, se retrouve maintenant dans une fosse à cause des pavés posés tout alentour, eux-même recouverts d'une couche d'asphalte, puis d'une autre. Et je me plais à redécouvrir toute une série de menus détails que j'oublie aussitôt après, et que notre dessinateur s'est plu à observer dans chaque recoin et jardin de la ville : les enfants que leur mère tient par la main (comme l'observera Théophile Gautier cinquante années plus tard, la femme qui se promène avec un enfant est toujours considérée comme plus respectable que la femme se promenant seule, et se trouve de ce fait moins importunée), en tout point de la ville, et ça n'a pas changé, les vêtements de toute sorte, les étals de fortune, la nourriture, les vendeurs de rue au visage marqué par une expression de lassitude, l'adolescent qui jette sa ligne dans la mer paisible du débarcadère de Beşiktaş (d'ailleurs, j'aime tant Melling que je ne me permettrais jamais de dire qu'il est impossible que la mer soit aussi paisible à cette

hauteur du rivage de Beşiktaş), les deux types suspects qui se tiennent côte à côte à quinze pas de l'adolescent en question (j'ai placé
cette image en couverture d'une édition turque du *Château blanc*),
le montreur d'ours sur la colline de Kandilli, avec son compagnon
qui joue du *tef*[18], ou bien l'homme qui marche si pesamment, sur la
place de Sultanahmet (l'Hippodrome pour Melling), près du cheval
chargé, avec l'air de ne rien entendre à toute cette foule et tous ces
monuments, à la manière d'un parfait Stambouliote, ou le vendeur de
simit posés sur un trépied – tout comme durant mon enfance –, dos à
la foule, dans un coin du même dessin.

Contrairement à ce qu'on remarque dans les dessins de Piranèse, les Stambouliotes, qu'ils se trouvent ou non près d'un bâtiment monumental ou face à un paysage époustouflant, ne sont pas écrasés par leur environnement architectural ou naturel. Bien qu'il soit comme Piranèse épris de perspective, Melling n'est jamais théâtral dans ses dessins. (Même quand il représente les passeurs enflammés par une «querelle pour s'approprier des clients» sur le rivage de Tophane!). L'architecture toute en verticales de Piranèse est une architecture destructrice et dramatique qui écrase les hommes et les transforme en espèce de monstres, en mendiants infirmes ou autres bizarreries.

À l'inverse, chez Melling, grâce à la largeur de sa vision d'homme libre, dépourvu d'obsessions, on est en présence d'un mouvement horizontal qui se déploie dans un monde merveilleux et heureux. Cette différence tient à tout ce que la géographie et l'architecture d'Istanbul ont offert comme opportunités à Melling, plus qu'à son talent ou à sa finesse de dessinateur. Mais pour ressentir cela, il fallait vivre dix-huit ans à Istanbul.

Quand Melling quitte la ville, il avait passé la moitié de sa vie à Istanbul. Ces dix-huit années n'ont pas été des années d'éducation, mais plutôt des années de combat pour gagner son pain, des années

de labeur et de production artistique, qui ont contribué à forger ses principales idées sur la vie. C'est pourquoi il avait eu l'occasion de saisir les détails et matériaux essentiels que seuls ceux qui vivent à Istanbul ont à l'œil. Melling ne s'est nullement intéressé aux atmosphères magiques et exotiques éperdument recherchées par des peintres et graveurs brillants venus à Istanbul trente ou quarante ans après lui, comme William Henry Barlett (*The Beauties of Bosphorus*, 1835), Thomas Allom (*Constantinople and the Scenery of the Seven Churches of Asia Minor*, 1839) et Eugène Flandin (*L'Orient*, 1853). Parce qu'il ne s'est jamais enthousiasmé pour l'imagerie issue des

Mille et Une Nuits et du romantisme orientalisant, à l'époque en plein essor, et tout particulièrement en France, Melling ne s'emploie nullement dans ses dessins à produire des effets d'atmosphère onirique au moyen de jeux d'ombre et de lumière, de brouillard et de nuages, pas plus qu'il ne s'acharne à représenter la ville et ses hommes plus ronds, tordus, ventrus, alambiqués ou opprimés qu'ils ne le sont en réalité.

Le regard de Melling sort des tréfonds de la ville. Mais comme à cette époque les habitants d'Istanbul ne savaient pas dessiner leur ville et sa population, et qu'ils ne s'intéressaient aucunement à ça, ce travail talentueux d'un Occidental créateur de représentations dénuées de tout jugement préconçu a été reçu comme un travail d'étranger. Parce que Melling dessine la ville à la façon d'un Occidental sans préjugés, qui voit la ville comme un Stambouliote, son Istanbul est un lieu familier, avec sa mémoire, sa géographie et ses mosquées, et, en même temps, c'est un monde sans équivalent, unique et pour cela extraordinaire.

Chaque fois que mon regard se porte sur ces dessins, une tristesse ordinaire m'envahit à cause de la disparition de ce monde. Mais comme il s'agit à peu de chose près du seul témoignage visuel « authentique » sur ce monde à présent révolu, regarder l'œuvre de Melling est pour moi chaque fois une consolation : mon Istanbul n'est pas exotique, « magique » ou bien étrange, il doit beaucoup au Bosphore de mon enfance et est tout simplement extraordinaire.

8

Mon père, ma mère et leurs absences

Parfois, mon père partait au loin. Nous ne le voyions plus pendant longtemps. Curieusement, les premiers jours, ces absences ne nous affectaient pas. Un peu comme pour une bicyclette dont on s'aperçoit bien après coup qu'elle est perdue ou qu'elle a été volée, ou comme pour un camarade de classe qui ne reviendra désormais plus à l'école, quand nous réalisions pleinement, non sans douleur, son absence, nous sentions que nous nous y étions déjà habitués depuis longtemps. On ne nous expliquait pas pourquoi il n'était pas là, pas plus qu'on ne nous informait du moment où il reviendrait. Mon grand frère et

moi sentions qu'il ne fallait pas poser de questions à ce sujet et nous nous conformions aisément à l'atmosphère qui régnait au sein de la communauté familiale. Vivre tous ensemble, toujours très nombreux, dans un grand immeuble (mes oncles, mes tantes, ma grand-mère, les cuisiniers, les domestiques) facilitait notre acceptation de la situation, sans pour autant nous faire oublier ce manque ; mais au moins nous ne posions pas trop de questions. Parfois, une étreinte trop affectueuse de la domestique Esma Hanım, l'excès de gentillesse à notre endroit de Bekir (le cuisinier de la mère de papa) ou bien, le dimanche matin, l'enthousiasme démesuré de notre oncle Aydin à l'idée de nous emmener au bord du Bosphore dans sa Dodge 52 nous rappelaient la tristesse de ce que nous avions quelque peu oublié.

Parfois aussi, je sentais que notre situation était critique, à la vue de ma mère assise devant le téléphone le matin, plongée dans d'interminables conversations avec ses sœurs, avec ses amies ou sa propre mère. Elle portait un long déshabillé couleur crème avec des œillets rouges, et, comme elle croisait les jambes sur sa chaise, on apercevait, par l'entrebâillement de son vêtement qui tombait en une multitude de plis, sa combinaison, belle comme sa peau, et sa taille élégante, ce qui me troublait ; alors qu'elle parlait au téléphone, je montais sur ses genoux et voulais me lover contre elle, m'approcher de ces beaux endroits aux confins de ses cheveux, de sa taille et de ses seins. Des années après, au terme d'une violente altercation verbale à table avec mon père, ma mère faisait mine de s'en prendre à moi avec colère ; les disputes de mes parents avaient propagé dans la maison et parmi nous une atmosphère de catastrophe qui me réjouissait.

En attendant l'instant où ma mère allait s'intéresser à moi, je m'asseyais à sa table de maquillage couverte de bouteilles de parfum, de poudriers, de tubes de rouge à lèvres, de vernis à ongles, d'eaux de Cologne ou de rose et d'huile d'amande ; je fouillais avec insistance les tiroirs, je m'amusais avec toute la gamme des pincettes, ciseaux, coupe-ongles, crayons à cils, pinceaux en forme de crayon, peignes et autres instruments contondants, je regardais les photos de mon grand frère et moi bébés coincées entre le plateau de la table et une plaque de verre (sur l'une d'entre elles, ma mère, dans le même déshabillé, en train de me donner une cuillère de bouillie ; je suis assis sur la chaise de bébé ; nous sourions tous deux avec cet air ravi exclusivement réservé aux publicités pour bouillie), et je me demandais comment je faisais à cette époque pour ne pas pousser des cris de bonheur.

Pour me libérer de l'angoisse et de la tristesse qui commençaient à dérouler en moi leurs très pesantes ramifications, je finis par recourir à un jeu dont je ne savais évidemment pas que j'allais le répéter à

100

l'identique, des années après, dans mes romans. Je déplaçais au beau milieu de la table tout ce qui se trouvait des deux côtés du miroir de la coiffeuse de ma mère – les flacons, les brosses à dents et la boîte d'argent ornée de motifs floraux, toujours fermée à clé –, j'approchais ma tête du centre du miroir, et, en ouvrant d'un coup les deux ailes de telle sorte que je me tinsse au milieu, je voyais des milliers d'Orhan bouger dans l'infini profond, froid et vitreux que formaient les glaces dans ce face-à-face démultiplicateur. En regardant les images les plus proches et les plus grandes, je fus surpris par les zones postérieures de ma tête que je ne connaissais pas du tout, la forme d'œuf saillant de l'arrière de mon crâne, ainsi que par l'étrangeté d'une de mes oreilles, plus en forme de louche que l'autre, comme chez mon père. Le plus intéressant, chaque fois, c'était de voir ma nuque, en me disant que ça m'appartenait ; ce qui me faisait toujours penser avec effroi que je transportais avec moi, depuis des années, un étranger. Ce n'était pas seulement de voir mon profil, pris là entre trois miroirs, qui me plaisait. L'imitation servile et simultanée du moindre mouvement de ma main par des dizaines – distincts les uns des autres par un léger angle et m'apparaissant graduellement de plus en plus petits –, voire des centaines d'Orhan, tous différents les uns des autres, m'amusait aussi et flattait mon ego. Je leur faisais faire toute sorte de mouvements variés jusqu'à être convaincu qu'il s'agissait bien tous de fidèles serviteurs parfaitement identiques les uns aux autres. Parfois, je m'efforçais de repérer l'Orhan le plus éloigné dans l'infini verdâtre du verre. Parfois aussi, j'avais l'impression que je pouvais voir l'image de mes imitations reproduire tel ou tel mouvement de ma main ou de ma tête, non pas au même moment, mais une fraction de seconde après moi. Le plus effrayant, c'était – quand je jouais à gonfler mes joues, froncer les sourcils, tirer la langue ou bien quand mon attention se portait sur huit ou dix, dans un coin, des centaines d'Orhan qui se reflétaient dans les miroirs – que les dix ou quinze petits Orhan perdus dans les profondeurs verdâtres de la mer du miroir parvinssent à imiter aussitôt un mouvement simple que mes mains et mes doigts (dont j'avais oublié l'existence) pouvaient faire d'eux-mêmes ; c'était aussi que, comme je n'avais pas conscience que c'était ma main qui faisait ce mouvement, je pusse croire qu'une bande de petits Orhan des horizons éloignés se décidassent d'un coup à faire désormais leurs mouvements de leur propre chef. D'abord, j'étais ainsi saisi d'effroi, puis, après avoir admis qu'il s'agissait vraiment d'une illusion, avec ce côté de ma raison sourd aux plaisanteries, je continuais le jeu pour être à nouveau la proie du même vertige. Ensuite, je bougeais les miroirs d'un pouce à peine, et ce simple changement d'angle me mettait cette fois en présence d'une série d'Orhan complètement différents. Tout comme un photographe regardant par le viseur de son appareil modifie d'un coup son point focal, je prenais plaisir à repérer, un moment tout décontenancé, parmi cette infinité de nouveaux Orhan, l'endroit de la première et de la plus proche image, et même l'endroit où je me trouvais (comme si je l'avais aussi oublié).

Lors de toutes ces séances du jeu de la « disparition » qui m'amusait chaque jour pendant un long moment – et auquel parfois nous nous adonnions avec ma mère et mon grand frère –, des questions insupportables que, d'une manière incroyablement sélective, une partie de ma raison avait éliminées devenaient limpides : ce que ma mère disait au téléphone, où se trouvait mon père, quand il rentrerait ou bien si un jour ma mère elle aussi disparaîtrait ou non.

Parce que parfois, c'était aussi ma mère qui disparaissait. Mais, durant ces moments, des explications étaient fournies la concernant, du genre : «Votre mère est malade, elle se repose chez tante Neriman.» De la même façon que, face au miroir, j'arrivais à me satisfaire de bonne foi, si provisoire que cela fût, d'une partie des illusions, je me rappelle que je trouvais ces explications raisonnables. On nous flanquait du cuisinier de ma grand-mère ou du concierge İsmail Efendi, et nous allions, en *vapur* ou en autobus, rendre visite à notre mère à un autre bout d'Istanbul, par exemple chez un parent à Erenköy ou un autre à İstiniye. De toutes ces visites subsiste en moi un plaisir

de l'aventure, plus qu'un sentiment de tristesse. La présence de mon grand frère à mes côtés et la certitude confuse qu'il ferait face aux dangers avant moi me protégeaient. Les parents proches ou éloignés du côté de ma mère dans les maisons et *yalı* desquels nous nous rendions, les tantes âgées aimables et affectueuses et les oncles poilus qui m'effrayaient nous recevaient avec force tendresse, et nous montraient une curiosité de la maison qui retenait notre attention : un canari qui piaillait, un baromètre allemand dont je pensais qu'il trouverait sa place dans toutes les demeures occidentalisées d'Istanbul (un couple en tenue de paysans bavarois sortait ou rentrait dans sa maison selon les conditions météorologiques), ou bien une horloge à coucou qui comblait de stupeur, toutes les demi-heures – avec résolution et ponctualité –, le canari s'agitant dans sa cage pour lui transmettre une réponse ; puis on nous introduisait dans la chambre de notre mère.

Ébloui à mon tour par l'immensité sereine et la beauté lumineuse de la mer apparaissant par la fenêtre ouverte (peut-être est-ce pour cette raison que j'ai toujours aimé les paysages méridionaux vus à travers une fenêtre des tableaux de Matisse), je considérais avec tristesse la présence bizarre de ma mère, là, dans un lieu si beau et étranger, mais son odeur incomparable qui remplissait la pièce me donnait soudain confiance, au même titre que quelques-unes de ses affaires de toilette familières, posées sur des trépieds, les mêmes pinces à épiler et flacons de parfum, ou la brosse à cheveux au vernis écaillé sur le revers. Je me souviens dans les moindres détails de ma mère nous serrant contre elle l'un après l'autre, mon grand frère et moi, pour nous caresser tendrement. Elle donnait de nombreux conseils à mon grand frère (elle aimait en toute circonstance donner des conseils), à divers propos : les choses à faire, les mots à dire, les voies à prendre et les comportements à adopter et, par exemple, quelles affaires il faudrait prendre, et dans quel placard, pour notre prochaine visite ; mon tour venu, elle s'amusait et plaisantait avec moi qui n'avais rien écouté du tout, préférant regarder par la fenêtre.

Un jour, lors d'une autre absence de ma mère, mon père amena à la maison une nounou. Elle avait une peau excessivement pâle, était de petite taille, rondelette, loin d'être belle, et elle souriait tout le temps ; elle nous conseillait (avec l'air de savoir et d'être fière de savoir) de faire tout le temps de la sorte, de sourire comme elle, et elle provoqua en nous une grande déception parce qu'elle était turque, contrairement à ce qui se faisait dans des familles de notre connaissance : aussi, mon frère et moi n'avons-nous guère sympathisé avec elle. Cette femme, dont nous imitions les formules pour faire rire mon père : « S'il vous plaît, du calme du calme mes jolis », ne parvenait pas à exercer la moindre « autorité » sur nous, en comparaison des nounous que nous connaissions, souvent d'origine allemande et à l'esprit protestant, et était donc passablement désemparée face à nos bagarres à l'intérieur de la maison. Elle disparut de la circulation en peu de temps. Les années suivantes, aux moments où maman était abattue par les cas de « disparition » de mon père et par nos empoignades à mort avec mon frère, quand, totalement excédée, elle se mettait à dire avec désespoir : « Je vais prendre mes cliques et mes claques et m'en aller » ou bien « Je vais me jeter par cette fenêtre » (une fois même, elle a passé sur le rebord de la fenêtre une seule de ses belles jambes), ou alors « Dans ce cas, que votre père épouse cette femme », venait alors à mon esprit, non pas le fantôme d'une de ces femmes – dont ma mère parfois, de colère, finissait par cracher le nom, comme s'il s'agissait d'une nouvelle candidate à la fonction de mère, et dont la plupart du temps elle évitait bien de parler –, mais cette nounou à la peau pâle, rondelette, bien gentille et hagarde.

Bien que nous vivions toujours dans le même immeuble, les mêmes pièces et les mêmes rues, et bien que – comme dans une vraie famille, ainsi que plus tard je viendrais à le croire – nous menions une existence où l'on mangeait et où l'on discutait toujours des mêmes choses, quelques menues variations mises à part (la répétition est la source, la garantie du bonheur et sa mort !), ces « disparitions » dont on ne savait jamais quand et d'où elles arriveraient, loin de m'attrister, étaient comme des fleurs amusantes, étonnantes et empoisonnées qui, m'arrachant du cours d'une vie ordinaire, des moments et des jours d'ennui, m'entraînaient soudain vers un autre monde (à la manière des miroirs de maquillage de ma mère). J'ai en définitive très peu versé de larmes à cause de ces moments de « disparition » – qui me faisaient encore plus vivement éprouver ma propre existence et ma solitude, que je souhaitais oublier, en flattant un côté sombre de mon âme et en me divertissant –, pas plus qu'à cause de ces catastrophes ou à cause de ces disputes.

La plupart du temps, ces disputes commençaient à table. Les années suivantes, la voiture qu'avait achetée mon père (une Opel Record modèle 1959) fut plus propice au commencement des disputes, parce que descendre d'une voiture qui roule vite, contrairement à quitter la table, est une chose que les querelleurs ne peuvent pas faire aisément. Quand la dispute éclatait aux toutes premières minutes d'un tour en voiture prévu parfois depuis des jours, ou des simples excursions du dimanche qui nous conduisaient en direction du Bosphore, nous nous mettions à faire des hypothèses, mon grand frère et moi : est-ce que mon père va faire faire un demi-tour à la voiture, d'un coup de frein sec, après le premier pont ou alors après la première station-service ? Ensuite, est-ce qu'il va nous laisser comme un capitaine qui décharge avec colère sa marchandise au point même où il l'a chargée, ou bien est-ce qu'il va aller ailleurs avec sa voiture ?

Au cours de ces années, lors d'une dispute dotée d'un caractère plus profondément marquant, plus poétique et plus aristocratique, mon père et ma mère quittèrent la table à Heybeliada. (Comme tout enfant en de telles occasions, j'avais été très content de pouvoir manger non pas comme le souhaitait ma mère, mais comme je le souhaitais moi). Ils vociféraient de toutes leurs forces à l'étage supérieur ; après être restés un moment assis à table, mon grand frère et moi, en regardant devant nous en silence, nous sommes aussi montés, spontanément, les rejoindre. (Alors que m'est instinctivement venu à l'esprit d'ouvrir une nouvelle parenthèse, j'ai compris qu'en fait je n'avais pas envie, mais vraiment pas du tout, de me remémorer ces histoires.) Voyant que nous commencions à nous chamailler, mon frère et moi, ma mère nous poussa d'un coup dans une pièce et en ferma la porte. L'endroit était sombre, mais un flux intense et régulier de lumière se diffusait de l'autre pièce, séparée par deux grandes portes de verre opaque de celle où l'on se trouvait. Nous commençâmes, mon frère et moi, à la lueur suintant des vitres opaques aux dessins Art nouveau, à observer sans broncher mon père et ma mère qui se rapprochaient, s'éloignaient, s'agitaient après s'être touchés ; ensuite leurs ombres se mêlaient de nouveau, parmi les cris et les éclats de voix. Sous l'effet de la violence à faire pleurer de ce jeu d'ombres, tout comme dans le Karagöz, de temps à autre un rideau vacillait (la porte en verre opaque) et tout était noir et blanc.

9

Une autre maison : Cihangir

Parfois même, mon père et ma mère disparaissaient l'un et l'autre. C'est ainsi que pendant l'hiver 1957 mon grand frère fut envoyé pour un moment dans l'appartement de ma tante paternelle et de mon oncle, deux étages plus haut. Quant à moi, ma tante maternelle venue à Nişantaşı une fin d'après-midi m'amena chez elle à Cihangir. Je me souviens qu'elle se comporta très gentiment avec moi, soucieuse de ne pas me faire de peine, et que, dès les premières minutes, alors

qu'on était encore dans la voiture (une Chevrolet), elle me dit avoir « fait acheter du yogourt à Çetin pour ce soir » à mon intention. Je me souviens avoir été impressionné, parce qu'il existait certainement des chauffeurs ne s'intéressant pas au yogourt. Le fait que le grand immeuble que mon grand-père avait fait construire – et dont j'allais occuper, des années après, l'un des appartements – fût sans ascenseur, sans chauffage et que ses logements fussent petits suscita en moi une déception. Pire : alors que le lendemain j'essayais tristement de m'adapter à la vie dans ma nouvelle maison, une fois réveillé de ma sieste d'après le déjeuner – qu'on m'avait fait faire en me mettant même un pyjama comme à un bébé –, j'ai ordonné à la domestique, sous l'effet de l'habitude acquise dans l'Immeuble Pamuk : « Emine Haniiii…m, tu viens me lever et m'habiller » ; le refus inattendu que j'essuyai m'ébranla.

C'est sans doute la raison pour laquelle, tout au long des jours que j'ai passés là-bas, j'ai abondamment minaudé, j'ai même un peu forcé la dose. Lors d'un repas du soir, alors qu'un aimable sosie à casquette me regardait depuis une peinture kitsch accrochée au mur dans un cadre blanc, et regardait aussi ma tante maternelle, son mari Şevket Rado, journaliste, poète et éditeur (celui qui a publié un fac-similé de Melling), et mon cousin Mehmet de sept ans plus âgé que moi (soit douze ans), j'ai senti que j'étais victime d'une injustice. Car après avoir dit sans trop y accorder d'importance que mon oncle était le Premier ministre Adnan Menderes, j'avais provoqué des rires et des questions ironiques auxquelles je ne pus faire face aussi dignement qu'espéré. Parce que je croyais franchement que mon oncle était Premier ministre.

Mais je n'y croyais qu'à moitié. Les prénoms de cinq lettres de mon oncle Özhan et du Premier ministre Adnan, dont les deux dernières étaient semblables, le fait qu'ils fussent tous deux allés en Amérique – le Premier ministre Adnan à ce moment et mon oncle, qui y a vécu des années –, le fait de voir plusieurs fois par jour les photos de l'un et de l'autre (pour l'un dans les journaux, pour l'autre, partout dans le salon de ma grand-mère paternelle), et le fait qu'ils se ressemblaient fortement sur certaines photos étaient à l'origine de cette sincère confusion. Plus tard dans la vie, la conscience que je développais selon des mécanismes mentaux analogues nombre de mes croyances, opinions, pensées, jugements, préjugés, connaissances et options esthétiques ne m'a pas préservé de ces fâcheuses habitudes. Je crois « honnêtement » en des choses comme la ressemblance de deux personnes qui portent le même nom ou alors des noms proches, l'existence d'une proximité de signification entre des mots turcs ou étrangers que je ne connais pas et le mot le plus proche quant à l'orthographe que je connaisse, la présence de quelque chose de l'esprit d'une femme à fossette connue auparavant dans l'esprit de la femme à fossette que je rencontre, la ressemblance des gros entre eux, l'existence d'une complicité qui m'échappe entre les pauvres, l'existence d'une relation entre Brésil et *bezelye*[19] (sur le drapeau brésilien il y a un énorme petit pois), la croyance de certains Américains qu'il existe une relation entre Turquie et indien... En plus, tout comme je pensais que les points qui faisaient se rapprocher dans mon esprit le Premier ministre et mon oncle paternel resteraient toujours identiques, je pense dans un coin de ma tête que le cousin éloigné que j'ai vu une fois manger des œufs aux épinards dans un restaurant quelconque (la beauté de l'Istanbul de mon enfance, c'était de croiser sans cesse, dans la rue ou dans les magasins, des connaissances, des parents ou des ennemis) continue à manger des œufs aux épinards dans ce même restaurant.

Le fait que je ne fusse pas pris au sérieux, à cause de cette propension à l'illusion qui facilitait la vie en la poétisant, m'offrit la possibilité d'entreprendre de courageuses expériences dans cette maison dont je sentais qu'elle n'était pas mienne. Chaque matin, après que mon cousin fut parti au lycée allemand, j'ouvrais un livre épais et somptueux (je crois que c'était un volume Brockhaus) et, bien installé au bureau, je copiais les lignes telles que je les voyais. Comme je ne savais ni lire ni écrire, et ne connaissais pas l'allemand, le travail auquel je me livrais sans rien comprendre pouvait davantage s'apparenter au dessin qu'à l'écriture. Quand j'en avais terminé avec un des mots en lettres gothiques, dont certaines me donnaient vraiment plus de mal que d'autres (le *g* et le *k*), à la manière d'un miniaturiste safavide dessinant une par une les milliers de feuilles d'un grand platane, je reposais mes yeux en les détachant du papier pour regarder au-dehors, par la fenêtre, le Bosphore – qui apparaissait entre les terrains vagues des hauteurs dont toutes les rues descendent vers la mer et entre les immeubles –, et les bateaux.

C'est à Cihangir, où nous allions nous aussi déménager (avec la baisse progressive de nos revenus), que j'ai appris pour la première fois qu'à Istanbul il y avait une vie de quartier ; que la ville n'était pas un lieu où personne ne connaissait personne ; qu'elle n'était pas une anarchie d'immeubles d'habitation – où les vies étaient séparées par des murs, où personne n'était au courant des décès et des fêtes des uns et des autres –, et qu'il y avait en fait une constellation de quartiers où tout le monde se connaissait de près ou de loin. Quand je regardais par la fenêtre, je ne voyais pas seulement la mer se faufiler entre les immeubles, je ne voyais pas seulement les *vapur* des lignes urbaines que je commençais petit à petit à reconnaître, je voyais aussi les jardins entre les maisons et les immeubles, je voyais aussi les

vieux *konak* non encore effondrés et les vieux murs, et les enfants qui jouaient au milieu de tout ça. Comme pour nombre de maisons d'Istanbul avec vue sur le Bosphore, il y avait devant un raidillon pavé qui descendait en sinuant vers la mer. Les nuits de neige, les enfants – auxquels on se joignait à une distance raisonnable, avec le fils de ma tante – glissaient jusqu'au bas de la pente abrupte sur des luges (des échelles ou des morceaux de bois) avec une bruyante allégresse à laquelle tout le quartier participait.

Comme à cette époque le cœur de l'industrie cinématographique turque – qui se flattait d'être qualifiée de deuxième au monde après l'Inde, avec près de sept cents films produits chaque année – était situé rue Yeşilçam, à Beyoğlu (c'est-à-dire à dix minutes), et donc comme un grand nombre d'acteurs habitaient à Cihangir, les rues

étaient pleines d'hommes d'un certain âge incarnant dans ces films toujours les mêmes rôles de personnages de second plan et de femmes mûres pâlottes et décolorées. Les enfants qui les apercevaient, se rappelant les rôles ridicules et humiliants que jouaient ces artistes fatigués (ainsi Vahi Öz, qui incarnait toujours le dragueur défraîchi, ventru et âgé, courant derrière les jeunes domestiques), couraient après eux. En haut des raidillons abrupts – où, les jours de pluie, les voitures et les camions peinaient à monter, leurs roues glissant sur les pavés –, les jours de soleil, un minibus faisait soudain son apparition ; les acteurs, les éclairagistes et l'« équipe de tournage » qui en sortaient en dix minutes tournaient une scène d'amour en deux temps trois mouvements, et disparaissaient aussi sec. Des années plus tard, quand je voyais par hasard à la télévision un de ces films en noir et blanc et une de ces scènes, je saisissais que le thème principal du film, tout autant que l'amour ou les querelles, c'était le Bosphore qu'on apercevait en arrière-plan.

J'ai aussi appris, en regardant le Bosphore entre les immeubles de Cihangir, qu'il fallait qu'il y eût un centre (la plupart du temps une boutique) où tous les ragots de la vie d'un quartier, une fois collectés, commentés et réévalués, fussent à nouveau redistribués. À Cihangir, ce centre était l'épicier situé au rez-de-chaussée de notre immeuble. Si on voulait acheter quelque chose à l'épicier Ligor – *rum* comme la majorité des voisins de l'immeuble –, on descendait un panier au bout d'une ficelle depuis l'étage supérieur, et ensuite on transmettait un par un nos desiderata, en criant très fort. Des années après, alors que nous étions installés nous aussi dans cet immeuble, et comme il ne seyait guère à ma mère de hurler pour commander des œufs et du pain à l'épicier, elle mettait une liste à l'intérieur de son panier, plus chic que celui des autres. Quant au fils polisson de ma tante, il ouvrait la fenêtre pour lancer quelque chose (crachat, clou, pétard-champignon magistralement comprimé avec une corde) sur les voitures qui peinaient à atteindre le haut du raidillon. Encore aujourd'hui, quand je vois une fenêtre qui domine la rue de très haut, je pense instinctivement à la façon dont on peut bien cracher sur les gens qui passent en bas.

Şevket Rado, le mari de ma tante paternelle, après des années de jeunesse consacrées sans succès à la poésie, faisait du journalisme et de l'édition : il publiait le magazine hebdomadaire *Hayat*, alors le plus lu de Turquie; cependant, à cinq ans, cela ne m'intéressait pas, pas plus que le fait que mon oncle était familier, ami ou collègue de toute une série de poètes et d'écrivains – de Yahya Kemal ou Tanpınar à Kemalettin Tuğcu, auteur de récits mélodramatiques pour enfants, façon Dickens, décrivant le tissu urbain et le dénuement de la ville – qui contribueront pourtant à l'élaboration de ma vision d'Istanbul. Seuls m'enthousiasmaient les centaines de livres pour enfants publiés par mon oncle (morceaux choisis des *Contes des Mille et Une Nuits*, volumes des *Frères Doğan*, *Contes* d'Andersen, *Encyclopédie des Découvertes et des Inventions*), que ma tante nous offrit quand je sus lire et écrire, et que j'ai fini par savoir par cœur à force de les lire et relire.

Une fois par semaine, ma tante paternelle m'emmenait voir mon grand frère dans la maison de Nişantaşı. Il nous racontait combien pour sa part il était heureux dans l'Immeuble Pamuk. Il enjolivait son récit: ils mangeaient des anchois au petit déjeuner; le soir, ils jouaient à pleurer de rire, ils faisaient toutes les choses auxquelles j'aspirais au sein de la famille élargie, il jouait au foot avec mon oncle, le dimanche ils allaient tous ensemble au Bosphore avec la voiture de mon oncle, le soir, à la radio, ils ne manquaient aucune séquence de sport ni aucune pièce de théâtre. Ensuite il me disait: «Allez, ne repars pas! Reste là maintenant!»

Quand le moment de rentrer à Cihangir venait, il me pesait de me séparer de mon grand frère et de notre appartement dont la porte désormais verrouillée m'affligeait. Je me souviens qu'une fois, lors du moment de la séparation, pleurant à gros sanglots, j'avais empoigné de toutes mes forces le tuyau du chauffage à côté de la porte et qu'alors, tous s'étant attroupés autour de moi pour tenter d'abord de me convaincre par la douceur, ils cherchèrent à m'arracher la main du poêle, prêts à recourir à la force. Je me souviens que, bien que j'eusse très honte de ce que je faisais, j'ai tenu le tuyau pendant très longtemps, comme les héros des romans illustrés qui se saisissent d'une branche à la dernière minute pour ne pas tomber dans un précipice.

Attachement à une demeure? Peut-être. Parce que cinquante ans après, je vis encore dans le même immeuble. La maison, pour moi, est importante moins pour la beauté de ses pièces et de ses objets que parce qu'elle est un centre de mon univers spirituel. Mais derrière ma tristesse, il y a la perception indirecte, confuse et enfantine des disputes entre mes parents, de l'appauvrissement dû aux faillites incessantes de mon père et de mon oncle, ainsi que des grands conflits de propriété au sein de la famille. Au lieu d'assumer ma peine dans sa totalité et son accomplissement, de lui faire face, d'en exprimer au moins la douleur en en parlant directement, je l'avais transformée en un mystérieux sentiment, par des jeux de tromperies, d'oublis et de changements de points de vue de mon esprit.

Ce sentiment a réuni le monde parallèle et la culpabilité qui m'habitaient. Appelons «tristesse» cet état de confusion. Comme il ne s'agit pas entièrement d'un moment de transparence et comme, pour cette raison, il s'agit d'une chose qui voile la vérité et nous permet ainsi de vivre plus tranquillement avec elle, comparons cette tristesse à la buée qu'accumule sur les vitres d'une fenêtre un samovar continuellement allumé, par un froid jour d'hiver. J'ai choisi cette image parce que les vitres embuées éveillent en moi la tristesse. J'aime encore beaucoup les regarder, et ensuite me lever pour écrire ou dessiner dessus avec mon doigt. Dans cet acte, il y a quelque chose d'analogue à parler de la tristesse. En écrivant et dessinant avec mon doigt sur une vitre embuée, à la fois je dissipe la tristesse qui m'habite, je me distrais et, au terme de tous ces exercices graphiques, une fois la vitre nettoyée, je peux voir le paysage au-dehors. Mais, en fin de compte, le paysage lui aussi nous paraît triste. Il nous faut tenter de saisir un peu ce sentiment qui fait figure de destin pour toute la ville.

10

Hüzün-*Mélancolie-Tristesse**

D'origine arabe, le mot *hüzün* se trouve dans deux versets du Coran, dans un sens proche du sens turc d'aujourd'hui ; en outre, on le trouve sous la forme *hazen* dans trois autres versets. L'expression *senetül hüzn* (année de la tristesse) pour qualifier l'année de la mort de Hatice et de Ebu Talip – respectivement la femme et l'oncle paternel de Mahomet – atteste, comme la dimension spirituelle du mot, un sentiment s'enracinant dans une perte qui afflige profondément. Mes lectures m'ont fait entrevoir que la signification du mot relative à une perte et à la souffrance spirituelle, la tristesse que celles-ci causent, a ouvert la voie à une petite dissension théorique dans l'histoire de l'islam des siècles suivants, deux conceptions principales ayant émergé.

La première conception – qui laisse entendre que le sentiment que j'appelle *hüzün* est la conséquence d'un attachement excessif à ce bas monde, aux intérêts et aux plaisirs matériels – nous dit : « Si tu ne t'attaches pas trop à ce monde éphémère, autrement dit, si tu es un véritable et bon musulman, tu ne te préoccuperas pas trop des pertes engendrées par ce monde. » Quant à la deuxième acception du mot, elle est d'origine mystique et elle est plus positive et compréhensive quant à la place dans la vie de ce sentiment de perte et de souffrance. Selon la conception mystique, le *hüzün* trouve son origine dans un sentiment de manque dû à notre trop grand éloignement de Dieu et au fait que nous ne L'honorons pas suffisamment dans ce monde. Étant donné qu'un véritable mystique ne pourra pas trop s'empoisonner l'esprit avec les peines de ce monde – comme la jouissance d'un bien, la propriété et même la mort –, le sentiment d'absence, de perte et

115

de manque qui le fait souffrir doit avoir quelque rapport avec la difficulté à se rapprocher de Dieu et avec l'impossibilité d'approfondir sa vie spirituelle. Et pour ces mêmes raisons, ce n'est pas l'existence du *hüzün* qui est un manque, c'est son absence. Cette conception qui va jusqu'au bout de sa logique – en considérant le fait de ne pas verser dans la tristesse comme une cause de tristesse, et comme affligeant le fait de ne pas pouvoir être affligé – confère une valeur permanente au *hüzün* dans la culture islamique. Il est ainsi évident que l'usage fréquent du mot dans la culture stambouliote, dans la vie quotidienne et la poésie de ces deux derniers siècles, de même que l'omniprésence de ce sentiment dans la musique, ont à voir avec cette valeur. Mais expliquer avec la seule charge mystique du mot que le *hüzün* est le sentiment le plus fort et le plus permanent de l'Istanbul de ces derniers siècles, et que ceux qui y vivent se sont contaminés les uns les autres ne peut pleinement nous satisfaire. De même, si l'on s'attache seulement à l'histoire du mot et à sa valeur mystique, il est impossible de comprendre la place prépondérante du *hüzün* dans la musique stambouliote du siècle dernier en tant, principalement, qu'état spirituel, pas plus que de comprendre son importance cruciale dans la poésie moderne turque, à la fois en tant que mot structurant (à la façon du sens caché dans la poésie du divan), en tant que sentiment et enfin en tant que concept renvoyant à l'insuccès dans la vie, au manque de volonté et au repli sur soi. Pour percevoir les sources de l'intense sentiment de *hüzün* que l'Istanbul de mon enfance a éveillé en moi, il faut considérer d'une part l'histoire et les conséquences de l'effondrement de l'Empire ottoman, et d'autre part la façon dont cette histoire se reflète dans les « beaux » paysages et les habitants de la ville. Le *hüzün* à Istanbul renvoie à la fois à un sentiment important dans la musique locale, à un terme fondamental pour la poésie, et à un point de vue sur la vie, à un état d'esprit et à un matériau qui fait que la ville est ce qu'elle est. Comme il porte simultanément toutes ces particularités, le *hüzün* est un état d'esprit que la ville s'est approprié avec fierté ou elle fait comme si elle se l'était approprié. C'est pourquoi il s'agit d'un sentiment que l'on trouve aussi bien négatif que positif.

Pour pénétrer dans la substance fluctuante que symbolise ce mot, tournons-nous vers les dires de ceux qui voient le *hüzün* non pas comme un terme digne de considération et de nature poétique, mais comme une maladie. Selon El Kindi, ce sentiment n'a pas seulement trait à la mort d'une personne aimée ou à une perte, mais aussi à de nombreux états mentaux maladifs comme la colère, l'amour, la haine et la mythomanie. Quand Avicenne est amené à envisager la question de son large point de vue de philosophe et d'homme de médecine, pour diagnostiquer la maladie d'un jeune homme prisonnier d'un amour incurable, il suggère, tout en lui prenant le pouls, comme méthode de traitement du *hüzün*, l'invocation du nom de la fille dont le malheureux est épris. Cette approche de la question par les penseurs de l'âge classique de l'islam conduit à les comparer aux pensées de Robert Burton, professeur à Oxford et auteur, au début du XVIIe siècle, d'un ouvrage étrange mais amusant de mille cinq cents pages intitulé *Anatomie de la Mélancolie*. (À côté, l'ouvrage d'Avicenne *Fi 'l Hüzn* fait figure d'opuscule.) Ce faisant, on saisit qu'il existe une proximité entre ces textes dont on pourrait croire qu'ils sont le produit d'univers culturels très différents ; en effet, au titre des causes de cette noire souffrance, ils énumèrent tous deux, avec une approche encyclopédique, de nombreux éléments fluctuants comme la peur de la mort, l'amour, la défaite, le complot, la nourriture ou la boisson ; et, pour son traitement, avec la même approche large s'efforçant de combiner médecine et philosophie, ils proposent différents remèdes comme la logique, le travail, la résignation aux catastrophes, la morale, la discipline ou le régime.

Considérer le grand amour perdu[20] comme la cause principale du *hüzün*, se référer à l'origine du mot de mélancolie qui remonte à l'époque d'Aristote (bile noire) ne montrent pas seulement cette couleur très connue du sentiment ; mais aussi que les mots *hüzün* et mélancolie désignaient naguère (tout comme le mot dépression de nos jours) une souffrance noire qui se déployait sur un large éventail. La différence fondamentale dans l'usage de ces mots apparaît avec l'affirmation positive, joyeuse par moments, de la mélancolie par Burton – fier pour sa part d'être mélancolique –, parce qu'elle permettait une solitude heureuse et développait la puissance d'imagination, et avec l'installation de la solitude – qu'elle soit la cause ou la conséquence de ce sentiment noir – en plein cœur de cette souffrance. D'ailleurs le *hüzün*, tant chez les mystiques (pour qui il nous tient éloignés de

Dieu, notre but à tous) que chez El Kindi (qui voit en lui une maladie), est un état qui interroge les valeurs de la communauté dans la pensée de l'islam classique, mais en même temps c'est un état accepté, parce qu'il facilite notre retour dans la communauté et, en fin de compte, un état en conflit avec la communauté et le but commun.

De tout cela je déduis que c'était le sentiment qu'éprouvait un enfant qui regardait des fenêtres embuées. Maintenant, venons-en à ce qui distingue la tristesse de la mélancolie. Nous ne nous intéressons pas à la mélancolie qui est éprouvée par une seule personne, mais au *hüzün*, ce sentiment noir éprouvé conjointement par des millions de personnes. Aussi c'est du *hüzün* de toute une ville, d'Istanbul, que j'essaie de parler.

Mais avant d'essayer de comprendre ce sentiment sans pareil qui réunit une ville et ses habitants, rappelons que le sujet principal de la peinture des paysages est autant le paysage en lui-même que le

sentiment que celui-ci éveille. Il s'agit là d'une idée très répandue et rebattue au milieu du XIXe siècle, particulièrement parmi les romantiques. En faisant remarquer que l'originalité la plus intéressante

des peintures de Delacroix résidait dans leur mélancolie, Baudelaire utilisait le terme dans un sens complètement positif, comme un éloge, à la façon des romantiques et plus tard des décadents. Six ans après que Baudelaire a écrit ces pensées au sujet de Delacroix, Théophile Gautier, en 1852, dans un livre intitulé *Constantinople* – ouvrage qui allait, des années plus tard, beaucoup influencer des auteurs d'Istanbul comme Yahya Kemal et Tanpınar – utilisait aussi le terme dans un sens positif, pour qualifier certains paysages de la ville qu'il trouvait par trop mélancoliques.

Cependant maintenant, je m'efforce de parler non pas de la mélancolie d'Istanbul, mais du *hüzün* (qui ressemble à cette dernière), de ce sentiment intériorisé avec fierté et en même temps partagé par toute une communauté. Cela signifie avoir la capacité de voir les lieux et les moments où le sentiment lui-même se mêle à l'environnement qui le communique à la ville. Je parle des fins de journée qui arrivent tôt, des pères qui rentrent à la maison un sac à la main, sous les lampadaires des quartiers retirés. Je parle aussi des bouquinistes âgés qui, après une crise économique comme il en survient si fréquemment, attendent le client toute la journée en grelottant de froid dans leur boutique, je parle des coiffeurs qui se plaignent que les gens après la crise se fassent moins souvent raser ; je parle des marins qui, un

seau à la main, nettoient les vieux *vapur* du Bosphore amarrés aux
embarcadères déserts, un œil sur la petite télévision en noir et blanc
posée plus loin, avant de plonger dans le sommeil sur leur bateau ; je
parle des enfants qui jouent au football dans les étroites rues pavées,
entre les voitures ; je parle des femmes en foulard, un sac plastique
à la main, attendant sans dire un mot un autobus qui décidément ne
vient pas, à une station perdue ; je parle des hangars à caïques vides
des anciens *yalı*, des maisons de thé pleines à craquer de chômeurs,
des proxénètes patients qui arpentent le trottoir, les soirs d'été, avec
l'espoir de trouver un touriste bien ivre sur la plus grande place de
la ville.

Je parle des foules qui, les soirs d'hiver, se dépêchent pour ne
pas manquer le *vapur*, des femmes qui, attendant leur mari ne rentrant jamais à la maison le soir, entrouvrent les rideaux pour jeter
un coup d'œil dans la rue ; je parle des vieux à turban qui vendent
dans les cours des mosquées des petits opuscules religieux, des cha-
pelets et des onguents de pèlerin ; je parle des entrées de dizaines
de milliers d'immeubles qui se ressemblent désespérément toutes,
des constructions en bois transformées en bâtiments municipaux – à
l'époque où ils étaient des *konak* dépendants du Palais, chaque lame
de leur parquet gémissait bruyamment au moindre pas ; des balan-

çoires cassées dans les parcs déserts, des sirènes des *vapur* dans le brouillard, des murailles de la ville, héritées de Byzance, dans un état de décrépitude avancé, des emplacements de marché qu'on vide

le soir venu, des anciens *tekke* tombés en ruine, des dizaines de milliers d'immeubles à la face décolorée par la pollution, la rouille, la suie et la poussière, des mouettes qui restent sans bouger sous la pluie, perchées sur les pontons rouillés couverts de moules et de mousse, des immenses *konak* centenaires qui crachent par une unique cheminée une fluette fumée visible seulement les jours les plus froids de l'année, des foules d'hommes pêchant sur le pont de Galata, des grandes salles froides des bibliothèques, des photographes ambulants, de l'odeur de mauvaise haleine de ces salles – qui, jadis, étaient des cinémas somptueux aux plafonds dorés – transformées en lieux de projection de films porno où les hommes pénètrent tout honteux –, des avenues où tu ne pourrais pas voir une seule femme après le coucher du soleil ; des foules agglutinées, les jours chauds et ventés, aux portes du quartier des prostituées sous contrôle de la municipalité, des jeunes femmes qui font la queue à l'entrée des boutiques où la viande est vendue à bas prix, des lampes grillées des guirlandes lumineuses tendues entre les minarets les jours de fêtes religieuses, des affiches murales déchirées et noircies çà et là, des rues sales de la ville qui aurait été transformée en musée si on avait été dans un pays occidental, des voitures américaines fatiguées, rescapées des années cinquante et utilisées comme *dolmuş*, qui geignent atroce-

ment dans les raidillons abrupts, des foules qui remplissent à ras bord les autobus, des mosquées dont les placages et les gouttières en plomb sont constamment volés, des cimetières qui vivent, au cœur de la ville, à la manière d'un monde parallèle et de leurs cyprès, des lampes falotes allumées le soir à l'intérieur des *vapur* en service entre Kadıköy et Karaköy, des petits enfants qui essaient de vendre un paquet de mouchoirs au moindre passant, des tours à horloge que personne ne regarde, des coups que reçoivent les enfants le soir chez eux, ainsi que des victoires ottomanes qu'ils lisent dans leurs livres d'histoire, de l'attente craintive des «employés» lors des couvre-feu décrétés fréquemment sous prétexte d'un recensement des électeurs, d'un dénombrement de la population ou d'une recherche de terroristes, du courrier des lecteurs coincé dans un petit coin des journaux – et que personne ne lit – avec des phrases du genre «la coupole de la mosquée de notre quartier, vieille de trois cent soixante-dix ans et des poussières, menace de s'effondrer ; que fait l'État ? » ; des parties cassées – chaque fois à un endroit différent – de chacune des marches d'escalier des passages souterrains ou aériens situés dans les lieux les plus fréquentés de la ville, de l'homme qui vend à la même place depuis quarante ans des cartes postales d'Istanbul, des mendiants qui surgissent devant vous du recoin le plus improbable et des mendiants qui eux, toujours dans le même recoin, vous disent chaque jour les mêmes mots, de l'odeur forte des toilettes qui vous monte soudain aux narines dans les avenues populeuses, dans les

vapur et les passages, des jeunes filles qui lisent les colonnes «Güzin Abla[21]» du journal *Hürriyet*, des couchers de soleil qui teignent en rouge orangé les fenêtres à Üsküdar, de ces heures les plus matinales où tout le monde dort sauf les pêcheurs qui prennent la mer, des trois chats se mourant d'ennui et des deux chèvres à l'intérieur de cages dans cet endroit qu'on ne peut même pas qualifier de zoo, au parc de Gülhane, des chanteurs de troisième catégorie imitant dans les sordides clubs de nuit les stars de la pop turque et les chanteurs américains, et aussi des chanteurs de première catégorie, des élèves qui s'ennuient à mourir dans les cours d'anglais interminables où en six ans on n'apprend rien d'autre que «yes» et «no», des migrants qui attendent sur le quai de Galata, des belles femmes en foulard qui négocient, honteuses, dans les marchés forains, les soirs d'hiver – au moment où les vendeurs commencent à démonter leurs étals et à tout replier –, tout ce qui reste : légumes, fruits, détritus, papiers, sacs plastique, sacs, boîtes, surplus de caisses ; je parle des jeunes mères qui marchent péniblement dans la rue avec leurs trois enfants, de la

vue qu'on a sur la Corne d'Or quand on regarde en direction d'Eyüp, depuis le pont de Galata, des vendeurs de *simit* en faction sur le quai, dans l'attente du client, perdus dans la contemplation du paysage ; des sirènes de *vapur* qui sonnent toutes en même temps au loin, chaque année, alors que toute la ville observe respectueusement une minute de silence, avec foi, en mémoire d'Atatürk ; des fontaines de quartier centenaires transformées en tas de marbre aux robinets arrachés, de ces fontaines qui demeurent à présent sous le niveau de la route – à force de mettre et de remettre des couches d'asphalte généreusement déversées sur les pavés –, alors que jadis on y montait par une volée de marches, des jeunes filles qui travaillent pour les salaires les plus bas de la ville, parfois jusqu'au matin, pour pouvoir faire face à une commande, sur des machines à coudre ou à boutonner à présent entassées et coincées dans des appartements d'immeubles situés dans les rues adjacentes – et où durant mon enfance, le soir, les femmes et leurs enfants des familles des classes moyennes, des docteurs, des avocats et des enseignants écoutaient la radio –, je parle de l'état d'usure et de délabrement de tout ; de la ville entière qui contemplait,

à l'approche de l'automne, les cigognes venues des Balkans, de l'Europe de l'Est ou du Nord, et qui, filant vers le sud, passaient au-dessus du Bosphore et des Îles aux Princes, et je parle des foules d'hommes qui rentraient chez eux en fumant frénétiquement après les matchs de l'équipe nationale qui se soldaient toujours par une sévère défaite quand j'étais enfant.

Quand on perçoit bien ce sentiment et les paysages, les endroits et les gens qui le diffusent à la ville, quand on a été élevé avec lui, à partir d'un certain point, d'où que l'on regarde la ville, ce sentiment de *hüzün* acquiert une netteté perceptible dans le paysage et chez les gens – un peu à la manière de cette buée qui, les froids matins d'hiver, alors que le soleil fait soudain son apparition, commence à virevolter subtilement au-dessus des eaux du Bosphore.

À ce stade, le *hüzün* se distingue bien du sentiment de mélancolie qui renvoie à l'état mental d'une seule personne, et touche à une signification analogue à celle employée par Claude Lévi-Strauss dans *Tristes Tropiques*. Même si Istanbul, situé sur le quarante et unième parallèle, ne ressemble en rien aux villes tropicales du point de vue

du climat, de la géographie et des dures situations de pauvreté, la ville, avec ses vies désillusionnées, son éloignement par rapport aux centres de l'Occident, son «atmosphère mystérieuse» – qu'un Occidental, dans un premier temps, aura de la peine à saisir dans les relations humaines –, et son sentiment de *hüzün*, n'est pas étrangère aux connotations de ce qu'on dénomme *tristesse** dans le sens utilisé par Lévi-Strauss.

La différence principale entre les deux mots et les deux sentiments, ce n'est pas qu'Istanbul soit plus riche que Delhi ou bien São Paulo (au fur et à mesure qu'on s'enfonce dans les quartiers relégués, les formes de pauvreté et les villes se ressemblent de plus en plus), c'est qu'à Istanbul les heures glorieuses passées, l'Histoire et les vestiges des civilisations sont beaucoup plus perceptibles. Aussi mal entretenues, dépourvues de tout soin et enfouies entre des tas de béton soient-elles, les moindres arches, les moindres fontaines, les moindres petites mosquées dans les recoins reculés font sentir avec douleur aux millions de personnes qui vivent parmi elles – autant que les grandes mosquées monumentales et les bâtiments historiques de la ville – qu'elles sont les résidus d'un grand empire.

Mais les vestiges des grands empires effondrés ne sont pas, à Istanbul, comme des monuments historiques dans un musée à la manière des grandes villes occidentales, comme des objets que l'on protège, dont on s'enorgueillit avec fierté, et que l'on expose. On se contente de vivre parmi eux. C'est là quelque chose que certains auteurs de récits de voyage et certains voyageurs occidentaux ont beaucoup apprécié. Cependant, pour les habitants de la ville à la fibre sensible, c'est quelque chose qui rappelle que la force et la richesse passées s'en sont allées, emportant toute une culture, et que le présent est incomparablement plus pauvre et plus trouble que le passé. Ces bâtiments «adaptés à l'environnement» par leur absence d'entretien, au milieu de la crasse, de la poussière et de la boue – à la façon des *konak* qui brûlaient un à un du temps de mon enfance –, ne nous laisseront pas en héritage le plaisir d'être fiers d'eux.

Ce sentiment pourrait être assimilé à la totale incompréhension de Dostoïevski, quand il était en Suisse, en 1867, face à l'amour débordant des Genevois pour leur ville. Dans une lettre, ce nationaliste en colère contre l'Occident s'emporte : «Ils regardent comme des choses extrêmement belles et extraordinaires les choses les plus élémentaires, même les poteaux dans la rue.» Et même quand ils donnent une adresse, acte élémentaire s'il en est, ils s'enorgueillissent de l'environnement historique au sein duquel ils vivent en disant : «Après avoir passé cette extraordinaire et fort délicate fontaine en bronze...» Or dans une situation semblable, un Stambouliote dirait : «Tourne à cette fontaine aveugle et marche le long de la zone incendiée», et il serait en outre indisposé par tout ce qu'un étranger serait amené à voir dans ces rues pauvres. Un exemple peut être extrait au hasard de la nouvelle nommée *Bedia et la Belle Hélène*, d'Ahmet Rasim, le plus grand écrivain d'Istanbul dont je vais parler plus loin : «Passez le hammam d'İbrahim Paşa. Avancez un peu au-delà. Vous verrez alors une vieille maison mal en point en face de la ruine (hammam) au débouché de la rue sur votre côté droit.»

Un Stambouliote plus optimiste, comme chacun sans doute l'a fait un jour, se sert, pour donner l'adresse, des épiceries et des cafés, la plus grande richesse d'Istanbul. Parce que la voie la plus rapide pour être sauvé du *hüzün* causé par le fait d'être des rejetons d'un empire puissant, c'est de ne pas s'intéresser du tout aux bâtiments historiques et même de ne prêter aucune attention à leurs noms ni à leurs particularités architecturales distinctives. Et les Stambouliotes font ainsi, avec le concours de la pauvreté et de l'ignorance. Ainsi, laissant complètement tomber l'idée d'«histoire», appliquant à ces bâtiments historiques un traitement de choc, ils arrachent des pierres aux murailles de la ville pour les utiliser dans leurs propres constructions, ou bien alors ils entreprennent de réparer les murailles avec force béton.

Détruire, brûler, ériger à la place un immeuble «occidental, moderne» est aussi une manière d'oublier. Tout ce désintérêt et toutes ces destructions, en définitive, accroissent le sentiment de *hüzün*, en lui ajoutant le ton de la vanité et de la misère. Le sentiment de *hüzün* que développe la souffrance de la destruction, de la perte et de la pauvreté prépare les Stambouliotes à de nouvelles défaites et à d'autres formes de pauvreté.

À ce stade, ce qui différencie le *hüzün* de la *tristesse** est très net. La *tristesse** qu'évoque Claude Lévi-Strauss, dans son ouvrage sans égal, est le sentiment que toutes ces pauvres grandes villes des tro-

piques, avec leur désarroi et leurs masses humaines, font éprouver à un Occidental. Le terme ne renvoie donc pas à l'état d'esprit de ces villes et de ceux qui y vivent, mais bien plutôt à la souffrance d'un Occidental débarqué dans ces villes, souffrance au dernier degré humaine, mêlant sentiments de culpabilité, tentative de s'affranchir des préjugés et des clichés, et pitié vécue. Le *hüzün*, pour sa part, est une réaction que développe non pas une personne qui regarde de l'extérieur, mais que développent les Stambouliotes à partir de leur propre situation. La musique ottomane «classique», la musique pop turque et la musique dite «arabesque» développée dans les années quatre-vingt sont toutes des expressions de ce sentiment qui oscille, avec toute une gamme de subtiles variations, entre l'apitoiement pour soi et l'affliction. L'Occidental qui vient de l'extérieur de la ville ne ressent le plus souvent ni cet *hüzün* ni même la mélancolie. Même Gérard de Nerval, dont la puissante mélancolie finira par le tuer, s'est vivement diverti, à Istanbul, des couleurs, de l'animation, de la violence et des cérémonies de la ville ; et même dans les cimetières, il a écouté les éclats de rire des femmes. Il se peut aussi que cette insensibilité provienne de ce qu'au cours des années où il s'est rendu à Istanbul le sentiment de destruction et de perte n'était pas encore suffisamment perceptible, et de ce que Nerval, bien que pourtant l'État ottoman ne fût plus très solide, a en fait écrit l'épais ouvrage intitulé *Voyage en Orient* pour oublier sa propre mélancolie, s'abandonnant aux rêves colorés de l'Orient stéréotypé des Occidentaux.

Étant donné que j'ai dit que la source du *hüzün* à Istanbul résidait dans le sentiment de pauvreté, de défaite et d'une perte, je reviens à la signification dans le Coran du mot *hüzün*. Mais Istanbul porte le *hüzün* non pas comme « une maladie passagère » ou bien comme une « souffrance qui s'est abattue sur nous et dont nous devons nous libérer », mais comme quelque chose de sciemment choisi. Cette signification spéciale de *hüzün*, on peut bien la rapprocher de la mélancolie d'un Burton qui écrit : « Tous les autres plaisirs sont vains. Aucun n'est aussi doux que la mélancolie », mais l'ironie et l'autodérision burtoniennes laissent place, dans l'expérience du *hüzün* à Istanbul, à la fierté, et même à la morgue orgueilleuse. Ainsi, la poésie moderne turque d'après l'avènement de la République se saisit du *hüzün* avec la même conception, comme d'un destin inévitable et d'un sentiment lui conférant une profondeur, en sauvant l'esprit humain. Ce sentiment est en même temps comme une espèce de vitre embuée placée entre le poète et la vie. Une projection de la vie empreinte de *hüzün*, pour le poète, est plus attirante que la vie elle-même. Et les Stambouliotes opèrent de semblables replis sur eux-mêmes, face à leur propre pauvreté et face aux oppressions. Ce sentiment qui signifie un repli conscient face à la vie, tout en profitant, d'un côté, de la considération que le *hüzün* a acquise dans la littérature mystique, paraît, d'un autre côté, comme une cause choisie consciemment et fièrement de l'insuccès, de l'indécision, de la défaite et de la pauvreté des citadins. Dans ce sens, le *hüzün* se présente non pas seulement comme la conséquence de l'incomplétude et des grandes pertes de la vie, mais, plus important, comme leur principale cause. Les héros des films turcs de mon enfance et de ma jeunesse – tout comme les héros d'un grand nombre d'histoires vraies dont j'ai été témoin ou que j'ai entendues durant ces années –, à cause de ce sentiment de *hüzün* dont on avait l'impression qu'ils le portaient en eux depuis la naissance, ne se comportaient pas de manière fermement résolue face à leurs amours, à l'argent ou au succès : le *hüzün* à la fois rend timoré et fournit une excuse à ce comportement timoré.

La hargne de réussir, la conscience d'être un individu face à la société que Balzac a affirmées par l'intermédiaire de héros comme Rastignac, et qu'il a ancrées au cœur de la ville moderne, sont très éloignées du *hüzün*. Le *hüzün* des Stambouliotes est un obstacle à toute forme de créativité contraire aux valeurs et formes préconçues de la communauté, il est un soutien à la morale qui stipule que personne ne se distingue des autres et qu'on demeure modeste. Le *hüzün*, qui donne ses lettres de noblesse au sentiment d'entraide nécessaire pour rester en vie dans les moments de privation et d'indigence, donne en même temps lieu à une lecture de la vie et de la ville

tout en contresens. Comme il désigne la défaite et la pauvreté, non pas comme une conséquence, mais comme une condition à honorer avant de commencer de vivre, c'est une attitude à la fois respectable et trompeuse.

La pauvreté, la confusion d'esprit et la prépondérance du noir et blanc, qui sont inscrites dans la vie d'Istanbul comme une maladie honteuse, qu'on ne peut pas vaincre et qui sont vues comme un destin, ne sont pas vécues de la sorte comme un insuccès ou comme une incapacité, mais plutôt comme un honneur.

Cette attitude est complètement contraire à l'intelligence confiante en elle-même et à l'individualisme d'un Montaigne (et, des années plus tard, d'un Flaubert), qui, dès les années 1580, et bien que lui-même mélancolique, tout en évoquant le concept de tristesse, prétendait en être très éloigné. Montaigne, estimant qu'il n'y avait nullement lieu d'écrire avec une majuscule le mot *tristesse** – comme il l'avait fait pour Sagesse, Félicité et Conscience –, appréciait le fait que les Italiens aient donné au mot de « *tristezza* » une signification s'approchant d'une sorte de méchanceté nocive et folle.

La tristesse pour Montaigne, tout comme son attitude vis-à-vis de la mort, était quelque chose qu'il s'efforçait de maîtriser tout seul, avec son intelligence d'intellectuel vivant isolé avec ses livres. Istanbul, de son côté, vit le *hüzün* en tant que grande ville où tout le monde concourt à affirmer ce sentiment. Ce qu'ont réalisé la littérature, la poésie et la musique turques, en accordant de l'importance à ce sentiment, en se l'appropriant, et en l'érigeant en victoire, c'est de fonder le *hüzün* en tant que communauté qui décrit la ville et en tant que centre qui l'unit. Dans *Huzur*, le plus grand des romans écrits à propos d'Istanbul, les héros ont la volonté brisée et sont condamnés à la défaite à cause du *hüzün* que leur procurent l'histoire de la ville et le sentiment de perte. L'amour, à cause du *hüzün*, ne peut se terminer dans la quiétude. Dans les films en noir et blanc d'Istanbul, l'histoire d'amour la mieux ciselée et la plus vraisemblable en apparence se termine toujours en mélodrame à cause du *hüzün* congénital, manifeste dès le début, du jeune héros.

Dans la plupart de ces films en noir et blanc, comme dans le roman *Huzur* de Tanpınar, au moment où nous nous identifions à ces héros tristes qui ne peuvent parvenir au bonheur – parce qu'ils ne se

comportent pas de façon suffisamment décidée et entreprenante, et qu'ils se résignent aux conditions que leur imposent l'histoire et leur milieu –, les paysages d'Istanbul, à leur tour, aussi «beaux», sans égal, pittoresques ou bien familiers soient-ils, se mettent à vaciller sous l'effet du même *hüzün*. Parfois quand je change de chaîne à la télévision, à la vue des scènes de rue en noir et blanc de ces films – que je me mets à regarder au hasard alors qu'ils ont déjà commencé –, une idée se met à me travailler. Lorsque je vois les rues pavées où marche le héros – qui, alors qu'il regarde les fenêtres allumées d'une maison en bois d'un quartier retiré, imagine sa bien-aimée en train de se marier avec un autre –, ou bien lorsque je regarde les paysages en noir et blanc du Bosphore que contemple le héros (transformant en une démonstration de fierté et de volonté sa modestie et sa résignation face au fabricant riche et puissant), je me mets à penser qu'en fait le *hüzün* ne naît pas de l'histoire chaotique et douloureuse du héros et de l'impossibilité de conquérir sa bien-aimée, mais qu'il sourd de l'intérieur des paysages, des rues et des vues d'Istanbul, et qu'il brise ainsi la volonté du héros. Alors, en regardant simplement le paysage et la perspective de la rue secondaire, une fois que j'ai compris l'histoire du héros, je m'imagine que je peux ressentir son *hüzün*. Les héros du roman *Huzur* de Tanpınar – produit d'un art bien plus « élevé » que ces films populaires –, de la même façon, chaque fois que leurs relations semblent prendre un tour insurmontable, soit partent faire une promenade sur le Bosphore, soit vont dans les rues de traverse d'Istanbul pour s'affliger à contempler des ruines.

Le problème des écrivains et des poètes d'Istanbul qui, d'un côté, partagent avec la ville ce sentiment de destruction et de perte, le *hüzün*, et, d'un autre, sont aussi travaillés par le plaisir de lire – tout comme Tanpınar, l'auteur de *Huzur* –, et qui ressentent de l'enthousiasme pour la culture occidentale et désirent être modernes, est plus complexe et attristant : c'est de demeurer écartelés entre le sentiment de communauté qui confère le goût du *hüzün*, et la solitude découverte par la lecture des livres occidentaux, à savoir soit une solitude raisonnée à la Montaigne, soit une solitude sentimentale à la Thoreau. La découverte d'un imaginaire d'Istanbul, que certains de ces écrivains ont élaboré comme solution puis ont développé, fait désormais partie intégrante de mon récit et d'Istanbul. J'ai écrit ce livre dans un dialogue permanent avec les œuvres de ces quatre écrivains tristes d'Istanbul, qui ont découvert et développé cet imaginaire cahin-caha, à coups de rencontres, de lectures et de promenades.

11

Quatre écrivains solitaires du hüzün

Enfant, je les connaissais très mal. J'avais vaguement lu les poèmes que tout le pays connaissait de l'un d'entre eux, le grand poète ventru, Yahya Kemal. D'un autre, l'historien populaire Reşat Ekrem Koçu, ce sont les dessins représentant les méthodes de torture des Ottomans – qu'on lui avait fait faire pour illustrer ses articles parus dans les pages d'histoire des journaux – qui attirèrent en premier mon attention. J'avais à peine quinze ans que je connaissais le nom de tous, parce que leurs livres étaient dans la bibliothèque de mon père. Mais ma vision d'Istanbul, encore à peine élaborée à cette époque, ne fut alors pas influencée par eux. À ma naissance, les quatre étaient encore en vie et ont habité Istanbul à une distance de moins d'une demi-heure de marche des lieux où je vivais. Lorsque j'eus dix ans, ils étaient tous morts, sauf un, et je ne pus en voir aucun de son vivant.

Des années plus tard, alors que je reconstituais l'Istanbul de mon enfance dans ma tête, leurs écrits sur la ville se mélangèrent avec les photos en noir et blanc, et je ne pus dès lors plus penser sans eux Istanbul, mon Istanbul. Un temps, vers mes trente-cinq ans, rêvant d'écrire un roman d'Istanbul du genre *Ulysse*, je fus saisi par le plaisir d'imaginer ces quatre écrivains mélancoliques dans les rues que j'avais parcourues durant mon enfance : par exemple, ma mère, à une époque, allait elle aussi une fois par semaine au restaurant Abdullah Efendi de Beyoğlu dont le poète ventru était un habitué ; elle y mangeait et ensuite se plaignait avec âpreté de ce qu'elle y avait mangé. Je me plaisais à imaginer qu'alors que le célèbre poète s'y restaurait, l'historien Koçu, en quête de matériaux pour l'*Encyclopédie d'Istanbul*, allait passer devant la vitrine. Ensuite, j'imaginais que le journaliste-historien, amateur de jeunes et beaux adolescents, allait acheter à un joli garçon, vendeur de journaux dans une rue secondaire, un journal dans lequel se trouvait un article du romancier Tanpınar. Sur ces entrefaites, le mémorialiste Abdülhak Şinasi Hisar, un homme casanier de courte taille, épris de propreté et ganté de blanc, allait commencer à se quereller avec le vendeur d'abats, au motif qu'il n'avait pas enveloppé dans un journal propre le foie acheté pour son chat. J'aimais aussi imaginer que mes quatre héros avaient marché parfois à la même minute, parfois sous la même pluie, parfois dans le même recoin, parfois dans le même raidillon et même que leurs chemins s'étaient croisés.

J'ai ouvert devant moi les cartes Beyoğlu-Taksim-Cihangir-Galata de Pervitich, fameux cartographe d'origine croate, j'ai déterminé rue par rue, bâtiment par bâtiment les endroits où avaient marché mes héros, et, consultant mes cartes, j'ai imaginé en détail chez quel fleuriste, dans quel café, restaurant ou *muhallebici* ils auraient pu se rencontrer. L'odeur des plats de tous ces restaurants, les lignes des journaux effacées à force d'être lues et relues dans les cafés, les affiches murales, selon moi constitutives de l'identité d'une ville, les vendeurs de rue, les publicités sur les autobus, de même que bien d'autres choses semblables, comme les informations défilant en lettres lumineuses sur le tableau installé naguère au sommet d'un grand immeuble (maintenant détruit) dans un coin de la place Taksim, auraient pu être des points d'intersection de l'attention de mes

quatre héros du *hüzün*. Dès que je me remémore simultanément ces écrivains, je me dis que ce qui fait la particularité d'une ville, ce ne sont pas seulement les vues spécifiques (composées la plupart du temps aléatoirement de sa topographie, de ses immeubles et de ses hommes), c'est aussi la trame dense des rencontres secrètes ou non que les lettres, les couleurs, les signes peuvent tisser, parallèlement aux souvenirs accumulés par ceux qui, à ma manière, ont vécu dans les mêmes rues une cinquantaine d'années. Alors, j'imagine que j'aurais pu moi aussi, au cours de mon enfance, croiser ces quatre écrivains du *hüzün*.

Le romancier Tanpınar, celui des quatre écrivains dont je me sens le plus proche, j'aurais certainement pu le croiser les premières fois que ma mère m'a amené à Beyoğlu. Nous aussi, tout comme lui, nous avons fréquenté la librairie Hachette à Tünel. D'ailleurs, ce romancier affublé du sobriquet de « Vaurien » vivait dans une petite chambre du foyer Narmanlı situé juste en face de cette librairie. Autre hasard, l'Immeuble Ongan à Ayazpaşa, où je fus conduit immédiatement après ma naissance, puisque que l'Immeuble Pamuk était alors encore en construction, se trouvait juste en face du Park Otel où le maître de Tanpınar, le poète Yahya Kemal, a vécu les dernières années de sa vie. Est-ce que pendant ces années le romancier Tanpınar, le soir, allait voir Yahya Kemal au Park Otel? Puis, après avoir déménagé à Nisantaşı, j'ai pu les voir aussi dans la pâtisserie de l'hôtel où ma mère allait très souvent acheter des gâteaux. Abdülhak Şinasi Hisar, que j'ai évoqué comme un auteur de mémoires, montait aussi très souvent à Beyoğlu, tout comme l'historien populaire Koçu, pour faire des courses ou prendre un repas. J'ai bien dû les croiser eux aussi.

Je suis parfaitement conscient du fait que je me suis comporté tout comme ces admirateurs à l'affût des coïncidences et des intersections entre les détails marginaux de leur propre existence et ceux des films où ont joué les fameuses stars de cinéma qu'ils adulent. Cependant, les poèmes, romans, nouvelles, articles, mémoires et autres encyclopédies de ces quatre héros dont je vais parler et discuter de-ci de-là dans ce livre ont contribué à me mettre en phase avec l'esprit de la ville où je vis. Ces quatre écrivains du *hüzün*, tout en créative complexité, pris entre passé et présent, entre Orient et Occident – selon l'expression favorite des Occidentaux –, m'ont fait aussi sentir comment je pouvais établir une relation entre la ville où je vivais et sa culture, les livres que j'aimais et mon goût pour l'art moderne.

Tous ces écrivains ont été à un moment de leur vie éblouis par l'éclat de la littérature occidentale, et tout particulièrement par celui de la littérature et des arts français. Le poète Yahya Kemal, dans sa jeunesse, a vécu neuf ans à Paris : des poèmes de Verlaine et de Mallarmé il a appris ce qu'était la « poésie pure », dont il cherchera plus tard un équivalent « nationaliste ». Tanpınar, tout imprégné des écrits de Yahya Kemal, son père spirituel, admirait, outre ces deux poètes, Valéry. En tête des écrivains français auxquels nos auteurs, y compris le mémorialiste A. Ş. Hisar, étaient indéfectiblement attachés, il y avait André Gide. Tanpınar a appris à traiter du paysage avec des mots de Théophile Gautier que Yahya Kemal admirait.

L'émerveillement, frôlant par moments la puérilité, éprouvé par ces écrivains durant leur jeunesse pour la littérature française et la culture occidentale leur a appris la nécessité sans retour d'être modernes ou bien occidentaux dans leurs œuvres. Ils voulaient écrire comme des Français, ils n'avaient aucun doute sur cette orientation. Mais dans un coin de leur tête, ils savaient pertinemment que s'ils se mettaient à écrire comme des Occidentaux ils ne pourraient pas être aussi originaux que ceux-ci. Néanmoins, la culture française leur a enseigné de manière irréversible, outre l'idée de la littérature moderne, une certaine idée de la vérité, de l'originalité, de la simplicité. Et la contradiction qu'ils éprouvèrent entre l'idée d'être occidental et celle de la nécessité d'être « vrai » a travaillé tous ces créateurs, tout

spécialement dans les années où ils commencèrent à faire entendre leur propre voix dans leurs œuvres.

Il y avait une autre exigence qu'ils voulaient réconcilier avec le principe d'originalité et de vérité, c'était l'exigence liée aux concepts de «l'art pour l'art» ou de «poésie pure» qu'ils avaient appris d'écrivains comme Gautier ou Mallarmé. D'autres prosateurs et poètes de leur génération, en proie à la même admiration aveugle, avaient été influencés par d'autres écrivains français, mais ils avaient plus été portés par un instinct «utilitaire» ou par une forme de pédagogisme que par une sincère recherche de vérité. Alors que ces écrivains, engagés sur une voie ouverte d'un côté sur une littérature didactique et de l'autre sur la tentation de l'engagement politique au quotidien, s'attachaient à des exemples comme Hugo ou Zola, Yahya Kemal, Tanpınar ou bien Abdülhak Şinasi Hisar pensaient à ce qu'ils allaient faire avec Verlaine, Mallarmé ou Proust. Un autre facteur a influencé nos auteurs, ce fut le nationalisme turc qu'imposèrent d'abord l'effondrement de l'Empire ottoman et le danger de devenir une colonie de l'Occident, et ensuite l'avènement de la République.

Ils furent ainsi coincés entre les exigences du nationalisme et, par instinct esthétique, la volonté de rester loin des postures didactique et politique.

La vision esthétique qu'ils acquirent en France leur fit sentir qu'ils ne pourraient jamais, en Turquie, faire entendre une voix aussi puissante et vraie qu'un Mallarmé ou un Proust, en étant uniquement « modernes ». Et ils trouvèrent ce qu'ils recherchaient dans un phénomène bien réel et poétique, en l'occurrence l'effondrement de l'Empire ottoman, cet empire, qui faisait partie d'une grande civilisation, où ils étaient nés et où ils avaient grandi. L'intime conviction que la civilisation ottomane s'était effondrée et avait été irrémédiablement détruite conférait à ces auteurs un point de vue qui leur permettait d'évoquer le passé sans tomber dans les pièges de la nostalgie la plus commune, de la glorification du passé ou d'un nationalisme et d'un communautarisme agressifs dont nombre de leurs contemporains ont été victimes. Istanbul, où l'on vivait au quotidien les traces ruiniformes de grandes pertes, c'était leur ville. Et ils comprirent qu'ils ne trouveraient leur voix propre que dans la mesure où ils s'adonneraient à la triste poésie de la destruction et des ruines.

Dans son célèbre texte *Philosophie de la composition*, Edgar Allan Poe prétend qu'en écrivant son poème intitulé « Le Corbeau » son souci principal était de créer une œuvre au ton « mélancolique ». Et avec ce sang-froid méthodique hérité de Coleridge, Poe décide que le sujet le plus mélancolique est celui de la mort. Par la suite, il se demandera à partir de quel moment le mélancolique sujet de la mort allait pouvoir devenir poétique. À cette interrogation, Poe répond avec sa logique d'ingénieur : « à partir du moment où ce sujet se trouve dans la relation la plus étroite qui soit avec la beauté ! ». C'est la raison pour laquelle, explique-t-il, il a placé au cœur de son poème une très belle fille morte.

Certes ces quatre écrivains, dont je m'imaginais enfant que je pourrais les croiser, n'ont pas déployé consciemment, cela ne fait aucun doute, une logique de composition analogue à celle de Poe ; cependant, ils sentaient qu'ils pourraient trouver leur propre mode d'expression uniquement s'ils se tournaient vers le passé d'Istanbul avec la triste conscience que cette culture était morte et définitivement révolue, engloutie. À promener leur regard sur les beautés du passé et sur la vie de jadis à Istanbul, le fait d'entrevoir, de temps en temps, le cadavre de la beauté gisant dans un coin ou bien les ruines de la ville, conférait au passé une noble poésie. Ce regard poétique et sélectif que je pourrais qualifier de «tristesse des ruines» a rendu ces écrivains nationalistes, conformément aux vœux de l'État oppresseur, tout en les préservant de l'assujettissement à l'autorité – qui confine presque toujours à l'agressivité –, dans lequel étaient enfermés leurs contemporains se mêlant aussi d'histoire. Ce qui d'ailleurs nous procure du plaisir dans les mémoires de Nabokov, sans que la pureté et la richesse de son aristocratique famille nous indisposent, c'est la faculté de cet écrivain s'adressant à nous d'un autre continent, avec une autre langue, à exprimer dès le début du livre de façon très claire que ce monde est anéanti depuis longtemps, qu'il est révolu, irréversiblement consumé. Les jeux avec la mémoire et le temps (auxquels nos quatre écrivains du *hüzün* ont recouru), très en phase avec l'atmosphère bergsonienne de l'époque, donnaient un instant l'illusion de pouvoir revivre le passé, comme un plaisir esthétique, à l'image des vestiges survivant au cœur d'Istanbul.

Cette illusion était vivace chez mes quatre écrivains du *hüzün*, d'abord comme un jeu, ensuite comme une souffrance qui vient après le jeu, mêlée à l'idée du face-à-face de la mort avec la beauté. Mais l'idée de la beauté révolue des civilisations passées est avant tout un point de départ.

Abdülhak Şinasi Hisar, quand il entreprend d'expliquer avec un douloureux sentiment de nostalgie ce qu'il nomme «civilisation du Bosphore», interrompt d'un coup son propos et déclare, comme s'il s'agissait d'une idée qu'il venait d'avoir : «Toutes les civilisations, comme les humains dans les cimetières, sont mortelles. Et nous savons pertinemment que, de même que nos morts, les civilisations qui ont accompli leur temps ne reviendront pas.»

Ce qui unit ces quatre auteurs, outre cette conscience, c'est leur faculté à poétiser le *hüzün* que ce sentiment de perte suscite. Pour ressentir ce *hüzün*, il ne leur suffisait pas de tourner leur regard vers le passé d'Istanbul, il leur fallait aussi envisager le présent. Ce faisant, d'ailleurs, ils apercevaient un passé vivant parmi les ruines au sein de la ville où eux-mêmes vivaient.

Alors qu'après la Première Guerre mondiale le poète Yahya Kemal et le romancier Tanpınar, qui avaient lu les écrits des voyageurs occidentaux, entreprirent des promenades pédestres parmi les ruines dans les faubourgs de la ville – histoire de développer une image d'Istanbul à la fois triste et « turque-ottomane » –, la population dépassait à peine un demi-million d'habitants. Durant mon enfance, à la fin des années cinquante, elle était d'environ un million. Et au début du XXIᵉ siècle, ce chiffre est estimé à dix millions environ. Depuis l'époque où ces écrivains ont vécu, la population d'Istanbul a été multipliée par dix, s'implantant bien au-delà du Bosphore, de Péra et de la vieille ville.

Cependant, l'image de la ville la plus répandue, que l'on s'approprie à la longue en y vivant, est encore celle que ces écrivains ont développée. La raison de ce paradoxe, c'est que la population qui s'est agrégée à la ville ces cinquante dernières années n'a pas élaboré une autre représentation d'Istanbul que celle du Bosphore, de la péninsule historique et des anciens centres de la ville. Et le fait que tous ceux qui vivent dans ces quartiers récents et éloignés ne se sentent pas stambouliotes y a sa part, comme le montrent les enquêtes – qui parlent avec une objectivité impitoyable de ces « enfants arrivés là-bas à 10 ans, et qui n'ont encore jamais vu le Bosphore ». Dans un Istanbul écartelé entre culture traditionnelle et culture occidentale, entre une petite poignée de personnes extrêmement riches et des quartiers périphériques où vivent des millions de pauvres, dans une ville perpétuellement exposée aux vagues migratoires et structurellement divisée, personne, en cent cinquante ans, n'a vraiment pu se sentir pleinement chez lui.

Les quatre écrivains tristes dont je vais encore parler dans ce livre, durant les quarante premières années de la République au cours desquelles ils ont continué à publier leurs œuvres, ont été de temps à autre l'objet de critiques, pour s'être focalisés non pas sur les illusions et utopies de l'occidentalisation, mais sur les ruines du passé et sur le mode de vie ottoman.

Or ils voulaient simplement pouvoir continuer à vivre dans leur ville sous l'influence conjointe de deux grandes cultures, de ces deux sources que les journalistes qualifient grossièrement d'« occidentale » et d'« orientale ». Du fait de la tristesse qu'ils éprouvaient sincèrement, ils partageaient le sentiment de communauté qui régnait sur la ville, mais avec le regard d'un Occidental étranger à la ville, ils étaient en quête de la beauté que peut conférer ce sentiment aux paysages et aux écrits. Agir à rebours des contraintes de l'État, des institutions sociales et des innombrables fractions, se faire «occidental» quand il faut être «oriental», «oriental» quand on est contraint d'être «occidental», ce genre de comportement est une forme instinctive de protection à laquelle ces écrivains stambouliotes ont recouru pour se ménager une nécessaire solitude.

Le mémorialiste Abdülhak Şinasi Hisar, son ami le poète Yahya Kemal (auteur d'un livre sur Hisar), l'étudiant de Kemal (devenu plus tard son ami) Ahmet Hamdi Tanpınar et le journaliste-écrivain Reşat Ekrem Koçu, ces quatre écrivains tristes ont vécu seuls tout au long de leur vie, ne se sont jamais mariés et sont morts seuls. Et hormis Yahya Kemal, ils ont tous éprouvé, au moment de leur mort, l'amertume de ne pas avoir parachevé leur œuvre comme ils le souhaitaient, de voir leurs livres à moitié terminés, à l'état de fragments, ou bien de ne pas avoir pu trouver les lecteurs désirés. Quant au poète le plus grand et le plus influent d'Istanbul, Yahya Kemal, il a refusé de publier tout au long de sa vie.

12

Ma grand-mère paternelle

Elle répondait qu'elle était pour le mouvement d'occidentalisation entrepris par Atatürk quand on lui posait la question, mais en réalité, comme tous les habitants de la ville, elle se fichait aussi bien de l'Orient que de l'Occident. Et puis de toute façon, elle ne sortait de chez elle que très rarement. Tout comme la majorité des habitants qui considéraient la ville comme leur maison, elle ne s'intéressait ni aux monuments, ni à l'Histoire, ni aux « beautés » d'Istanbul. Elle avait pourtant étudié l'histoire dans son école où l'on formait des instituteurs. Dans l'Istanbul des années dix, elle avait fait preuve d'un très grand courage en osant sortir avec mon grand-père pour aller dans un restaurant, alors qu'ils n'étaient pas encore fiancés. Ils se sont retrouvés l'un en face de l'autre dans un lieu qui était, je pense, puisque je sais qu'on y servait de l'alcool, une sorte de *gazino*[22] situé à Péra. C'était en 1917, et ma grand-mère, croyant qu'il lui proposait de prendre de l'alcool quand il lui avait demandé ce qu'elle voulait boire (alors qu'il faisait allusion aux boissons courantes comme le thé ou la limonade), lui avait très sèchement répondu :

« Je ne consomme pas de spiritueux, monsieur. »

Quarante ans après, un peu grisée si elle avait bu un verre de bière au cours d'un repas de fête ou de Nouvel An qui se déroulait avec toute la famille, elle se remettait à raconter cette histoire que tout le monde connaissait déjà très bien, puis elle riait longuement à gorge déployée. Quand ma grand-mère racontait cette histoire pendant une journée ordinaire, assise au salon dans son fauteuil attitré, l'éclat de rire qui suivait sa narration se transformait en des larmes versées sur cet « homme exceptionnel » qu'était mon grand-père, et que je n'avais pu connaître qu'à travers quelques photos. Pendant qu'elle pleurait, j'essayais de m'imaginer que ma grand-mère, elle aussi, à une époque, s'était promenée, pleine de joie, dans la rue. Mais cet exercice me paraissait aussi difficile que de me représenter la femme placide et bien en chair que peignait Renoir comme étant la grande femme mince et nerveuse qui revenait dans les tableaux de Modigliani.

Après le décès dû au cancer du sang, alors qu'il était encore jeune, de mon grand-père qui avait réussi à constituer une fortune considérable, ma grand-mère était devenue «la patronne» d'une grande famille. Bekir, son cuisinier, était en quelque sorte devenu son compagnon de vie. Lorsqu'il était fatigué de ses ordres et de ses commentaires inépuisables, il lui répondait, sur un ton légèrement ironique : «Entendu, patronne !» Mais l'autorité de ma grand-mère ne s'exerçait qu'à l'intérieur de sa maison où elle se promenait avec son gros trousseau de clefs. Elle ne sortait jamais de chez elle,

et, chaque fois qu'elle se trouvait obligée de vendre l'un après l'autre, à cause de mon oncle et de mon père – qui n'avaient pas su conserver la fabrique laissée par leur père mort prématurément, et qui faisaient sans cesse faillite dans les grands chantiers et les mauvais investissements qu'ils entreprenaient –, chacun de ses biens, ses immeubles et ses appartements, elle se contentait de verser quelques larmes en leur conseillant de faire un peu plus attention la prochaine fois.

Elle passait ses matinées au lit, sous sa grande couverture épaisse, adossée à plusieurs coussins en plumes. Tous les matins, Bekir, le cuisinier, venait délicatement déposer un gigantesque plateau chargé d'œufs à la coque, d'olives, de fromage blanc et de pain grillé sur le coussin que ma grand-mère plaçait devant elle, sur sa couverture. (Le vieux journal qui était placé entre le coussin brodé de fleurs et le plateau en argent gâchait un peu le tableau.) Puis, après ce long petit déjeuner, toujours alitée, elle lisait son journal et recevait ses premiers visiteurs du matin. (C'était grâce à elle que j'avais découvert le plaisir de boire du thé sucré en gardant un morceau de fromage blanc dans la bouche.) Mon oncle, qui ne pouvait pas partir au travail sans l'avoir embrassée et câlinée, montait tous les matins de bonne heure voir sa mère. Ma tante, après avoir envoyé son mari au travail, passait aussi, avec son sac à la main. Tout comme mon frère l'avait fait deux ans plus tôt avant de commencer l'école, moi aussi, afin d'apprendre à lire et à écrire, je venais tous les matins avec mon cahier me glisser sous un coin de la couverture de ma grand-mère pour découvrir avec elle le mystère des lettres. Comme j'allais m'en rendre compte à l'école par la suite, apprendre quelque chose de quelqu'un m'ennuyait, et devant une feuille vierge, je préférais barbouiller plutôt que d'écrire quelque chose.

En plein milieu de ces petites leçons de lecture et d'écriture, Bekir, le cuisinier, entrait dans la chambre et posait tous les jours avec les mêmes mots la même question :

« Qu'est-ce qu'on leur fait aujourd'hui ? »

Il demandait cela avec un grand sérieux, comme si l'on devait décider du plat qui allait être préparé ce jour dans la cuisine d'un grand hôpital ou d'une importante caserne militaire. Alors que ma grand-mère et le cuisinier discutaient, en cherchant leur inspiration dans le calendrier *Saatli Maarif*, plein d'informations bizarres et de suggestions de « menu du jour », pour savoir ce qu'on allait faire pour le déjeuner et le dîner des personnes qui allaient venir de chaque étage, j'observais le corbeau qui tournait autour des branches du cyprès dans le jardin de derrière.

Le cuisinier Bekir, qui n'avait pas perdu son sens de l'humour malgré la lourdeur de sa tâche, avait trouvé un surnom à chacun de nous autres, les petits-enfants de grand-mère. Le mien était « corbeau ». Lorsque, des années après, je lui avais demandé pourquoi il m'avait choisi ce surnom, il m'avait expliqué que c'était parce que je regardais tout le temps les corbeaux sur le toit voisin et parce que j'étais très maigre. Le surnom de mon aîné qui ne se séparait jamais de son ours en peluche qu'il aimait beaucoup était « nounou », celui de mes cousins qui avait les yeux bien bridés était « Japonais », celui d'un autre « chèvre » parce qu'il était têtu, et le surnom de celui qui était né prématurément était « six mois ». Pendant de longues années, on nous désigna par ces sobriquets que je ressentais tous comme un témoignage d'affection.

Dans la chambre de ma grand-mère se trouvait, comme dans celle de ma mère, une séduisante table de maquillage dans laquelle mon image pouvait se perdre si je refermais ses battants sur moi-même, mais je n'avais pas le droit d'y toucher. En effet, ma grand-mère ne l'utilisait pas pour se maquiller, mais elle l'avait disposée de telle manière qu'elle pouvait, grâce à son miroir, voir le long couloir jusqu'au bout, la « porte de service », l'entrée, et tout le salon jusqu'à ses fenêtres ; elle pouvait ainsi contrôler tout ce qui se passait dans la maison, ceux qui entraient, ceux qui sortaient, ceux qui discutaient dans un coin et ses petits-enfants qui se battaient, à partir de son lit dans lequel elle passait la première partie de la journée. Dans cet appartement toujours plongé dans l'ombre, ma grand-mère parfois n'arrivait pas à comprendre ce qui se passait précisément à l'autre bout de la maison, par exemple à côté de la table aux ornements de nacre car son miroir à maquiller renvoyait une image rapetissée. Alors, elle se mettait à crier de toutes ses forces, et Bekir accourait vers elle pour la renseigner.

À part lire le journal ou bien broder des fleurs sur des coussins, ma grand-mère passait la plus grande partie de ses après-midi à fumer et à jouer au bésigue avec des dames de son âge qui habitaient à Nişantaşı. Je me rappelle qu'elle jouait parfois également au poker. Assis dans un coin, j'aimais manipuler les pièces datant de l'Empire ottoman, percées au milieu, aux contours édentés, et qui portaient la *tuğra*[23] du sultan, qui se trouvaient également dans la trousse en doux velours rouge sang de laquelle ma grand-mère sortait de vrais jetons de jeux.

L'une des dames qui se trouvaient à la table de jeux était une femme qui, au moment de la chute de l'Empire ottoman, alors que la famille ottomane – je n'ose pas dire impériale – avait dû quitter Istanbul, était sortie du harem que l'on avait fermé, et s'était mariée avec un associé de mon grand-père. Cette dame, dont nous imitions avec mon grand frère les propos exagérément polis, était une amie de ma grand-mère. Pourtant, en engloutissant joyeusement les pâtisseries assez grasses que le cuisinier venait de sortir du four, ou encore ces petites tranches de pain sur lesquelles on avait fait fondre du *kaşar*, elles se parlaient en échangeant des « madame, chère madame ». Elles avaient de l'embonpoint toutes les deux, mais cela ne les préoccupait pas car elles vivaient à une époque et dans une culture où cela n'était pas un problème. Lors de ces très rares occasions où mon imposante grand-mère devait sortir ou bien se rendre à une invitation, l'ultime stade de ses préparatifs qui duraient plusieurs jours consistait à faire venir madame Kamer, la femme du gardien, pour qu'elle lui serrât de toutes ses forces les lacets de son corset. J'avais assisté, avec effroi, à cette longue scène de « serrage de corset » pendant laquelle on pouvait entendre les « doucement, ma fille ! » de ma grand-mère, qui se faisait tirer et pousser dans tous les sens derrière le paravent. Quant à la dame qui faisait de la manucure-pédicure, et qui était venue quelques jours plus tôt passer des heures avec ma grand-mère, j'étais fasciné par les tasses, les liquides savonneux, les brosses et tous les autres instruments qu'elle éparpillait autour d'elle ; mais voir les ongles des pieds bien gras de ma grand-mère, qui occupaient dans mon esprit une tout autre place, dans les mains d'une tierce personne qui les peignait en rouge pompier en mettant des morceaux de coton entre chaque orteil suscitait en moi à la fois du dégoût et l'envie de continuer à regarder.

Lorsque, vingt ans plus tard, alors que nous avions déménagé dans un autre appartement, dans un autre quartier d'Istanbul, je me rendais à l'Immeuble Pamuk pour lui rendre visite, je la retrouvais chaque fois allongée dans le même lit, toujours au milieu de sacs, de journaux et de coussins, et dans la pénombre. Je retrouvais aussi toujours cette même odeur composée d'un mélange de savon, d'eau de Cologne, de poussière et de bois. Une autre chose dont ma grand-mère ne se séparait jamais était son gros cahier à couverture rigide dans lequel elle écrivait chaque jour quelque chose. Ce cahier dans lequel elle faisait des calculs, notait des souvenirs, les repas, les dépenses, ses projets, les évolutions de la météo assumait également et étrangement le rôle de « cahier protocolaire ». C'est aussi ce goût du protocole qui se manifestait dans le langage officiel qu'elle utilisait, non sans moquerie, et son intérêt pour l'Empire ottoman – ses études en histoire y étaient sûrement pour quelque chose – qui l'avaient poussée à attribuer à chacun de ses petits-fils les noms des glorieux souverains fondateurs de l'Empire. Après lui avoir baisé la main et glissé joyeusement dans ma poche, et sans ressentir la moindre honte, le billet qu'elle me donnait à chaque visite, je lui racontais de manière très détaillée ce que faisaient mon père, ma mère et mon grand frère. Lorsque j'avais fini de parler, ma grand-mère me lisait parfois ce qu'elle était en train d'écrire dans son cahier.

« Mon petit-fils Orhan est venu me rendre visite. Il est très intelligent, très gentil. Il fait des études d'architecture à l'Université. Je lui ai donné dix livres. J'espère qu'un jour il réussira très bien, et portera très haut et avec honneur, comme son grand-père, le nom de la famille Pamuk. »

Après m'avoir lu ce qu'elle avait écrit, elle me regardait par-dessus ses lunettes à travers lesquelles ses yeux souffrant de cataracte paraissaient encore plus bizarres, avec un sourire mystérieux et moqueur que j'essayais de lui retourner pareillement, sans savoir si derrière cet air ironique il fallait voir de l'autodérision ou bien le signe de la découverte de l'absurdité de la vie.

13

Désagréments et plaisirs de l'école

La première chose que j'ai apprise à l'école c'est que certains étaient stupides ; quant à la seconde chose, c'est que certains étaient encore plus stupides. Comme je n'avais pas saisi à cet âge que sembler ignorer ces différences fondamentales et déterminantes dans la vie – la religion, la race, le sexe, la classe, la fortune, et (dernier ajout à cette liste) la culture – était un signe de maturité, de finesse et d'élégance, à chaque question posée par la maîtresse, je levais le doigt, tout excité, pour montrer que je connaissais la bonne réponse.

Et cela devint une habitude, au cours des mois et des années suivants. La classe et la maîtresse avaient à peu près compris que j'étais un bon élève, intelligent, mais je continuais à lever le doigt pour prouver que j'avais réponse à tout. La maîtresse me donnait assez rarement la parole ; la plupart du temps, elle faisait signe à d'autres doigts qui se levaient, dans l'intention d'en faire parler le propriétaire. Après quelque temps, que je connusse ou non la réponse, il arrivait que mon doigt se levât de lui-même à chaque question. Dans ce comportement, outre le désir de se montrer – analogue au souci de celui qui souhaite être remarqué comme quelqu'un de riche, même s'il est habillé de façon très ordinaire, en arborant un bijou ou une cravate très chers –, il y avait aussi une sorte d'admiration éprouvée envers la maîtresse et une volonté de collaborer avec elle.

Parce qu'il y avait une autre chose que j'avais apprise avec amour à l'école, c'était le pouvoir de la maîtresse en tant qu'«autorité». La famille élargie de l'Immeuble Pamuk avait quelque chose de dispersé et morcelé ; lors des repas, chaque membre de cette foule donnait de la voix. La famille était comme soudée par le besoin partagé

150

d'amour, d'amitié, de multitude et de conversation, par des habitudes et des règles que personne ne discutait, comme les heures de repas ou d'écoute de la radio. À la maison, mon père n'était en rien un centre d'autorité et de pouvoir, on l'apercevait peu, il disparaissait par intervalles. Plus important : il ne m'a absolument jamais grondé, pas plus qu'il n'a grondé mon grand frère, et si nous faisions une chose qui lui déplaisait, il ne fronçait même pas les sourcils. Cela justifiait parfaitement la façon dont, des années après, il nous présentait à ses amis : «Ceux-là, ce sont mes deux petits frères.» C'est pourquoi la seule autorité que j'ai reconnue dans la maison, c'était ma mère. Mais la

force qu'elle exerçait quand même sur moi, malgré moi, venait moins du fait qu'elle fût un «centre de pouvoir» que de ma volonté d'être aimé, caressé et apprécié. C'est pourquoi le pouvoir que la maîtresse avait sur une classe de vingt-cinq personnes m'intéressait.

J'étais aussi habité par un insatiable désir de recueillir l'approbation de la maîtresse, peut-être parce que je l'identifiais un peu à ma mère. Et je ne voulais pas seulement répondre à toutes les questions, je voulais de même bien faire mes devoirs, être aimé de la maîtresse et apparaître différent et intelligent. La maîtresse disait : «Asseyez-vous sans parler en joignant vos mains comme ceci » et je joignais mes mains comme il seyait, puis écoutais tout le cours avec sagesse. Mais petit à petit s'estompa le plaisir de répondre à tout, de résoudre avant tout le monde un problème d'arithmétique ou d'avoir les meilleures notes, et le temps commença à s'immobiliser complètement dans les cours, ou parfois à s'écouler avec une incroyable lenteur.

Mes yeux se détachaient de la fille qui regardait toujours avec optimisme la maîtresse, les élèves, l'aide scolaire, et même le monde entier – fille d'ailleurs bien intentionnée, souriante et saine – et de l'élève rondouillard, à moitié idiot qui s'efforçait d'écrire quelque chose au tableau, et je détournais mon regard vers la fenêtre, vers l'extérieur, vers les hautes branches d'un châtaignier qui surgissait d'entre les immeubles. Sur la branche, un corbeau se posait. Je le regardais avec attention. Derrière la branche et le corbeau (dont je voyais le corps par en dessous) un nuage solitaire changeait à la fois de forme et de place. Je me mettais à le comparer à un museau ou à une tête de renard, puis à un chien. Je voulais alors que le chien ne changeât plus de forme et qu'il continuât sa route en tant que chien nuage, mais peu après, le nuage se transformait en l'un de ces sucriers au pied d'argent posés dans la vitrine jamais ouverte du buffet de ma grand-mère ; et je voulais être à la maison. Quand le silence de la maison en proie aux ombres et le sentiment de sécurité qu'elle me donnait venaient à me tracasser, mon père faisait soudain son apparition parmi ces ombres, tout comme dans un rêve, et nous partions tous ensemble le dimanche pour une balade au bord du Bosphore. Là-dessus, une fenêtre de l'immeuble d'en face s'ouvrait, une domestique secouait un torchon à poussière, puis se mettait à contempler en rêvant la rue que je ne pouvais voir de l'endroit où j'étais assis. Que se passait-il donc dans la rue ? J'entendais le son d'une voiture à cheval avançant sur les pavés et écoutais le « chiffonni-i-i-er » crier d'une voix enrouée. Après avoir suivi du regard la domestique qui observait la rue et, par son intermédiaire, le chiffonnier, je passais à autre chose, et je voyais un autre nuage qui allait à la même vitesse que celui aperçu près de la fenêtre close par la domestique, mais dans une direction opposée. Alors que le nuage qui se reflétait sur la fenêtre d'à côté poursuivait son chemin, je me demandais à part moi s'il ne s'agissait pas du nuage renard-chien-sucrier d'auparavant. Et juste à ce moment, la classe s'animait, et à la vue des doigts levés, bien que je n'eusse pas entendu la question, je levais précipitamment la main moi aussi et me mettais à attendre dans une pose bien plus assurée que si j'avais connu la bonne réponse. Durant ces premiers instants où je n'arrivais pas à saisir quelle était la question que la maîtresse avait soumise aux autres élèves, dans ma tête rêveuse se faisait jour la conviction infondée que je connaissais très bien la réponse.

Pendant des années, ce qui me rendait divertissantes les classes où nous étions assis deux par deux sur les bancs, plus que ce que j'apprenais à l'école ou que les approbations reçues des maîtresses, c'était le plaisir de connaître personnellement mes camarades et de voir combien ils étaient différents de moi, avec un peu d'étonnement, un peu d'admiration, et même un peu de pitié. En cours de turc, par exemple, il y avait ce garçon triste qui, quand il lisait quelque chose, une fois arrivé au bout de la ligne, continuait non pas par la suivante, mais deux lignes en dessous et qui, malgré toute son attention, ne parvenait jamais à corriger son erreur dont riait toute la classe. En cours préparatoire, il y avait une fille aux longs cheveux roux attachés en queue-de-cheval, qui s'est assise un temps à côté de moi. L'intérieur de son cartable était fait d'un joyeux mélange, un peu dégoûtant, de pommes et de *simit* entamés, de graines de sésame éparpillées, de crayons et de chouchoux pour les cheveux, mais l'odeur agréable de lavande qui s'en dégageait et qu'exhalait la fille m'attacha à elle. Comme elle parlait de tous les sujets avec un air entendu, j'admirais sa capacité à expliquer avec hardiesse, et, les fins de semaine, elle me manquait si je ne la voyais pas. Il y avait aussi un enfant à «tête de bol», selon l'expression de ma grand-mère, une petite fille minuscule qui me fascinait par sa fragilité et sa délicatesse, et un autre enfant dont la capacité à raconter sans rien cacher tout ce qui se passait chez lui n'avait de cesse de me surprendre : je me demandais à part moi comment une telle chose était possible. Comment se faisait-il aussi que cette fille puisse réellement pleurer en lisant la poésie d'Atatürk, qu'une autre pût en parfaite connaissance de cause raconter des mensonges qui ne trompaient personne, et enfin qu'un troisième enfant puisse tenir aussi en ordre son cartable, son cahier, sa blouse, ses cheveux, ses mots, tout.

De même que dans la rue mon esprit forgeait de lui-même des

ressemblances entre quantité de choses et l'avant d'une voiture composé des divers phares, pare-chocs, capotes et fenêtres, je comparais de nombreux enfants de la classe à quelque chose : par exemple, cet enfant au nez pointu à un renard, cet enfant à un ours, comme tout le monde le disait d'ailleurs, cet autre aux cheveux raides à un hérisson… Je me rappelle qu'une fille juive dénommée Mari parlait avec force détails de la fête du pain azyme et qu'elle racontait que, certains jours, on ne touchait même pas aux interrupteurs dans la maison de sa grand-mère. Une autre fille avait raconté qu'un soir dans sa chambre, regardant rapidement derrière elle, elle avait aperçu l'ombre d'un ange ; cette histoire effrayante avait marqué mon esprit. Il y avait aussi une fille qui portait des très longues chaussettes sur ses très longues jambes, et dont le père, ministre, était mort dans un accident d'avion – le Premier ministre Adnan Menderes l'avait même salué de la main alors qu'il montait dans cet avion ; j'ai toujours pensé qu'avant la mort de son père cette fille pleurait parce qu'elle avait le pressentiment de ce qui allait arriver. Beaucoup d'enfants avaient des problèmes avec leurs dents, tout comme moi, certains devaient porter des appareils. On prétendait qu'il y avait un dentiste à côté de l'infirmerie, quelque part aux étages supérieurs du bâtiment mitoyen où se trouvaient les dortoirs du lycée et la salle de sport ; quand la maîtresse se mettait en colère, elle menaçait d'y envoyer celui qui faisait des bêtises. Une punition moins sévère consistait à être mis au piquet, dos à la classe, dans un coin entre la porte et le mur où était fixé le tableau noir. Cette punition se transformait parfois en punition « sur un seul pied », pour le plaisir d'observer combien de temps pourrait rester sur un seul pied l'élève puni, mais elle n'était pas appliquée durant tout un cours. Les voyous que l'on envoyait au coin, même si on ne leur imposait pas de rester sur un pied, faisaient des trucs – du genre cracher dans la poubelle ou faire des signes à la classe avec les yeux et les sourcils sans que la maîtresse s'en aperçût – qui, plus que l'admiration, éveillaient en moi jalousie et colère.

En dépit de l'esprit de communauté et de solidarité auquel j'allais sincèrement croire plus tard, le fait que les paresseux, voyous, idiots et autres effrontés fussent grondés, punis, maltraités et battus me rendait parfois heureux. Ainsi, il y avait une fille familière au dernier degré avec tout le monde, qui venait à l'école en voiture avec chauffeur; la maîtresse, chaque fois qu'elle lui demandait quelque chose, était très contente d'elle; que la maîtresse le demandât et aussitôt la fille se levait pour aller au tableau et se mettait à chanter une chanson en anglais : *« Jingle bells, jingle bells, jingle all the bells. »* Bien qu'elle fût en meilleurs termes avec la maîtresse, je ne me lassais pas d'assister aux humiliations et empoignades qu'elle subissait quand elle n'avait pas fait son travail avec assez de soin. À chaque vérification des devoirs, je ne comprenais pas pourquoi quelques-uns d'entre nous, qui ne les avaient pas faits, jouaient à celui qui les a faits mais qui n'arrive pas à retrouver les bonnes pages du cahier – alors même que la maîtresse n'était pas dupe. Dire sous l'effet d'un moment d'émotion et de peur : « Maîtresse, je n'arrive pas à les retrouver », ne retardait le châtiment que de quelques secondes, mais à coup sûr augmentait un peu plus la violence de la claque ou bien de l'oreille tirée. Les coups de pied, la longue trique qui s'abat sur les élèves depuis l'endroit où est assis le maître, la *falaka* des souvenirs d'enfance et d'école d'Ahmet Rasim (1865-1932) – dans le texte intitulé *La falaka, mes nuits* –, tout cela nous fut présenté, dans les livres d'école des années suivantes, comme des pratiques inacceptables d'avant la République et Atatürk. Mais même dans le lycée privé payant Işık, au cœur de l'opulent Nişantaşı, je pense qu'une partie des innovations dénommées « modernisation » signifiait simplement un renouvellement des formes de pression exercées contre les faibles, et qu'ainsi les maîtres âgés et obtus sortis tout droit de l'époque ottomane utilisaient, au lieu de la *falaka* ou de la trique, des règles – de fabrication française – dont les rebords avaient été renforcés d'une fine et robuste lame de mica.

Quand commençaient les minutes douloureuses de coups et d'humiliation d'un élève qui s'obstinait à ne pas faire ses devoirs ou dont l'enseignant ne pouvait plus supporter les bêtises, une fois qu'on l'avait bien exposé devant tout le monde – de façon qu'on l'identifiât –, mon cœur s'emballait et ma tête devenait confuse. En grandissant, après avoir brusquement quitté les institutrices douces et maternelles pour tomber aux mains des enseignants mâles, fatigués de l'existence, acariâtres et âgés – tels les professeurs d'éducation physique, de religion ou de musique –, je faisais face avec satisfaction à ces cérémonies de châtiment de plus en plus nombreuses, parce qu'elles introduisaient quelques minutes de spectacle au sein de l'ennui du cours. Si l'élève alignait quelques excuses crédibles, le profil bas et la faute avouée, le châtiment était allégé. En revanche, ceux dont la faute était plus grande que l'excuse, ceux qui n'inventaient pas ou ne pouvaient pas inventer un prétexte qui aurait pu alléger leur faute, quitte à mentir un peu, ceux qui préféraient prendre des coups, renonçant même à inventer un bobard, ceux qui faisaient rire la classe par des grimaces intermittentes quand l'enseignant les humiliait ou les secouait, ceux qui d'un côté baratinaient maladroitement et de l'autre juraient sincèrement «Monsieur, je ne dirai plus jamais de mensonge», ceux qui, une fois laissés en sueur et en sang à l'issue de la première séance de coups humiliants, commettaient, sans le savoir – à la manière de l'animal qui se laisse prendre au piège –, une autre erreur qui avait pour conséquence d'accroître encore davantage leur torture, tous m'apprirent sur l'humanité et la vie des choses bien plus profondes que tous les livres de la série «Information sur la Vie» et que tous les numéros de la revue *Information pour la Classe*.

Parfois, quand je voyais que le visage d'une fille pour laquelle j'éprouvais de loin de l'amour – pour son côté soigné, plaisant ou fragile – devenait tout rouge lors de ces moments d'humiliation et d'autoaccusation, quand je voyais les larmes se presser sur son visage, j'étais pris de l'envie de la sauver. Cependant, quand j'ai vu que ce garçon dodu et blond qui s'amusait à m'écraser pendant les récréations se faisait enfoncer parce qu'il parlait et que plus il se faisait enfoncer, plus il prenait de claques, j'ai regardé le spectacle en y prenant plaisir, comme insensible. Quand je ne parvenais pas à identifier la raison de la résistance d'un enfant sec et noiraud, muet et fier – dont j'avais décrété qu'il était désespérément stupide et insensible –, le professeur ayant mis un terme à son oppression au moment où l'enfant pleurait à gros sanglots, j'étais fatigué de donner raison en même temps à l'élève et au professeur. Quel que fût le plaisir de certains enseignants à humilier les élèves en donnant à voir leur ignorance, plus qu'à éprouver la connaissance de l'élève appelé au tableau, certains élèves se comportaient cependant comme s'ils prenaient plus plaisir à être humiliés qu'à abréger la séance en adoptant un profil bas.

Certains enseignants enrageaient à la vue d'un cahier couvert avec un papier d'une mauvaise couleur ; d'autres réagissaient à coups de claques à un petit échange de messes basses auquel à d'autres moments ils n'accordaient aucune importance ; certains élèves, face à une question élémentaire dont ils connaissaient la réponse, restaient le regard immobile, comme des lapins pris dans le faisceau des phares d'une voiture ; d'autres élèves enfin – ce sont ceux que j'approuvais le plus –, même s'ils ne connaissaient pas la réponse, se rabattaient avec bonne foi sur quelque chose qu'ils savaient.

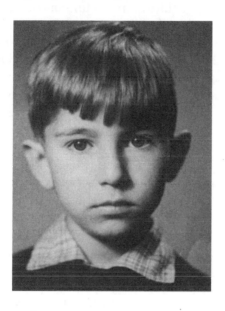

Dans ces moments de peur inaugurés tantôt par des réprimandes, tantôt par des lancers de cahiers ou de livres à travers la classe, alors qu'il régnait un silence de mort, je remerciais Dieu de faire partie des bienheureux épargnés par ce genre d'humiliations. Un tiers de la classe faisait partie de ces privilégiés. Contrairement à ce qui se passe dans certaines écoles publiques où étudient, dans la même classe, des riches et des pauvres, dans cette école privée, la ligne invisible qui faisait la différence entre ceux qu'on humiliait et ceux auxquels on ne touchait pas n'avait rien à voir avec la richesse ou la pauvreté des élèves. Cette ligne invisible que j'oubliais, une fois habitué à l'école, dans le bonheur fraternel des jeux d'enfants mouvementés des récréations, et qu'en même temps mon esprit n'admettait pas, dès que l'enseignant reprenait place sur son estrade comme sur un monument symbole de son pouvoir, elle redevenait soudain évidente. Et alors, pendant ces séances de coups et d'humiliation, avec une curiosité élémentaire mais forte, je me demandais à part moi pourquoi donc certains pouvaient être ainsi plus paresseux, dénués de fierté et de volonté, irréfléchis, autrement dit « tels quels ». Mais ni les romans illustrés que je commençais alors à lire, et qui avaient tous des méchants avec une sale gueule, ni mes intuitions d'enfant n'apportaient de réponses à ces questions sur l'obscurité de la vie et le fonctionnement mental de mes camarades de classe : aussi me mettais-je à oublier la question elle-même. De tout cela je déduisais que le lieu dénommé école ne pouvait en fait pas répondre aux questions principales et qu'il nous permettait simplement de nous les approprier comme la réalité de la vie. Pour cette raison, en levant sagement le doigt, je me suis appliqué jusqu'aux années de lycée à me jeter du côté plus tranquille et paisible de la ligne.

Cependant, j'ai senti que la chose principale que j'avais apprise à l'école ce n'était pas d'accepter les vérités de la vie sur lesquelles on ne s'interrogeait pas, c'était plutôt de me laisser envoûter par elles. Les premières années, sous un prétexte ou un autre, un enseignant sur deux entreprenait au milieu du cours de nous chanter une chanson. Je me plaisais à regarder mes camarades de classe qui faisaient semblant de chanter ces chansons dont je ne comprenais pas les paroles, en français ou en anglais, et que je n'aimais pas. (Ils chantaient des choses qui étaient traduites en turc par « Hé le gardien, hé le gardien, c'est la fête, souffle dans ton sifflet ».) Il arrivait que le garçon rondouillard et courtaud qui, une demi-heure auparavant, pleurait toutes les larmes de son corps parce qu'il avait encore oublié son cahier chez lui chantât à présent tout heureux, la bouche en cœur. Et la fille qui rejetait sans cesse derrière ses oreilles ses longs cheveux faisait à nouveau ce geste au milieu de la chanson. L'un des voyous gras-souillets qui me poursuivaient dans les couloirs à la récréation et son maître à penser – plus sournois, plus intelligent que son disciple et assez prudent pour rester avec moi, malgré toute son ignominie, du bon côté de la ligne invisible – ont à présent tous deux décollé, perdus avec une expression angélique dans les envolées de la musique. La jeune fille soigneuse, en plein milieu de la chanson, contrôlait une fois encore la place de ses boîtes de crayons et de ses cahiers ; la jeune fille intelligente et travailleuse – celle-là même qui se contentait de me prendre la main en silence chaque fois que je lui demandais de m'accompagner pour entrer deux par deux dans les rangs entre le jardin et la classe – redoublait d'attention pour chanter la chanson encore mieux, et le gamin mesquin et grassouillet – qui s'accrochait à sa feuille comme un bébé s'agripperait à sa tétine afin que personne ne puisse copier sur lui lors des examens – faisait des gestes comme s'il ouvrait son corps jusqu'alors ouvert à personne. Quand nous nous sommes aperçus que l'un des bêtas indécrottables qui prenaient des coups chaque jour suivait lui aussi avec zèle la chanson, que le perfide sans pareil tirait les cheveux de la fille devant lui et que la jeune fille qui pleurait une fois sur deux regardait dehors par la fenêtre tout en chantant avec application, nous aussi nous nous sommes regardés un instant dans les yeux, la fille à la queue-de-cheval rousse et moi, et nous nous sommes souri. Parvenus à la partie *lay lay lay lay lay lay* de la chanson à laquelle je ne comprenais rien, je me suis mêlé moi aussi avec allégresse au chœur où tout le monde donnait de la voix ; ensuite, regardant par la fenêtre, je me suis mis à rêver qu'un peu après, oui peu après, la cloche allait sonner ; que toute la classe allait, en une fraction de seconde turbulente, se saisir des manteaux et des cartables, et que – mon sac dans une main et l'autre dans celle, énorme, du concierge qui nous ramenait mon frère et moi à la maison distante de trois minutes à peine – j'allais être fatigué de tout ce peuple d'écoliers, mais que j'allais presser le pas, dans le but de revoir ma mère.

14

ERRET RAP REHCARC ED TIDRETNI

Dès que j'ai su lire et écrire, des constellations de lettres s'ajoutèrent tout d'un coup à mon imaginaire. Ce nouveau monde était constitué non pas d'images dotées d'une signification ou de dessins racontant une histoire, mais simplement des sons que produisaient les lettres de ces constellations. Et je lisais automatiquement tout ce qui me tombait sous les yeux : les noms de sociétés sur les cendriers, les

affiches murales, les informations dans les journaux, les publicités, et tout ce qui se trouvait sur les murs, les restaurants, les camions, les papiers d'emballage, les panneaux routiers, le paquet de cannelle sur la table, la boîte d'huile et les savons de la cuisine, et sur les étuis de cigarettes et les boîtes de médicaments de ma grand-mère. Il n'était même pas nécessaire que je connusse le sens de ces mots que je répétais parfois à haute voix. C'était comme si on avait disposé quelque part à l'intérieur de mon cerveau, entre le centre de la vision et celui de l'intelligence, une machine convertissant toutes les lettres en syllabes et en sons. Et cet instrument émettait en permanence, par moments même sans que j'y fisse attention, à la façon d'une radio allumée que personne n'écoute dans un café bruyant.

Quand je rentrais de l'école, mes yeux, pourtant fatigués, repéraient d'eux-mêmes des lettres et la machine dans ma tête disait : POUR LA SÉCURITÉ DE VOTRE ARGENT ET DE VOTRE AVENIR. IETT. ANCIEN ARRÊT. SAUCISSES TURQUES APIKOĞLU. PAMUK APT.

Et à la maison, mes yeux de se fixer sur les titres du journal de ma grand-mère maternelle : À CHYPRE : LA PARTITION OU LA MORT, LA PREMIÈRE ÉCOLE TURQUE DE BALLET, L'AMÉRICAIN EMBRASSANT UNE FILLE TURQUE DANS LA RUE EST SAUVÉ DE JUSTESSE DU LYNCHAGE, … A ÉTÉ INTERDIT DANS LES RUES DE NOS VILLES.

Parfois aussi certaines lettres, avec leur étrange agencement, m'ont rappelé les jours magiques où je commençais à épeler l'alphabet. C'était le cas d'une interdiction inscrite sur certains carreaux recouvrant les trottoirs à proximité de Valikonağı, à Nişantaşı, à trois minutes de marche de notre maison. Quand nous allions, ma mère, mon grand frère et moi, de Nişantaşı vers Taksim, nous pouvions lire ces lettres disposées entre des carreaux muets, en sautant par-dessus les vides, tout comme à la marelle, mais à l'envers : ERRET RAP REHCARC ED TIDRETNI.

Cette interdiction magique a dans un premier temps éveillé en moi l'envie pressante de cracher, mais la vue des policiers en faction à quelques pas de là sur Valikonağı me fit réfléchir avec angoisse à cette injonction écrite par terre. Je me mis alors à avoir peur qu'un crachat sortît de ma bouche ouverte et s'écrasât sur le sol, sans même que je m'en aperçusse. Aussitôt j'ai soupçonné que c'était seulement les adultes du genre effronté ayant été battus en classe par un enseignant de lycée, écervelés et faibles, qui faisaient ce genre de saleté par terre. Oui, c'est vrai, en marchant dans les rues, il nous est arrivé de temps en temps de voir des personnes cracher par terre, ou même s'y vider le nez – faute de mouchoir –, mais il ne s'agit pas là d'un péché répandu à Istanbul au point de légitimer l'inscription sur le sol d'une telle interdiction. Dans les années qui suivirent, quand j'appris des petites choses au sujet des célèbres crachoirs des Chinois ou de certaines tribus très spécifiques, caractérisées par le crachat par terre systématique, je me suis demandé pourquoi donc cette interdiction – que la situation à Istanbul ne justifiait pas de manière trop urgente – s'était gravée dans ma mémoire de manière aussi indélébile. (Quand on évoque Boris Vian, ce qui me vient à l'esprit, ce ne sont pas les meilleurs romans de cet écrivain français, c'est le mauvais livre *J'irai cracher sur vos tombes*.)

La raison principale de l'inscription dans ma mémoire de cette interdiction écrite sur les trottoirs de Nişantaşı, ce fut peut-être que les mois où une machine à lire fonctionnant toute seule s'est insérée dans ma tête correspondent exactement au moment où je me demandais sans relâche ce que ma mère pouvait bien faire dans sa vie hors de la maison, c'est-à-dire au milieu d'étrangers. À cette époque, ma mère, nous convoquant mon frère et moi, commença à nous donner des tas de conseils du genre : « Surtout ne mangez pas des choses achetées aux vendeurs sales dans les rues, ne demandez jamais des *köfte*[24] quand vous allez au restaurant, parce que la viande hachée des *köfte* est faite de la pire des viandes, la plus grasse et avariée qui soit… » Ces conseils, à la même époque, se mêlèrent à une autre annonce, lue automatiquement par la machine dans ma tête, et aussitôt enregistrée : NOS VIANDES SONT DANS LE FRIGO. Ma mère, un autre jour, nous a fortement conseillé de nous tenir éloignés des personnes que nous ne connaissions pas, dans la rue. INTERDIT AUX MOINS DE 18 ANS déclama la machine dans ma tête. Quant à l'inscription à l'arrière des tramways INTERDIT ET DANGEREUX DE SE SUSPENDRE, elle ne m'a jamais troublé l'esprit, parce qu'à la fois elle était formulée comme une interdiction étatique et une pensée avec laquelle ma mère était en accord, et qu'elle faisait référence à un comportement qui nous était complètement étranger, au même titre que voyager à l'œil en s'accrochant à l'arrière des tramways. Il en va de même du INTERDIT ET DANGEREUX DE S'APPROCHER DES HÉLICES écrit à l'arrière des bateaux des lignes urbaines. Alors que la voix de l'État affirmant NE PAS JETER D'ORDURES se superposait à celle de ma mère m'interdisant de jeter quoi que ce soit par terre, l'expression… LA MÈRE DE CELUI QUI JETTE DES ORDURES, écrite par une main clandestine sur un autre mur avec des lettres toutes tordues, m'emplit de trouble. Quand ma

mère dit : « N'embrassez dans votre vie la main de personne d'autre que celle de vos deux grands-mères », il me vint à l'esprit le texte écrit sur les boîtes d'anchois : PRÉPARÉS SANS QU'AUCUNE MAIN N'Y AIT TOUCHÉ. Et il y avait en outre peut-être un lien entre l'interdiction de montrer du doigt, inlassablement réitérée à cette époque par notre mère, quand nous marchions dans la rue, et les interdictions écrites du type NE PAS CUEILLIR LES FLEURS ou bien NE PAS TOUCHER. Mais comment ai-je dû comprendre l'écriteau NE PAS BOIRE L'EAU DU BASSIN fixé au bord de vasques dans lesquelles je n'ai absolument jamais vu d'eau ou bien le panneau INTERDIT DE MARCHER SUR LES PELOUSES, planté dans les parcs boueux où ne subsistait pas même un seul brin d'herbe ?

Afin de mieux comprendre la logique « civilisatrice » de ces panneaux transformant la ville en une forêt d'avertissements, de menaces et d'invectives, regardons un peu ce qu'écrivent les éditorialistes des journaux d'Istanbul, ainsi que leurs ancêtres, les personnes dites « épistoliers urbains ».

15

Ahmet Rasim et les autres
épistoliers urbains

Au début du règne reconnu comme despotique d'Abdülhamit, un jour de la fin des années 1880, la porte du bureau d'un jeune journaliste de vingt-cinq ans en plein travail depuis l'aube au petit journal *Saadet* à Babıali[25], s'ouvrit brusquement; entra alors une personne de grande taille «vêtue d'une espèce de veste militaire» aux manches de drap et au fez rouge, qui s'adressa à lui.

«Viens là!» Le jeune journaliste se leva, effrayé. «Allez, mets ton fez! En route!» L'homme à la veste militaire et le jeune journaliste

montèrent dans une voiture à chevaux postée devant la porte et se mirent en route. Ils franchirent le pont sans se dire un mot. Ce n'est qu'à la moitié du chemin que le jeune journaliste, à la courte taille et au visage aimable, trouva le courage de demander où ils allaient.

« Chez le grand chambellan ! "Prends-le et amène-le", voilà ce qu'ils m'ont ordonné. »

Après avoir un peu attendu au Palais, le jeune journaliste vit un homme à barbe blanche, irrité et furieux, assis à une table. « Viens là ! », cria l'homme. Il montra avec colère une page du journal *Saadet*, ouvert devant lui sur la table, puis demanda : « *Qu'est-ce que ça signifie ?* »* Alors que le journaliste encore jeune ne semblait pas comprendre ce qui arrivait, il commença à crier :

« Des têtes comme les vôtres il faut les pilonner au mortier, traîtres, ingrats !... »

Le jeune journaliste, bien que recroquevillé de peur, s'apercevant que l'article ayant suscité la colère n'était rien d'autre qu'une poésie à refrain d'un poète disparu (« Le printemps ne viendra-t-il pas, ne viendra-t-il donc pas ? »), se décida à fournir des explications au moyen d'un auguste « Cher Monsieur ».

« Et tu veux en rajouter... Allez, dégage ! », gronda le grand chambellan.

Après avoir attendu dehors dix ou quinze minutes en tremblant de tout son corps, le jeune journaliste fut de nouveau autorisé à entrer. Mais chaque fois qu'il ouvrait la bouche, il subissait des flots d'insultes et de menaces, avant même de pouvoir dire que le poème n'était pas de lui.

« Les salauds, les fils de pute, les effrontés, les minables, les chiens, les maudits... tous bons à pendre ! »

Le jeune journaliste, comprenant qu'il ne pourrait pas ouvrir la bouche, se ressaisit avec tout son courage et posa sur la table le sceau sorti de la poche de son gilet. Le grand chambellan lut le nom sur le sceau et comprit aussitôt qu'il y avait erreur.

« Comment t'appelles-tu ?

– Ahmet Rasim. »

Quarante ans après, Ahmet Rasim raconte la scène dans un ouvrage qui rassemble ses souvenirs d'écrivain, intitulé *Journaliste, poète et homme de lettres*. Et de narrer – avec cet humour subtil dont il ne se départit jamais et cette joie de vivre qui l'attache avec une force incroyable aux plus petits aspects de l'existence – qu'une fois que le grand chambellan d'Abdülhamit eut compris qu'il y avait erreur sur la personne qu'on lui avait amenée, il lui dit : « Allez, assieds-toi, tu es mon enfant » ; puis il tira le tiroir central de la table, lui fit un signe et lui donna cinq lires ; ensuite, il prit congé de lui en ajoutant : « Tu étais dans ton droit, n'en parle à personne ! »

Cette joie de vivre, ce sens de l'humour et ce plaisir de l'écriture ont fait d'Ahmet Rasim un des plus grands écrivains d'Istanbul. La tristesse face aux ruines à laquelle étaient en proie le romancier Tanpınar, le poète Yahya Kemal ou bien le mémorialiste A. Ş. Hisar, Ahmet Rasim sut la pondérer avec son énergie inépuisable, son optimisme et son allégresse ; il sut s'en préserver avec mesure. Bien qu'il se fût intéressé à l'histoire et eût écrit des livres d'histoire, comme tous les écrivains épris d'Istanbul, grâce à sa capacité à pondérer son sentiment de tristesse et de perte, il n'a jamais recherché dans le passé un quelconque « âge d'or perdu ». Pour lui, le passé d'Istanbul n'était pas un trésor sacré où rechercher de quoi alimenter la force nécessaire et la voie authentique permettant d'écrire de grandes œuvres de type occidental, mais plutôt, et rien de plus, un pays distrayant et drôle, comme la ville elle-même et ses habitants, dont il se plaisait à suivre de jour en jour la moindre évolution.

Les thèmes du genre « Orient-Occident » ou bien les « changements de civilisation » ne l'intéressaient pas plus que cela, à la façon des Stambouliotes préoccupés par les peines de la vie quotidienne. L'occidentalisation et les efforts d'imitation excessivement artificiels constituaient des thèmes intéressants pour lui à travers la figure des snobs, objets de moqueries. Dans sa jeunesse, il avait écrit des romans et des poésies à prétentions littéraires, mais, n'y réussissant guère, il lui en resta un soupçon, un léger humour et une pointe de cynisme envers toute posture affectée et prétentieuse. Son aptitude à se moquer avec bonheur de la façon très spéciale de lire la poésie des poètes maniéristes d'Istanbul – imitant les parnassiens ou les décadents français, en observant de longues pauses –, ou de leur habileté à finalement en revenir presque toujours à leur carrière et à leurs poèmes, fait tout de suite sentir quel type de distance Ahmet Rasim a mis entre lui et la culture des élites occidentalisatrices, d'ailleurs constituées en majorité de fonctionnaires impériaux comme lui, en tout cas au début.

Cependant, le trait principal qui détermine la voix et l'attitude d'Ahmet Rasim, c'est d'abord qu'il est un journaliste vivant de ses articles, un éditorialiste, *feuilletoniste**, pour reprendre le terme alors utilisé en France. La politique ne l'enthousiasmait pas outre mesure – mis à part ses colères passagères et ses petites obsessions –, et constituait d'ailleurs un sujet dangereux et impossible à cause de l'oppression étatique et de la censure (il raconte comment, par moments, les colonnes demeuraient vides, suite au caviardage opéré çà et là). C'est pourquoi il consacra toute son énergie à observer la ville où il vivait avec un plaisir insatiable. («Si tu ne trouves pas de sujet, du fait des interdictions et restrictions d'ordre politique, occupe-toi des problèmes de la municipalité et de la ville au quotidien, parce que ça marche à tous les coups!» Voilà un conseil d'éditorialiste stambouliote vieux de cent trente ans.)

Ainsi Ahmet Rasim a-t-il décrit sans relâche, pendant un demi-siècle, tous les aspects d'Istanbul : des différents types de soûlards aux vendeurs de rue des faubourgs, des épiciers aux saltimbanques, des musiciens aux mendiants, de la beauté des quartiers au bord du Bosphore aux *meyhane*[26], des faits divers aux questions financières, des lieux de divertissement, d'agrément et des parcs aux marchés et bazars, des charmes singuliers de chaque saison aux foules, des amusements comme les boules de neige ou la luge à l'histoire de la presse, des racontars aux menus des restaurants. Il a adoré les listes et classifications et il avait l'esprit disposé à repérer les différences entre caractères, personnalités et petites manies. L'enthousiasme qu'un botaniste pourrait éprouver dans une forêt face à la diversité et à l'abondance des plantes, lui, il l'éprouvait face à la diversité étourdissante de la ville offrant chaque jour une nouveauté, une étrangeté, une destruction ou bien une aberration, sous le coup de l'occidentalisation, des migrations et des caprices de l'Histoire. Son conseil invariable aux jeunes écrivains, c'était d'avoir en permanence sur eux un carnet de notes quand ils se promenaient dans la ville.

Ahmet Rasim a réuni en un livre dénommé *Lettres urbaines* ses meilleurs notes et articles écrits dans l'urgence pour des journaux entre 1895 et 1903. Rédiger ainsi ses griefs envers la municipalité dont il suivait de près toutes les activités – il s'était lui-même affublé du sobriquet «d'épistolier urbain», avec ce sens constant de l'ironie –, ses impressions sur la vie quotidienne, prendre le pouls de la rue, c'était en fait une habitude acquise dès les années 1860, au moins, inspirée de l'exemple de la littérature et des journaux français. Namık Kemal, influencé non seulement par le Victor Hugo dramaturge et poète, mais aussi par le Hugo romantique et engagé, avait écrit en 1867 pour le journal *Tasvir-i Efkâr* des «Lettres de ramadan» et avait démontré au lecteur ottoman, par le biais de la publication de ses «Lettres», que ce genre littéraire pouvait ne pas être une forme réservée seulement aux hommes d'État et aux amoureux pour communier dans le secret et se menacer mutuellement, mais qu'il pouvait aussi s'adresser à une ville entière comme on s'adresse à un proche et à un amant. Ces lettres de Namık Kemal, qui entrent dans les détails de la vie quotidienne d'Istanbul durant les jours de ramadan, ne jouèrent pas uniquement le rôle de premier exemple de missives urbaines pour les nombreux écrivains qui en écriront par la suite. Elles firent en outre sentir aux Stambouliotes – grâce au recours à une forme d'expression aussi traditionnelle que la lettre, chargée des connotations de secret partagé, d'intimité et de complicité – qu'avait été constituée par le biais des journaux une communauté de Stambouliotes refermée sur elle-même, au même titre que les amoureux, les parents ou les proches qui s'écrivent. Mis à part Ahmet Rasim, Ali

Efendi, surnommé «Ali Efendi Basiretçi» à cause du titre du journal qu'il publiait, *Basiret*[27] (il fut un temps surnommé *Basiretsiz*, après que son journal, qu'il publiait avec le soutien du Palais, eut publié par mégarde un article jugé déplaisant), même s'il était dénué de tout sens de l'humour, s'est aussi intéressé à la vie quotidienne de la ville, érigeant en activité principale, obsessive, la formulation de conseils et de critiques ; il est à ce titre un des plus minutieux épistoliers d'Istanbul. Les lecteurs des lettres de Basiretçi Ali Efendi, qui ont en tête toutes les voix humaines d'Istanbul dans les écrits du quotidien de Ahmet Rasim (par ailleurs mélomane et compositeur de musique), sont saisis par l'impression de regarder un film muet en noir et blanc tourné dans les rues d'Istanbul dans les années 1870.

Ce qu'un assez grand nombre d'éditorialistes, de Ahmet Hasim à Burhan Felek, ont tenté de faire tout au long du XXᵉ siècle – parfois sans utiliser l'expression de «Lettres de la ville» –, dans leurs écrits ayant trait aux citadins et à la ville, reflète avec un humour et un tempérament variables les couleurs, les odeurs et les sons d'Istanbul ; en même temps, ces textes ont une autre fonction, celle d'inculquer aux Stambouliotes le savoir-vivre dans les rues, dans les parcs et jardins,

dans les boutiques et les lieux de divertissement, dans les bateaux, sur les ponts, sur les places et dans le tramway. Comme il était fort difficile de critiquer le sultan, l'État, le gouvernement, la police, l'armée, les autorités religieuses et même parfois la municipalité, les élites lettrées, dans l'espoir de déverser le feu âcre et coléreux qui les minait, avaient pour seules cibles les gens sans protection ni identité, et les Stambouliotes épinglés un à un, marchant dans les rues de la ville, se promenant, accomplissant leur travail. Notre connaissance actuelle de ce que, ces cent trente dernières années, les Stambouliotes (aussi bien les non-éduqués que les lecteurs de journaux et les éditorialistes) faisaient dans les rues, mangeaient, avaient comme sujets de conversation, produisaient comme bruits, doit beaucoup aux idées préconçues de ces épistoliers urbains vitupérant la multitude, parfois avec colère, parfois avec tendresse, et le plus souvent avec condescendance.

Quarante-cinq ans après avoir appris à lire et à écrire, chaque fois que je tombe sur un éditorial plein de ce genre de réprimandes et conseils, fondés sur une allégeance tantôt à l'occidentalisation, tantôt aux valeurs traditionnelles, je me rappelle avec bonheur la voix de ma mère disant : ON NE MONTRE PAS DU DOIGT.

16

On ne marche pas la bouche ouverte dans la rue

Parmi l'héritage des centaines de milliers de pages des épistoliers urbains, connus ou non, qui ont écrit les séquences les plus amusantes de l'histoire du journalisme à Istanbul, longue de cent quarante ans, je vous livre une sélection des conseils, avertissements, perles et plaintes :

« Nos voitures à chevaux *dolmuş*[28], inspirées des omnibus français, rebondissent de pierre en pierre comme des perdrix entre Beyazıt et Édirne. » (1894)

« Nous en avons franchement assez qu'après chaque pluie les eaux inondent toutes les places de la ville. » (1946)

« Suite à l'augmentation des loyers commerciaux et des impôts, ainsi qu'aux migrations vers notre ville qui n'en finissent pas, après les vendeurs de lames de rasoir, de *simit*[29], de moules farcies, de mouchoirs en papier, de pantoufles, de couteaux et fourchettes, d'articles de mercerie, de jouets, d'eau, de soda, désormais, les vendeurs de muhallebi, de *kokoreç* [30], de sucreries et de *döner* envahissent à leur tour les *vapur*. » (1949)

« Pour embellir la ville, il a été suggéré que les cochers portent à l'avenir un type unique d'habit ; si cette idée était appliquée, qu'est-ce que ce serait chic. » (1897)

« L'un des avantages de l'état de siège, c'est qu'à présent les *dolmuş* ne s'arrêtent plus qu'aux endroits qui leur ont été assignés. » (1971)

« Voilà une sage décision que celle de ne plus vendre les sirops dont la municipalité ne sait pas avec quel genre de colorant et de fruit ils ont été confectionnés. » (1927)

« Quand vous voyez une belle femme dans la rue, ne la regardez ni avec haine, comme si vous alliez la tuer, ni avec une concupiscence débordante ; si vous rencontrez son regard, souriez-lui avec douceur, puis détachez d'elle votre regard et poursuivez votre chemin. » (1974)

« En s'inspirant de l'article paru dans le célèbre journal parisien *Le Matin* à propos des manières de marcher en ville, nous aussi à Istanbul, il nous faut rappeler nos propres problèmes à ceux qui ne savent pas marcher bien droit dans les rues : on ne marche pas la bouche ouverte dans la rue. » (1924)

« Nous espérons que les nouveaux taximètres, que l'administration militaire a fait installer dans les taxis, seront cette fois utilisés et par les chauffeurs et par les clients, et qu'ainsi, on ne revivra plus les marchandages, les querelles et les passages au commissariat suscités par la logique du "Donne ce que tu veux, frère", comme à l'époque des derniers taximètres en date, il y a vingt ans de ça. » (1983)

« Le fait que les vendeurs de pois chiches grillés et de gomme donnent aux enfants leur produit contre des morceaux de plomb et non contre de l'argent, non seulement a pour effet de les encourager au vol, mais en plus entraîne le pillage de toutes les pierres des fontaines, l'arrachage des robinets et la mise en pièces du plomb recouvrant les mausolées et les mosquées. » (1929)

« Les haut-parleurs des camions de bonbonnes Aygaz, de pommes de terre et de tomates, ajoutés aux voix horribles des vendeurs, ont transformé la ville en enfer. » (1992)

« On s'est mobilisé pour supprimer les chiens. Si cet empressement avait duré un ou deux jours de plus, s'ils avaient tous été fourrés dans l'île de Hayırsız, si toutes les meutes avaient été dispersées, peut-être que ces animaux auraient complètement disparu de cette ville… Mais maintenant, à nouveau, on ne peut plus passer dans les rues à cause des grrr… grrr. » (1911)

« De nouveau les porteurs à chevaux, sans pitié, chargent leur bête de lourds fardeaux, bien au-delà de leur capacité de résistance et frappent les pauvres bêtes en plein milieu de la ville. » (1875)

« Continuer à fermer les yeux sur la pénétration des voitures à chevaux dans les endroits les plus distingués de notre ville, au motif que

les pauvres gagnent leur pain avec, condamne Istanbul à des paysages absolument immérités.» (1956)

«Quand on sait à quel point est développé chez nous le penchant à sortir le premier du *vapur* ou de n'importe quel autre moyen de transport, il est impossible, même si l'on s'évertue à brailler "le premier sorti est un âne", d'arrêter ceux qui sautent alors que le *vapur* n'a pas encore accosté à Haydarpaşa.» (1910)

«L'offre d'un billet de loterie aux lecteurs, en vue d'accroître les ventes de certains journaux, crée, les jours de tirage, des files d'attente et des attroupements disgracieux devant les bureaux des journaux.» (1928)

«La Corne d'Or a cessé d'être la Corne d'Or et, en plus de toutes ses fabriques, elle est devenue le bassin de déversement effroyablement sale des ateliers et des abattoirs alentour: avec les cadavres de bateaux, les acides industriels, le goudron des ateliers et les égouts, nous avons anéanti la Corne d'Or.» (1968)

«Vos épistoliers urbains ont reçu des plaintes relatives au fait que les gardiens de marché et de quartier, la nuit, au lieu de faire leur ronde dans les rues, végètent dans les cafés, et que, dans de nombreux quartiers, on n'entend même plus le bâton du gardien.» (1879)

«Il paraît que le célèbre écrivain des Français, Victor Hugo, montait à l'étage supérieur des autobus de Paris, alors en majorité à chevaux, et parcourait la ville d'un bout à l'autre pour observer la situation de ses contemporains. Hier, nous avons fait la même chose et nous avons constaté que la quasi-totalité de nos conciyoyens stambouliotes marchaient dans les rues sans faire du tout attention, en se heurtant les uns aux autres, qu'ils jetaient par terre les billets, cornets de glace, et autres épis de maïs qu'ils avaient en main, que les piétons traînaient sur la voie et que les voitures montaient sur les trottoirs, et que toute la ville portait des vêtements bien minables, non pas par pauvreté, mais par paresse et ignorance.» (1952)

«Marcher dans la rue et sur les places en respectant les règles de la circulation, comme en Occident, et non pas en faisant comme ça nous chante et comme ça nous vient, sera la seule manière de nous sauver de l'imbroglio de la voie publique. Mais si vous me demandez combien il y a de personnes dans cette ville qui connaissent le code de la route, alors là, c'est une autre affaire...» (1949)

« Les grandes horloges des deux côtés du pont (Karaköy), comme toutes les horloges publiques de la ville, soumettent à la torture de l'attente les Stambouliotes qui se déplacent suivant les aléas de leur mécanique – et ils sont nombreux –, ou ceux qui s'impatientent alors que le *vapur* est encore tranquillement attaché à l'embarcadère, et aussi ceux qui font croire qu'ils attendent encore le *vapur* parti pourtant depuis bien longtemps. » (1929)

« La saison des pluies est arrivée, les parapluies, *mashallah*, sont ouverts, mais savons-nous bien marcher sans nous crever les yeux les uns les autres avec les pointes de leurs baleines, sans qu'ils s'entrechoquent comme des autotamponneuses dans les lunaparcs, et

savons-nous bien évoluer sur les trottoirs, étant donné que les parapluies occultent notre angle de vue, sans nous marcher les uns sur les autres comme sur des mines éparses ?» (1953)

«Il est bien déplorable que Beyoğlu soit désormais devenu infréquentable, à cause des films porno, de la foule et des gaz d'échappement des bus et des voitures.» (1981)

«Quand dans un coin d'Istanbul une maladie contagieuse vient à faire son apparition, nos municipalités, généralement, répandent de la chaux, çà et là, dans quelques rues sales et immondes ; néanmoins la saleté subsiste par monceaux entiers…» (1910)

«Comme il est répété à loisir, la municipalité va supprimer intégralement d'Istanbul les chiens et les mules, et la police, les mendiants et les errants. Mais comme rien de tout cela n'est réalisé, à présent, la cohorte des témoins mensongers est entrée en scène.» (1914)

«Hier, parce qu'il a neigé, il n'était plus question de monter dans le tramway par l'avant, ni de manifester le moindre respect pour les personnes âgées… Nous constatons tous avec regret que les bonnes manières urbaines ont été oubliées, qui d'ailleurs ne sont connues de personne.» (1927)

«Après avoir fait ma petite enquête et appris le coût des feux d'artifice tirés à présent de manière délirante de chaque coin d'Istanbul tous les soirs de cet été, je me suis mis à penser que, si seulement dix millions du total prodigué et gâché pour le plaisir de l'ostentation étaient investis dans l'éducation des enfants pauvres de notre ville, cela rendrait certainement plus heureux nos concitoyens qui s'amusent dans ces noces. Ai-je vraiment tort ? » (1997)

« Les immeubles "à l'européenne" qui écœurent jusqu'à la nausée tous les amateurs d'art européen dotés de goût et de sensibilité sont en train, et tout spécialement ces derniers temps, de grignoter petit à petit le paysage d'Istanbul, comme les mites dévorent un beau tissu. À ce rythme, tout Istanbul va devenir une masse immonde d'immeubles, à la façon de Yüksekkaldırım et de Beyoğlu, et il faudra en chercher la raison, non pas seulement dans les incendies, dans notre paupérisation ou dans notre impuissance, mais aussi dans notre prédilection pour le neuf. » (1922)

17

Le plaisir de dessiner

Quelque temps après avoir commencé l'école, j'ai découvert que j'aimais beaucoup dessiner. Mais l'emploi ici du verbe «découvrir» qui pourrait être entendu au sens de «trouver quelque chose qui existait avant qu'on n'en ait connaissance», comme dans le cas de la découverte de l'Amérique, risque d'être trompeur. Il n'y avait pas en moi de goût ou de talent cachés pour le dessin lorsque j'ai débuté ma scolarité. Il serait plus exact de dire que le plaisir et l'enthousiasme que je ressentais à dessiner m'avaient été inculqués. On me reconnaissait en effet une disposition d'esprit personnelle, qualifiéc de «don», et de l'habileté. Cependant, il n'y avait rien de cet ordre-là.

Ou si tel était le cas, c'était sans importance. J'avais éprouvé le plaisir qu'il y avait à dessiner et j'en étais extrêmement heureux. C'était cela l'essentiel.

Des années plus tard, j'ai demandé à mon père de quelle manière mes parents s'étaient rendu compte de mes aptitudes. «Tu as dessiné un arbre, me répondit-il, puis tu as représenté un corbeau posé sur une branche. Ta mère et moi, nous nous sommes regardés. Parce que le corbeau ressemblait vraiment à un corbeau posé sur une branche.»

Même si cela ne correspondait pas tout à fait à la réalité, même si c'était totalement erroné, cette histoire m'avait plu et j'y avais cru d'emblée. L'arbre et le corbeau que j'avais dessinés à l'âge de sept ans n'avaient sûrement rien d'extraordinaire. Le côté magique de l'histoire racontée par mon père, c'est que, sous son influence, il décréta d'un seul coup avec ma mère que j'avais «un don pour le dessin». C'est surtout l'aptitude de mon père, toujours optimiste, extrêmement sûr de lui, et enclin à croire du fond du cœur que tout ce que faisaient ses fils était formidable, qui avait joué en cela un rôle déterminant. Naturellement, à ce moment-là, je n'avais pas réfléchi de cette manière. Comme eux, je m'étais moi aussi convaincu qu'il y avait en moi une fantastique prédisposition pour le dessin, quelque chose que plus tard les autres qualifieraient de talent.

À mesure que je faisais des dessins et les montrais aux autres, ils me félicitaient, me disaient des choses gentilles et manifestaient même un étonnement admiratif qui me paraissait sincère. C'était comme s'ils m'avaient donné une machine me permettant d'être câliné, embrassé, aimé, reconnu et estimé. Et lorsque j'étais morose, j'actionnais la machine et faisais des dessins. On m'achetait du papier, des couleurs, des crayons, et moi, je produisais sans cesse des dessins que j'allais montrer, surtout à mon père. Il avait exactement la réaction que j'attendais, il regardait les dessins que je venais de faire avec chaque fois un air admiratif et une stupéfaction dont j'étais moi-même surpris, et il commentait les images. « Tu as vraiment bien rendu l'attitude de l'homme en train de pêcher. Et comme il s'ennuie, la mer s'est assombrie. C'est son fils qui est à ses côtés, n'est-ce pas ? Les oiseaux aussi guettent les poissons. C'est intelligemment vu. »

Je courais immédiatement faire un autre dessin. En réalité, le personnage à côté de l'homme en train de pêcher n'était pas son fils, c'était son ami ; malheureusement, comme je l'avais dessiné un peu trop petit, on pouvait effectivement le prendre pour son fils. Mais à présent, pour ce qui était de recevoir des compliments, j'avais acquis un minimum d'expérience. Retenant ce qui m'avait fait plaisir dans les propos de mon père, j'allais ensuite montrer le dessin à ma mère et lui disais :

« Regarde, comment tu trouves ? Le pêcheur et son fils.

– Bravo, mon chéri, c'est très joli, disait ma mère, mais si tu faisais un peu tes devoirs ? »

Un jour, à l'école, après avoir terminé un dessin, je vis toute la classe s'attrouper autour de moi pour le regarder. Le professeur aux dents de devant écartées l'afficha au mur. J'étais aussi heureux que si des chocolats et des jouets avaient jailli à profusion de mes poches. Comme un prestidigitateur faisant surgir des lapins ou des colombes du néant, il me suffisait de faire surgir des merveilles sur le papier, de les montrer, puis d'accepter les compliments.

De plus, mon don se transformait peu à peu en un talent mérité. Parce que, à force de dessiner, j'avais progressé. J'observais la manière dont les images assez simples des romans illustrés que je lisais, des caricatures de presse, des revues et des livres de classe représentaient une maison, un arbre, un homme debout. Je ne dessinais pas en regardant la nature, les objets et les rues : je dessinais en regardant les images que j'avais dans la tête. Pour qu'une image me reste en mémoire et que je puisse m'inspirer d'elle, elle devait être aussi simple que celles des romans illustrés, des caricatures et des livres scolaires. Les peintures à l'huile et les photographies étaient aussi complexes, sinon plus, que la vie elle-même. Je ne comprenais pas comment elles avaient été faites, et elles ne suscitaient pas non plus en moi de plaisir ni l'envie de dessiner. J'aimais les albums de coloriage ; nous allions les acheter chez Alaaddin avec ma mère, mais au lieu de les colorier, je me servais des images contenues dans leurs pages comme modèles et les reproduisais sur une feuille. La maison, l'arbre ou la rue que je dessinais me restaient en mémoire.

J'aimais bien dessiner les arbres. Mais je ne représentais qu'un seul arbre à la fois. Je traçais prestement ses branches et ses feuilles. Je dessinais les montagnes qui apparaissaient à l'arrière-plan entre la ramure et le feuillage. Tout au fond, je plaçais deux sommets encore plus hauts. En m'inspirant des estampes japonaises que j'avais vues plus tard, je réservais pour le tout dernier plan la montagne la plus haute et la plus expressive. Désormais, ma main savait parfaitement comment les représenter. Les nuages et les oiseaux sur ma feuille de papier étaient semblables aux oiseaux et aux nuages que j'avais observés sur les pages des albums. Je dessinais ces images de mémoire, mais celles-ci étaient les miennes, et les arbres, les montagnes, les nuages donnaient une apparence de réalité. Lorsque venait le moment d'achever le dessin, j'arrivais à la partie la plus agréable. Je figurais la neige sur le plus haut sommet surplombant la chaîne de montagnes, dans le lointain.

Je soulevais la feuille de la table, je l'éloignais un peu, et contemplais avec plaisir ce que je venais de réaliser. Je regardais mon œuvre en penchant la tête à droite et à gauche ; parfois, j'installais le dessin quelque part, je m'éloignais, et regardais d'un peu plus loin. Oui, c'était ça, c'était bien, c'était moi qui l'avais fait. Certes, ce n'était pas parfait, mais c'était moi qui l'avais fait, c'était bien. C'était beau de faire ce dessin et de, maintenant, le regarder comme s'il était sorti des mains de quelqu'un d'autre, comme quelque chose que j'aurais pu voir en regardant par la fenêtre.

D'autre fois, je ressentais de l'insatisfaction lorsque j'avais envie de voir mon dessin à travers les yeux des autres. Ou bien j'étais pris d'enthousiasme et cherchais à prolonger et à revivre les incomparables moments de joie que j'avais éprouvés tandis que je l'exécutais. Et le plus court chemin pour cela, c'était d'ajouter un nuage, quelques oiseaux et des feuilles.

Les années suivantes, il m'est aussi arrivé de penser que ces petits ajouts «gâchaient» l'image. Mais comme je savais parfaitement que c'était un raccourci pour retrouver ce plaisir de dessiner, c'était plus fort que moi, je ne pouvais m'en empêcher. D'autres fois encore, je sentais monter et trépigner en moi un désir irrésistible de goûter de nouveau à ces joies, et je me lançais dans un nouveau dessin.

Pourquoi éprouvais-je un tel plaisir à dessiner ? De quoi ce plaisir était-il fait ? Ici, votre mémorialiste va quelque peu éloigner son récit de la conscience du petit enfant et se rapprocher de celle de l'écrivain de cinquante ans, qui croit parvenir à se raconter en s'efforçant de comprendre ce petit enfant.

1. Dans le plaisir de dessiner, il y avait bien sûr celui de créer en un instant des merveilles et de faire reconnaître ce prodige par mon entourage. Je savais que j'irais montrer le dessin à quelqu'un, que ce dessin serait apprécié, que je serais gratifié de compliments et de marques d'affection, et alors même que je réalisais cette image, une part de moi pressentait déjà cette joie à venir. Peu à peu, j'intégrais si profondément cette attente qu'elle finit par se confondre avec le moment de l'exécution du dessin et investit d'un sentiment de bonheur les secondes où le crayon courait sur le papier.

2. À force de dessiner et d'observer d'autres images, ma main, autant que ma tête, avait commencé à acquérir une certaine habileté. Désormais, lorsque fort de cette dextérité je dessinais un arbre, c'était comme si ma main agissait d'elle-même. Tandis que le crayon courait rapidement sur la page, regarder la ligne que traçait ma main comme si cette opération était le fait d'une créature indépendante

de moi était extrêmement plaisant. J'avais l'impression qu'un autre s'était glissé en moi et dessinait à ma place. Cet autre avait un côté intelligent, captivant, qui aiguillonnait mon esprit. Empli d'étonnement, j'espérais pouvoir devenir aussi brillant et captivant que lui. En même temps que persistait ma surprise, une autre part de moi contrôlait les courbes de l'arbre, l'emplacement des montagnes et l'ensemble du dessin, et faire surgir tout cela de la page blanche me donnait de l'assurance. Mon esprit était à la pointe du crayon tout en n'exerçant aucun contrôle sur ce que je faisais ; et à la fois, il venait immédiatement vérifier ce que j'avais fait. Ce second moment, ce moment de maîtrise par l'intelligence, était quelque chose d'agréable et d'un peu comparable à la critique. Mais le plaisir essentiel était le mouvement du crayon semblant se mouvoir de lui-même, c'était la jubilation de l'artiste en herbe de découvrir sa propre liberté et son audace en regardant les mouvements de sa propre main. Sorti de moi-même, n'étant plus qu'un trait après avoir retrouvé la deuxième personne qui était entrée en moi, avec mon crayon, je glissais sur le papier comme un enfant en luge sur la neige.

3. Une coupure s'opérait entre ma main et mon esprit : mes doigts semblaient se mouvoir de manière autonome, et ma tête s'échappait promptement dans un monde imaginaire. Mais contrairement aux mondes étranges inventés par mon cerveau, ceux que créait ma main, je ne les cachais pas, je les montrais à tout le monde et me tenais prêt à recevoir les compliments qui me combleraient de fierté. Dessiner, c'était être en possession d'un deuxième monde dont l'existence ne générait aucun sentiment de culpabilité.

4. Les choses que je dessinais – la maison, l'arbre ou le nuage –, aussi imaginaires fussent-elles, avaient un aspect concret et bien réel. C'était ce qui me plaisait. C'était comme si la maison que je dessinais devenait ma propre maison. Je sentais que ce que j'avais réussi à représenter m'appartenait. En m'entraînant dans un autre monde, un monde ayant de plus une réalité puisque je pouvais le montrer aux autres, le fait d'inventer, de me retrouver à l'intérieur de l'arbre ou du paysage que j'avais représentés, me permettait d'échapper à l'ennui du présent.

5. J'aimais l'odeur et la présence du papier, du crayon, des blocs de dessin, des boîtes de peinture et des matériaux. Je caressais avec

une profonde tendresse les feuilles blanches. Je conservais les dessins que je faisais, j'aimais leur aspect concret et matériel.

6. Avoir découvert toutes ces petites manies et ces plaisirs me portait à croire, encouragé en cela par les compliments, que j'étais quelqu'un de particulier et de différent. Je ne m'en prévalais pas auprès des autres mais je désirais vivement qu'ils s'en rendent compte. Comme le monde imaginaire que je portais en moi, dessiner enrichissait mon existence, me donnait le pouvoir de m'échapper consciemment du monde poussiéreux et sombre de la réalité, et constituait une part de ma personnalité méritée et acceptée par mes proches.

18

La collection de savoirs et de curiosités de Reşat Ekrem Koçu : l'Encyclopédie d'Istanbul

Dans le salon de ma grand-mère paternelle, dans la bibliothèque poussiéreuse aux vitrines verrouillées et rarement ouvertes – qui renfermait les volumes des encyclopédies *Hayat*, des romans pour jeunes filles aux pages jaunies et les livres de médecine de mon oncle d'Amérique –, j'ai trouvé, à l'époque où je venais d'apprendre à lire, un énorme livre format-journal. Par le choix de ses sujets comme par l'abondance de ses étranges images, ce livre, qui avait pour titre *De Osman Gazi à Atatürk*, et comme sous-titre *Panorama de six siècles d'histoire ottomane*, me plut énormément. Quand plus tard nous habitâmes des appartements en location, je profitais de chaque visite à ma grand-mère pour ressortir ce livre que j'avais lu et relu jusqu'à la dernière ligne, en prenant mes aises sur le bureau de mon oncle, lorsque je montais chez elle les jours de lessive à notre étage, ou lorsque je n'allais pas à l'école, sous prétexte que j'étais malade ou tout bonnement parce que j'avais séché les cours.

Ce qui rendait ce livre si attrayant, outre les dessins en noir et blanc que je ne me lassais pas de regarder, c'était d'y voir l'histoire ottomane non comme une succession de guerres, de victoires, de défaites et de traités racontés dans une langue ronflante et patriotique à la manière des livres scolaires, mais comme un défilé étrange, stupéfiant, effrayant, voire répugnant, de bizarreries, d'événements et de personnages insolites. De ce point de vue, le livre ressemblait aux *surname* ottomans décrivant les processions des différentes corporations de métiers, qui inventaient quantité d'extravagances pour divertir le sultan en défilant devant lui. C'est comme si nous, lecteurs «contemporains» de ce drôle de livre, étions installés à présent à la

place du sultan tel qu'il apparaîtra dans les miniatures qui ornent les *surname*, savourant son plaisir à voir défiler, de la fenêtre de l'actuel palais d'İbrahim Paşa, sur la place Sultanahmet, toute la richesse, les couleurs, les excentricités de son empire et la procession bigarrée de tous les artisans vêtus du costume de leur profession. Pour nous, qui après la République et l'occidentalisation nous bercions de l'idée de nous être parés de l'auréole d'une civilisation plus «rationnelle et scientifique», il était plaisant de regarder de loin et de notre fenêtre moderne la bizarrerie, l'étrangeté et l'humanité insolite de ces Ottomans que nous nous félicitions d'avoir laissés derrière nous.

Je lisais ainsi avec intérêt qu'au XVIIIe siècle, lors des réjouissances qui suivirent la circoncision du prince impérial Mustafa, fils d'Ahmet III, un funambule avait traversé la Corne d'Or sur une corde soigneusement tendue entre des mâts de navire, et je me délectais à la vue des illustrations en noir et blanc reconstituant l'événement. Je lus aussi qu'un cimetière exclusivement réservé aux bourreaux avait été construit sur les hauteurs de Karyağdı à Eyüp[31], parce que «nos aïeux» ne jugeaient pas dignes d'être enterrés avec les autres, ceux dont le métier consistait à tuer contre rémunération. J'appris également que, sous Osman II, l'hiver 1621 avait été particulièrement rude ; toute la Corne d'Or ainsi qu'une partie du Bosphore avaient gelé, et je prenais un grand plaisir à contempler les détails de l'image montrant les caïques posés sur des traîneaux, les bateaux pris entre les blocs de glace, sans penser que cette illustration, comme beaucoup d'autres dans ce livre, témoignait moins de la réalité que de l'imagination de l'artiste. Une autre curiosité que je regardais sans cesse avec un plaisir toujours renouvelé, c'étaient les dessins des deux célèbres fous d'Istanbul sous Abdülhamit II. L'un était un homme du nom d'Osman qui se promenait toujours complètement nu (l'artiste l'avait représenté « cachant ses parties honteuses », avec l'air gêné des gens surpris dans leur nudité), l'autre était une certaine Madame Upola, qui s'habillait quant à elle avec tout et n'importe quoi. Comme, d'après l'auteur, ces deux fous se sautaient à la gorge dès qu'ils se rencontraient, le peuple leur avait interdit de passer « le pont ». (À cette époque, les ponts du Bosphore et les quatre ponts actuels au-dessus de la Corne d'Or n'existaient pas, il n'y avait que le pont en bois de Galata entre Karaköy et Eminönü, fondé en 1845 et reconstruit trois fois jusqu'à la fin du XXᵉ siècle, et les Stambouliotes l'appelaient tout simplement « le pont ».) Sur ce, mon regard était attiré par l'image d'un homme portant une hotte sur le dos et attaché à un arbre par une corde passée autour du cou. Je lisais que cent ans plus tôt, un ancien *iktisap ağası* [32] (maire) du nom d'Hüseyin Bey avait fait appliquer à un marchand de pain ambulant le même traitement que ce dernier infligeait à son cheval, pour le punir de laisser le pauvre animal attaché à un arbre avec sur le dos les lourdes hottes de pain, tandis que lui jouait aux cartes au café.

Dans quelle mesure ces faits insolites, dont les sources se présentaient en partie comme les « journaux de l'époque », étaient-ils dignes de foi ? On racontait par exemple qu'à l'issue des tractations visant à apaiser une révolte de *sipahi* à Istanbul Kara Mehmet Paşa, un pacha du XVᵉ siècle, avait réellement eu la tête coupée. Pour mettre un terme définitif aux troubles, sa tête aurait été remise aux *sipahi* et ces derniers, comme cela s'était déjà vu dans ce genre de circonstances, auraient déchargé sur elle la fureur qu'ils avaient contre le vizir. Mais pouvait-on représenter les *sipahi* jouant avec cette tête comme des joueurs de football courant après un ballon, tels qu'ils l'étaient dans le livre ? Comme je restais les yeux rivés sur l'image sans trop réfléchir à toutes ces questions, cette fois, je lus comment, au XVIe siècle, Ester Kira, en charge de la perception des impôts sur les douanes, et qu'on disait être « la pourvoyeuse en pots-de-vin » de la sultane Safiye, fut mise en pièces lors d'une révolte de *sipahi*. Les morceaux de son corps furent cloués sur les portes de ceux qui lui donnaient des bakchichs. Je contemplais avec un certain effroi la représentation en noir et blanc d'une main clouée sur une porte.

La particulière et sincère attention que Koçu accordait à ce genre de petits faits étranges et terrifiants portait également sur un autre sujet dont raffolaient les voyageurs étrangers : les méthodes de torture et d'exécution en cours à Istanbul. J'appris qu'un gibet avait été construit à Eminönü pour le supplice du crochet ; les condamnés, aussi nus qu'à leur naissance, y étaient attachés, soulevés par une poulie puis subitement relâchés sur un crochet acéré. Un janissaire, très épris de la jeune épouse d'un imam, l'avait enlevée, et promenée en ville les cheveux courts et habillée en garçon. Quand on l'arrêta, on lui coupa d'abord les jambes, on lui brisa les bras, puis on le mit dans le fût d'un canon bourré de poudre et de tissus enduits de graisse. On mit feu au canon, et il fut propulsé dans les airs. Une autre méthode, qualifiée de « forme effroyable d'exécution », consistait, « pour l'exemple », à promener en ville un coupable nu attaché à plat ventre sur une croix, à la lueur de bougies plantées dans la chair de ses omoplates et de son postérieur. En regardant l'image de cet homme nu soumis à la torture, j'éprouvais une sorte d'émoi sexuel ; je prenais plaisir à voir le passé d'Istanbul à travers ce genre de sentiment morbide suscitant l'horreur, ces dessins en noir et blanc aux traits hachurés et sombres, et toutes sortes de faits étranges.

Cet ouvrage est l'œuvre de l'historien populaire Reşat Ekrem Koçu, l'un des écrivains stambouliotes que j'appelle les quatre hommes tristes et solitaires. Il n'avait pas d'emblée été conçu comme un livre. Il était constitué de tous les suppléments de quatre feuillets parus dans le journal *Cumhuriyet* en 1954 rassemblés en un volume. (Comme la dernière page de ces suppléments était consacrée aux « Choses étranges et curieuses de notre histoire », toutes les quatre pages, je retrouvais cette rubrique pour laquelle j'avais une prédilection.) En fait, ce n'était pas la première fois que Reşat Ekrem Koçu travaillait à proposer à un lectorat populaire ce mélange inédit de récits insolites, de faits curieux, d'histoire et de connaissances encyclopédiques, illustrés de dessins en noir et blanc. Sa première expérience, dix ans plus tôt, était l'*Encyclopédie d'Istanbul*, qu'il avait commencé à publier en 1944. Mais en 1951, à la millième page, au quatrième volume et encore à la lettre B, il avait été contraint d'abandonner en cours de route par manque d'argent.

Sept ans plus tard, Koçu entreprit de faire à nouveau paraître, à partir de la lettre A, son *Encyclopédie d'Istanbul* qu'il présentait avec fierté et à juste titre, comme «La première encyclopédie au monde sur une ville». Lorsqu'il s'attela pour la seconde fois à cette tâche, âgé de cinquante-trois ans et craignant que cette encyclopédie unique en son genre ne reste une fois de plus inachevée, Koçu prit le parti de la boucler en quinze volumes et s'efforça de rendre également les textes plus «populaires». Plus sûr de lui désormais, et assumant davantage ses obsessions qu'il considérait comme banales et simplement humaines, il ne vit pas d'inconvénient à faire figurer dans son encyclopédie ses goûts, ses thèmes de prédilection et ses penchants personnels. La seconde *Encyclopédie d'Istanbul* de Reşat Ekrem Koçu, qui commença à paraître en 1958 et en était encore en

1973 au onzième volume et à la lettre *G*, est le plus bizarre et le plus brillant de tous les textes écrits au xxᵉ siècle sur cette ville, et par sa forme, la teneur et l'atmosphère de ses récits, celui qui reflète le mieux l'âme d'Istanbul.

Pour comprendre cette surprenante encyclopédie, devenue un véritable «livre culte» pour une poignée de Stambouliotes s'intéressant

aux villes et à la littérature, et dont j'aimais beaucoup feuilleter au hasard n'importe lequel des volumes, il nous faut d'abord faire plus ample connaissance avec son auteur.

Reşat Ekrem Koçu est un de ces esprits singuliers du début du xxᵉ siècle que la détresse de la ville a profondément meurtris, et qui à leur tour ont élaboré une image de la ville mélancolique mais incomplète. C'est bien la tristesse qui définit toute son existence, constitue la logique secrète de son œuvre, prépare le terrain à sa vision de la vie et à son échec final, mais ce sentiment, comme chez les autres écrivains du même genre, n'est absolument pas mis en exergue ni traité comme un sujet de réflexion spécifique dans ses livres et ses écrits. C'est la raison pour laquelle, lorsqu'on appréhende la mélancolie de Koçu, dire que ce sentiment provient chez lui de l'histoire, de sa famille et naturellement, plus encore d'Istanbul, peut paraître surprenant au premier abord. Car, comme tous les personnages dont la sensibilité a été profondément atteinte par la ville, Reşat Ekrem Koçu considérait sa tristesse comme innée et intrinsèque à sa personnalité, et comme quelque chose qui conditionnait son être. Loin de considérer Istanbul comme la source de ce sentiment de repli sur soi et de défaitisme résigné face à la vie, il pensait au contraire que la ville était une consolation.

Reşat Ekrem Koçu est né en 1905 à Istanbul, dans une famille de fonctionnaires et d'enseignants ; sa mère était fille de pacha, son père avait longtemps travaillé dans la presse, et il a vécu dans le même contexte que les autres écrivains mélancoliques d'Istanbul de sa génération. Toute son enfance s'est déroulée au rythme des guerres, des défaites et des migrations qui ont précipité la chute de l'État ottoman et plongé la ville dans une pauvreté dont elle mettrait des dizaines d'années à se relever. L'Istanbul de son enfance, avec ses derniers grands incendies, ses *tulumbacılar*[33], ses tavernes, ses combats de rue, sa vie de quartier deviendrait les années suivantes un thème récurrent de ses livres et ses articles. Certains de ses écrits évoquent son enfance, passée en partie dans un *yalı* du Bosphore qui disparaîtrait plus tard dans un incendie. Lorsque Reşat Ekrem avait vingt ans, son père avait acheté un kiosque à Göztepe, et le fils Koçu passa une grande partie de sa vie dans cet endroit qui avait connu la tradition des kiosques en bois et la dispersion des riches familles nombreuses d'Istanbul. La maison fut vendue suite à l'appauvrissement et aux conflits familiaux que connut toute cette catégorie de familles. Koçu ne quitta pas pour autant son environnement, et il continua à habiter Göztepe même si c'était en appartement, dans un immeuble. Le choix qui orienta sa vie de manière décisive, et lui permit d'exprimer sa mélancolie et son amour du passé, fut sa décision d'entreprendre des études d'histoire à Istanbul, à l'époque où, l'Empire effondré, tout ce qui avait trait au passé ottoman était rejeté, relégué dans les limbes et où s'instaurait une attitude de mépris et de suspicion à l'endroit des Ottomans au profit de l'idéologie fondatrice de la République. Après avoir obtenu son diplôme, il travailla à l'université comme assistant aux côtés de son professeur, l'historien Ahmet Refik.

Né à Istanbul en 1880, et donc âgé de vingt-cinq ans de plus que Koçu, Ahmet Refik – que la publication, fascicule par fascicule, comme le ferait plus tard Koçu avec son *Encyclopédie*, d'une série de livres intitulés *La vie des Ottomans aux siècles passés* avait rendu célèbre – était le premier historien moderne et populaire d'Istanbul. Quand il ne donnait pas de cours à l'université, il allait « déterrer » des documents poussiéreux dans le capharnaüm des Archives ottomanes, qui s'appelaient alors le « Trésor des documents » et courait les bibliothèques pour y dénicher les curieux et étranges manuscrits de chroniqueurs ottomans. De ces matériaux dont il sut rapidement faire bon usage grâce à ses talents littéraires (c'était en même temps un poète dont les poèmes et les paroles de chansons étaient très appréciés), il tirait des articles qui paraîtraient immédiatement dans les journaux, ou bien des livres populaires. Il associait l'Histoire et la littérature, publiait dans des revues et des journaux des documents au contenu curieux et intrigant, faisait le tour des bouquinistes, s'efforçait de mettre l'Histoire à la portée des lecteurs et passait de longues soirées à boire et à deviser, toutes choses qui influencèrent Koçu. Son renvoi de la Faculté après la « réforme de l'Université » de 1933 fut une véritable catastrophe pour Koçu. Lorsque, sous couvert d'une « réforme », son professeur perdit sa chaire et sa position (de manière similaire, mon grand-père maternel avait été renvoyé de la Faculté de droit), pour avoir un temps été proche du parti Liberté et Entente opposé à Atatürk, et plus encore pour son attachement passionné à l'histoire et à la culture ottomane, Reşat Ekrem Koçu, lui aussi, perdit son travail.

Ce qui affligea le plus Koçu fut de voir son professeur, cet homme qu'il avait pris pour modèle, mourir dans la misère après s'être débattu pendant cinq ans dans la pauvreté, l'abandon et l'indifférence consécutive à sa disgrâce auprès d'Atatürk et de l'État, et vendre un à un tous les ouvrages de sa bibliothèque pour pouvoir s'acheter des médicaments. Au moment de sa mort, comme ce serait le cas pour Koçu quarante ans plus tard, une grande partie des quatre-vingt-dix livres écrits par Ahmet Refik était devenue introuvable sur le marché.

Dans un texte très sombre sur la mort d'Ahmet Refik et sur son oubli dès son vivant en tant qu'écrivain, Reşat Ekrem Koçu, en par-

lant de son professeur, revient sur sa propre enfance avec un ton poétique empreint d'une grande sincérité. « Au bord du Bosphore, sur le quai devant notre *yalı*, dans les années insouciantes de l'enfance d'où j'émergeais tel un poisson aux écailles scintillantes happé hors de l'eau par l'hameçon d'une canne à pêche... » Par ces mots, Koçu rappelle que, lorsqu'il a commencé à lire Ahmet Refik, il était un enfant de onze ans vivant heureux dans un *yalı* sur le Bosphore, et montre comment ses heureux souvenirs d'enfance, disparus à jamais dans les *yalı* et les kiosques en bois – que je verrai brûler un à un dans mon enfance et mon adolescence –, l'histoire ottomane et Istanbul lui-même s'alimentent l'un l'autre dans un profond sentiment de tristesse. La vie dans un pays sombrant dans la pauvreté, le manque de lecteurs et la ville elle-même n'étaient pas les seules raisons de la tristesse et de la mélancolie d'Ekrem Koçu. Il y en avait une autre, beaucoup plus déterminante : être homosexuel à Istanbul dans la première moitié du XXe siècle.

Il suffit de jeter un œil aux sujets de ses romans populaires, de humer leur atmosphère haute en couleur, lourde de violence et de sexualité, et surtout de feuilleter au hasard l'*Encyclopédie d'Istanbul* pour se rendre compte qu'en exprimant, en plein dans les années cinquante, ses tendances sexuelles s'écartant de la norme, ses penchants personnels et ses obsessions, Reşat Ekrem Koçu était bien plus audacieux que tous les écrivains d'Istanbul de l'époque. L'*Encyclopédie d'Istanbul*, depuis les premiers fascicules et de façon croissante au

fil des pages, abonde en propos faisant à la moindre occasion l'éloge de la beauté des jeunes hommes et des garçons. Par exemple, Miriâlem Ahmed Ağa, l'un des pages de Soliman le Magnifique, est fort comme un dragon, ses bras sont une branche de chêne, c'est un vif taureau... Ou bien, le coiffeur Cafer, mentionné au XVIe siècle par le poète Ulvi Çelebi – qui loue dans son *Şehrengiz*[34] la beauté des jeunes artisans d'Istanbul –, qualifié d'« éphèbe à la beauté légendaire ». « Le beau brocanteur Yetim Ahmed », sujet d'un autre article de l'*Encyclopédie* et héros d'un conte d'Istanbul portant le même titre, est « un frais jeune homme de quinze, seize ans ». Voici comment il le décrit : « C'était un jeune garçon aux pieds nus, au pantalon rapiécé de toutes parts et dont la déchirure de la chemise laissait entrevoir sa peau, mais ses attraits avaient la fraîcheur d'une eau vive, ses sourcils imprimaient à son front le sceau de la beauté, sa chevelure le rendait pareil à la grue couronnée, sa peau brune paraissait trempée dans l'or fin, son regard était plein de charme, son parler gracieux et son corps, svelte comme une tige. »

Dans ces articles des premiers volumes, comme les poètes du

divan louant hardiment la beauté des garçons, Koçu, qui avait fait illustrer par les fidèles artistes de son *Encyclopédie* chacun de ces héros imaginaires aux pieds nus, s'abrite derrière la légitimité des procédés et des artifices littéraires. Dans l'article « Jouvenceau », il raconte en les enjolivant les relations entre les jeunes gens imberbes intégrés dans le corps d'armée des janissaires et les « costauds aux mains comme des serres » les prenant sous leur aile. Dans l'article « Éphèbe », après avoir expliqué que « la beauté chantée dans la littérature du divan était celle des éphèbes », il entre complaisamment dans les détails de l'histoire de ce mot, qui avait toujours le sens de « jeune homme dans la fleur de l'âge ». Ce langage prudent et maîtrisé, tamisé par les données historiques, littéraires et culturelles, se libère dans les volumes suivants et ne perd pas une occasion de parler des beaux jeunes gens et de leurs pieds nus. Dans l'article ayant pour titre le nom d'un marin, « Dobrilovitch », on apprend que le 18 décembre 1884, au moment où le bateau sur lequel il travaillait accosta à l'embarcadère de Karataş, ce jeune Croate « d'une grande beauté », membre de l'équipage de la Société maritime, s'était coincé le pied entre le *vapur* et le quai. C'était une de ces grandes peurs que partageait tout Istanbul. Voyant son pied coupé et sa botte tomber à la mer, le marin croate avait simplement dit : « J'ai perdu ma botte. » C'était tout. Dans les premiers volumes, pour pouvoir parler des beaux adolescents, des jeunes garçons et des mignons garçonnets aux pieds nus, Koçu avait ressenti le besoin de consulter les chroniques ottomanes, les *şehrengiz*, les épopées populaires, les manuscrits oubliés dans des bibliothèques où personne n'allait, les procès-verbaux des conseils du Divan, les curieux ouvrages de la culture ottomane et stamboulliote, les livres de prédictions astrologiques, les *surname* et les journaux du XIXᵉ siècle auxquels il attachait un très grand intérêt (c'est dans leurs pages qu'il avait trouvé l'histoire du beau marin croate).

Mais les dernières années, en vieillissant, Koçu constata avec amertume et colère que son encyclopédie ne tiendrait pas dans quinze volumes et n'en finirait jamais, et pour rester fidèle à ses obsessions, il n'éprouva plus la nécessité de recourir à des sources écrites. Désormais, sous maints prétextes, il se mit à écrire des articles de l'*Encyclopédie* sur tous les adolescents, les enfants, les petits vendeurs de journaux pour lesquels il éprouvait un intérêt particulier, et sur les écoliers les plus purs et les plus mignons vendant des insignes de la Fondation aérienne turque pendant les fêtes du ramadan, qu'il avait rencontrés pour une raison quelconque dans les rues, les tavernes, les cafés, les bouges et sur les ponts d'Istanbul. Par exemple, la dixième année de l'*Encyclopédie*, à la page 4 767 du neuvième volume – qui commença à paraître alors que son auteur avait soixante-trois ans –, Koçu avait écrit un article sur « un prodigieux enfant acrobate de quatorze-quinze ans qu'il avait rencontré entre 1955 et 1956 ». Koçu raconte qu'un soir, à Göztepe où il avait passé la majeure partie de sa vie, il l'avait vu exécuter son numéro sur la scène du « And », un cinéma d'été : « Avec ses babouches et son pantalon blancs, son maillot blanc sans manches arborant l'étoile et le croissant, et une fois dévêtu pour entrer en piste, avec son petit short blanc, son pur et aimable visage, son air distingué, sa politesse et ses bonnes manières, il montrait immédiatement qu'il était à l'égal de l'exemple des pays occidentaux. » Nous comprenons en lisant la suite de l'article que si l'auteur de l'*Encyclopédie* était attristé de voir l'enfant, son spectacle terminé, passer faire la quête un plateau à la main, la peine de voir qu'en dépit des applaudissements il ne récoltait pas d'argent était effacée par la joie de constater que l'enfant n'était ni importun ni flagorneur. Koçu relate avec tristesse la rencontre entre l'enfant acrobate de quatorze ans tendant sa carte à certains spectateurs et l'écrivain de cinquante et un ans, puis le fait qu'il en était resté sans nouvelles par la suite. Bien qu'au cours des douze ans qui s'étaient écoulés entre ce premier échange dans le cinéma et la rédaction de cet article l'écrivain ait correspondu avec l'enfant et sa famille, ses lettres étaient malheureusement restées sans réponse ; et de déplorer qu'à cause de cela il ne pourrait écrire dans son encyclopédie ce qu'il était advenu de lui ces dernières années.

Désormais, le patient et curieux lecteur des années soixante, continuant à acheter fascicule par fascicule l'œuvre de Koçu, lisait davantage l'*Encyclopédie d'Istanbul* comme une revue relatant des histoires curieuses, amusantes, étranges, exotiques sur la ville ou même sur certains événements actuels que comme une source mettant en ordre toutes les connaissances sur Istanbul. À cette époque, je me rappelle avoir vu dans certains appartements stambouliotes des fascicules de l'*Encyclopédie* dans les coins réservés aux revues hebdomadaires.

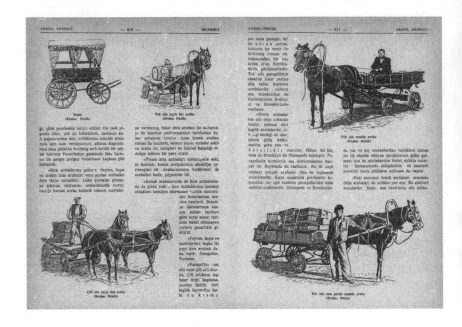

Quant à Koçu, il était beaucoup moins connu que son œuvre que l'on pouvait se procurer comme une revue chez les marchands de journaux. Dans l'Istanbul des années soixante, il était impossible que son encyclopédie soit acceptée comme l'expression des obsessions, des passions, de la tristesse et des désirs de ce citadin moderne et solitaire, mélancoliquement attaché à Istanbul et à toutes les connaissances qui s'y rapportaient. La première édition et les premiers volumes de la seconde restaient une source d'information « scientifique » ou « sérieuse » grâce à l'apport de nombreux écrivains et professeurs partageant le même amour pour cette ville, et à celui d'une génération d'auteurs réagissant à son déclin face à l'occidentalisation et à l'effondrement de l'Empire. Ensuite, en raison du retrait progressif de cette équipe d'écrivains et de la place toujours plus grande accordée par Koçu à ses marottes et à ses idées fixes, j'éprouve le même plaisir, chaque fois que je feuillette les derniers volumes de l'*Encyclopédie d'Istanbul*, que celui d'un voyageur imaginaire déambulant au hasard dans le passé et le présent de la ville.

Je ressens parfois moi-même l'amour du passé et la tristesse sousjacents à cette tâche immense dont Koçu avait fait l'affaire de sa vie,

196

et c'est moins dans des causes historiques comme l'effondrement des Ottomans et la disgrâce d'Istanbul, que dans les motifs personnels obscurs de son enfance passée entre kiosques et *yalı*, que j'en cherche les raisons. Notre encyclopédiste – qui, suite à une fracture personnelle dans son passé, avait renoncé à l'amour et au commerce des gens, et qui avait commencé à rassembler et accumuler des choses de manière tout instinctive et consacré sa vie entière à ce travail – peut être comparé aux véritables collectionneurs à l'âme mélancolique. Mais à la différence des collectionneurs classiques, ce ne sont pas des objets, mais toutes les connaissances curieuses ayant trait à Istanbul qu'il collectait. À l'image de ces collectionneurs occidentaux qui suivent instinctivement ce que leur dicte leur cœur et n'imaginent pas au départ que leur collection puisse un jour devenir un musée, Koçu amassait aussi tous les matériaux, détails et souvenirs personnels présentant un aspect insolite et en rapport avec la ville, non en vue d'une encyclopédie qu'il pourrait publier plus tard, mais uniquement pour répondre à une nécessité intérieure.

C'est sans doute après avoir pressenti que sa collection pourrait ne jamais avoir de limite que, de même qu'un collectionneur imagine un musée, l'idée de faire de toutes ces connaissances étonnantes une encyclopédie d'Istanbul dut prendre forme dans son esprit ; il dut dès lors percevoir sa collection de savoirs comme une collection de choses. Le professeur d'histoire de l'art ottoman et byzantin, Semavi Eyice – qui connaissait Koçu depuis 1944 et lui avait fourni de nombreux articles depuis les débuts de son *Encyclopédie* – fit allusion dans les articles qu'il écrivit sur Koçu après sa mort à sa vaste bibliothèque, aux « articles » que ce dernier avait transportés pendant des années dans des enveloppes, à sa collection de coupures de journaux, de photographies et d'images, aux cahiers, aux dossiers (aujourd'hui perdus) remplis des notes qu'il avait prises en épluchant patiemment, des années durant, les journaux du XIXe siècle ; par ailleurs, lors d'une de nos entrevues, il m'avait fait part d'une autre grande collection à laquelle travaillait Koçu, une collection portant sur les étranges et mystérieux grands crimes commis dans le passé à Istanbul.

Vers la fin de sa vie, lorsque, avec désespoir, il comprit que son encyclopédie resterait inachevée, dans un accès de mauvaise humeur et de fureur, Koçu avait déclaré à son ami Semavi Eyice qu'il s'apprêtait

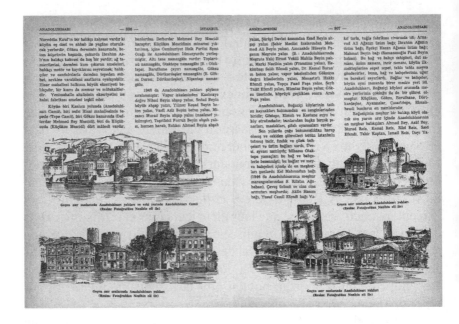

à brûler dans son jardin toute cette somme de connaissances, toute cette matière sur Istanbul, la totalité de cette collection à laquelle il avait consacrée sa vie. Avant que Koçu n'ait à céder à la colère du véritable collectionneur – qui nous rappelle le héros du romancier Bruce Chatwin, qui avait lui-même travaillé un temps chez Sotheby's, ce Utz qui un jour, pris de fureur, avait mis en pièces sa collection de porcelaines –, l'*Encyclopédie d'Istanbul* interrompit la parution, déjà fortement ralentie, de ses fascicules en 1973. Deux ans plus tôt, dans un moment d'acrimonie, Koçu s'était disputé avec son riche associé qui lui reprochait d'avoir rempli son encyclopédie de longs et inutiles articles dans le seul but de satisfaire ses manies ; à la suite de cette altercation, le bureau de Babıali dut mettre la clef sous la porte, et Koçu déménagea toute sa collection, ses brouillons, ses coupures de journaux et ses photographies dans son appartement de Göztepe. Comme tous les véritables collectionneurs d'Istanbul – obsessionnels, porteurs de l'histoire d'un passé douloureux et dont les objets accumulés au fil du temps ne prendront jamais place dans un musée –, Koçu entama lui aussi les dernières années de sa vie, une existence solitaire dans un appartement qu'il avait rempli de fond en comble avec les pièces de sa collection (c'est-à-dire avec une montagne de papiers et de photos). La grande maison en bois construite par son père avait été vendue après le décès de sa sœur, mais Koçu ne pouvait se résoudre à quitter son quartier. Désormais, le seul proche de Koçu était un orphelin du nom de Mehmet, qu'il avait rencontré par hasard – comme les gamins des rues qui figuraient dans les articles de son encyclopédie –, installé chez lui, légalement adopté et placé à la tête de la maison d'édition qu'il avait fondée.

Naturellement, il avait aussi une quarantaine d'«amis», historiens, écrivains et hommes de lettres, qui pendant trente ans avaient écrit des textes pour l'*Encyclopédie d'Istanbul* sans jamais percevoir de droits d'auteur (comme Semavi Eyice). Parmi ces écrivains qui avaient en commun le même amour d'Istanbul, on comptait des auteurs de l'ancienne génération comme Sermet Muhtar Alus (à qui l'on doit des livres de souvenirs et des romans humoristiques sur les quartiers, les personnages types, les *konak* et la vie licencieuse des pachas du XIXᵉ siècle) ou bien Osman Nuri Ergin, auteur d'une histoire très détaillée de la mairie d'Istanbul et d'un célèbre guide de la ville paru en 1934, qui, léguant sa propre bibliothèque, avait fondé la Bibliothèque municipale d'Istanbul. Ces auteurs étaient morts au moment de la parution des premiers volumes. Quant aux écrivains de la jeune génération, ils prenaient leurs distances vis-à-vis de Koçu, «à cause de ses caprices» selon l'expression d'Eyice. C'est la raison pour laquelle les causeries, qui avaient un rôle fondamental dans l'élaboration de l'*Encyclopédie*, et les sorties en groupe dans les tavernes se firent, au fil des années, en cercle de plus en plus restreint. Comme l'expliquerait une psychologue comme Melanie Klein – qui a très bien analysé l'enfance des personnalités présentant un lien de dépendance obsessionnel aussi bien aux objets qu'aux personnes –, Koçu avait le tempérament atrabilaire d'un collectionneur solitaire.

La plupart du temps (entre 1950 et 1970), on se retrouvait le soir dans les bureaux de la rédaction de l'*Encyclopédie* et après de longues discussions, on se rendait tous ensemble dans une taverne du quartier de Sirkeci. Ces célèbres écrivains de l'époque, qui n'accueillaient jamais de femmes parmi eux et vivaient, comme les poètes de cour d'Istanbul, dans un monde éminemment masculin, étaient les derniers représentants de la littérature du divan, de la tradition de la conversation et de la culture masculine ottomane. Cette culture masculine traditionnelle qui parlait des femmes comme de créatures imaginaires et désincarnées dans un langage symbolique et codifié, qui ne s'intéressait à l'amour qu'en tant que sujet littéraire, et reliait la sexualité à quelque chose d'étrange, de sale, au péché, à la trahison, à l'infidélité, à l'humiliation, à la faiblesse et à la honte – avec un sentiment de culpabilité et de peur –, est perceptible à chaque page de l'*Encyclopédie*. En trente ans, aucune femme, à une ou deux exceptions près, n'a écrit d'article pour l'*Encyclopédie d'Istanbul*. Entre autres parce que la décision concernant la teneur des articles à paraître et leur répartition entre les rédacteurs était prise de manière collective, aussi bien par Koçu que par les autres écrivains, au cours de leurs réunions dans les bureaux de la rédaction ou après, dans les tavernes où ils se rendaient entre hommes. Par la suite, ces soirées passées à boire et à converser devinrent une part si indissociable de l'*Encyclopédie*, de son écriture à sa publication, que dans l'article «Buveurs du soir», (où il passe en revue les écrivains les ayant influencés), pris par l'enthousiasme de l'énumération, Koçu mentionne les poètes ottomans qui, comme lui, ne pouvaient se passer de se rendre chaque soir dans les tavernes. Mais parmi ces écrivains «buveurs du soir», celui que Koçu cite avec le plus grand respect – après s'être naturellement saisi d'un prétexte pour amener le sujet sur la beauté des adolescents comme dans nombre d'articles, et s'être complaisamment attardé sur l'habillement, la tenue, la beauté, la finesse et l'élégance des jeunes échansons –, cet écrivain essentiel est Ahmet Rasim, dont j'ai parlé en évoquant le souvenir des épistoliers de la ville.

Avec son éloquence et son amour sans excès pour l'Istanbul authentique et lointain, son talent à brosser sur le vif des tableaux, des scènes, de petits récits très vivants à partir de ce qu'il avait vu et entendu en sortant dans les rues, sa puissance d'évocation dans ses souvenirs – qu'il raconte non comme s'il s'agissait d'histoires personnelles et intimes mais de quelque chose d'étrange appartenant au passé de la ville où il vit –, de même que sa manière de rappeler et cataloguer les habitudes, les coutumes, les traditions, les modes et les engouements perpétuellement changeants de la ville, Ahmet Rasim influença autant Reşat Ekrem Koçu que son professeur Ahmet Refik, dont il avait toujours suivi les traces.

La façon qu'avait Ahmet Rasim de raconter ses histoires d'amour, de libertinage et de turpitudes dont l'action se déroulait dans le vieil Istanbul, en leur donnant à la fois un goût de cruauté et d'intrigue et une atmosphère d'exotisme et de romantisme, influença Koçu. Une influence perceptible non seulement dans son *Encyclopédie d'Istanbul*, dont il avait lui-même rédigé la grande majorité des articles, mais aussi dans de nombreux textes «fondés sur des documents», qu'à l'instar de son professeur il avait écrits en vue de les publier dans les journaux. («*Sur le chemin de l'amour, quelles nouvelles d'Istanbul?*», «*Les tavernes du vieil Istanbul et leurs travestis*», «*Les femmes hommes*» sont les plus révélateurs de cette influence). Pendant qu'il publiait son *Encyclopédie*, profitant sans doute de la souplesse de la législation sur les droits d'auteur dans les années soixante en Turquie, il n'éprouvait pas la moindre gêne à faire dès qu'il le pouvait d'abondants emprunts à son maître. Peut-être parce qu'après toutes ces années il avait fini par penser – avec un égarement de collectionneur qu'on ne peut blâmer – que chacune des pièces découpées dans un journal ou recopiées, et conservées dans sa serviette, ses dossiers ou dans des enveloppes, étaient les siennes.

Mais un point essentiel sépare ces deux importants et singuliers écrivains. Istanbul, au cours de la période de quarante ans qui sépare leur naissance (1865 et 1905), avait vécu la parution des premiers journaux, un profond mouvement d'occidentalisation et l'oppression politique sous la période Abdülhamit, l'ouverture des universités, l'opposition et la propagande des Jeunes-Turcs, l'admiration de l'Occident en littérature et les premiers romans turcs, ainsi que les déplacements de populations et les grands incendies. Ce point essentiel est la façon dont Ahmet Rasim et Reşat Ekrem Koçu réagirent face aux conceptions littéraires que l'Occident leur avait apprises. Lorsque le très jeune Ahmet Rasim, dont les premiers romans et poèmes étaient influencés par la littérature occidentale, se retrouva en butte à l'échec, il commença à voir l'influence excessive de l'Occident comme une sorte d'«imitation», de snobisme, et quelque chose d'aussi absurde que de vendre des escargots dans un quartier musulman. Plus important encore, parce qu'il trouvait trop occidentales et «étrangères» des idées comme l'originalité, l'immortalité et le piédestal sur lequel était placé l'artiste, il adopta une conception littéraire plus humoristique, plus humble et plus proche du style des derviches : les articles destinés à la presse qu'il écrivait pour gagner sa vie – et ce, au gré de son inspiration, en puisant dans les ressources infinies de la vie d'Istanbul, sans se mettre trop en peine ni s'encombrer d'un quelconque souci de pérennité ou d'«art» –, il les écrivait sans grande difficulté. Koçu, en revanche, ne parvenait absolument pas à se dégager des formes littéraires occidentales, des catégorisations, de l'aspect scientifique et de l'idée de «grandeur littéraire». Il avait du mal à concilier l'idée qu'il se faisait des termes Occident et «occidental», avec sa prédilection pour les thèmes et objets insolites, les obsessions, les curiosités diverses et variées. Cela peut sans doute s'expliquer par sa méconnaissance des productions littéraires occidentales romantiques, marginales et s'écartant des normes, du fait qu'il vivait à Istanbul. Cependant, même s'il en avait eu meilleure connaissance, ce qu'il attendait d'un écrivain, d'un professeur, d'un éditeur issus de la culture marquée du sceau ottoman (et dans laquelle il vivait encore), ce n'était pas qu'il donne à ses textes une petite place dans les marges, mais qu'il établisse un dialogue instructif avec le centre de la société, les foyers du pouvoir et de la culture, et qu'il s'adresse à ce centre et l'interpelle. Koçu avait lui aussi voulu être professeur à l'université, puis après son renvoi publier une grande encyclopédie. Il sentait que ces institutions, qui régnaient sur le savoir, le classifiaient et en faisaient un centre de pouvoir, lui seraient d'une autre utilité : légitimer les «bizarreries» qui émanaient de lui, et les auréoler du nimbe protecteur de l'autorité et de «la science».

Cependant, les écrivains ottomans qui ressentaient les mêmes bizarreries et le même amour pour la ville et les beaux adolescents n'éprouvaient nul besoin d'une telle protection. Dans les *şehrengiz*, une forme littéraire très répandue aux XVIIᵉ et XVIIIᵉ siècles, les écrivains ottomans – exactement comme le ferait Koçu –, tout en énumérant les caractéristiques d'une ville et en en louant ses beautés, réservaient des pages aux plus beaux adolescents (sous le terme d'«aimés») de cette cité. Surtout, les vers dédiés aux beaux éphèbes ne se cachaient pas pudiquement derrière les monuments et les particularités de la ville. Au contraire, afin de louer, sur un ton mi-sérieux mi-moqueur, les beaux adolescents d'une cité, ces *şehrengiz* – auxquels Koçu fera de nombreux emprunts pour son

Encyclopédie – avaient été développés par les «poètes bohèmes», selon l'expression de Koçu. En feuilletant au hasard le *Seyahatname* d'Evliya Çelebi, sans s'arrêter aux «coupes» opérées par l'État turc moderne ni à ses censures déguisées, nous constatons que, lorsqu'il décrit une ville et parle de ses maisons, de ses mosquées, du climat, de son eau et de ses histoires insolites, même cet écrivain, pourtant réputé comme le plus «classique» des auteurs ottomans, fait chaque fois mention des éphèbes – des aimés – réputés dans la ville pour leur beauté. C'est bien parce qu'il se rendait compte que les efforts de centralisation, d'uniformisation, de discipline et de mise sous contrôle apportés par le mouvement de modernisation et d'occidentalisation coupaient également la voie à l'expression de ses propres inclinations, de ses obsessions, de ses «penchants sexuels réprouvés par la morale d'une famille de classe moyenne», que Reşat Ekrem Koçu entreprit de publier une *encyclopédie d'Istanbul*.

Au-delà de ce courage qui suscitait chez moi un profond respect, je devais certainement avoir une conception très naïve et enfantine de ce qu'était une encyclopédie en tant que produit de culture et de civilisation. À un endroit de son *De Osman Gazi à Atatürk*, qu'il publia après le premier abandon de l'*Encyclopédie d'Istanbul*, Koçu écrit qu'au XVᵉ siècle le livre traduit de l'arabe en turc et intitulé *Les Créatures merveilleuses* de Kazvinli Zekerya était déjà «une sorte d'encyclopédie». Cela témoigne aussi bien de l'effort de Koçu, poussé par un sentiment nationaliste, pour montrer qu'avant de passer sous l'influence de l'Occident les Ottomans avaient déjà, à cette période, découvert et utilisé des formes proches de l'encyclopédie, que du fait qu'il considérait l'encyclopédie comme une sorte de florilège alphabétique (une anthologie) où étaient consignées toutes sortes de connaissances. Koçu ne semblait absolument pas effleuré par l'idée qu'entre toutes ces connaissances ou ces «histoires» il était nécessaire d'établir un ordre, une relation de prépondérance et une hiérarchie logique servant de repère à la civilisation, et que c'était la raison pour laquelle, dans une encyclopédie, certains articles devaient être courts, certains longs, et certains – toujours selon la même logique – n'avaient absolument pas lieu d'être. Pour toutes ces raisons, il ne pensait pas que c'était lui qui devait servir l'Histoire mais qu'en réalité c'était l'Histoire qui devait se mettre à son service. De ce point de vue, Koçu peut être comparé à l'historien «impuissant» que décrit Nietzsche dans *De l'utilité et de l'inconvénient des études historiques pour la vie*, qui, en se perdant dans les détails du passé, transforme l'histoire de sa ville en sa propre histoire.

L'une des raisons de cette impuissance – comme chez les vrais collectionneurs qui évaluent les pièces de leur collection en fonction de leur valeur affective et non du marché – est l'attachement sentimental de Koçu pour ces histoires que, pendant des années, il avait puisées dans la vie, les journaux, les bibliothèques et les archives ottomanes. Mais un collectionneur heureux (la plupart du temps un homme «occidental»), qu'il soit mû par un motif très intime ou agisse selon la logique d'un projet raisonné, est en dernier ressort capable de présenter la collection à laquelle il a consacré sa vie selon un ordre disposant chaque chose par catégorie, établissant des liens entre elles, et leur donnant du sens selon une logique et un système précis – exactement comme le ferait un encyclopédiste. Ce genre d'institution s'appelle un musée et, à l'époque de Koçu, il n'existait pas un seul musée fondé sur une collection personnelle (cela semble encore le cas). Si nous envisageons les grands musées vieux de centaines d'années et les encyclopédies regroupant un acquis similaire comme quelque chose qui offre aux objets – grâce à la logique de leur collation, de leur catégorisation et de leur exposition – du sens et un ordre, comparer l'*Encyclopédie d'Istanbul* de Koçu non à un musée, mais aux «cabinets de curiosités» préexistant aux premiers musées serait plus approprié. Tourner les pages de l'*Encyclopédie d'Istanbul*, suscite l'étonnement et prête à sourire, comme regarder avec l'œil d'aujourd'hui les coquillages, les squelettes d'animaux étranges, les pierres et les cristaux exposés dans les vitrines de ces cabinets de curiosités à la mode notamment entre le XVIe et le XVIIIe siècles chez les princes et les artistes européens.

L'*Encyclopédie d'Istanbul* était un ouvrage qu'affectionnaient beaucoup, sans se départir de ce sourire, les bibliophiles de ma génération. Un sourire assurément empreint d'une moue dubitative, moins envers Koçu qu'envers le terme d'«encyclopédie» employé pour cette œuvre étrange par la jeune génération d'il y a un demi-siècle, qui se targuait d'être «occidentale» et «moderne». Empreint aussi de tendresse et de compréhension envers le désir, plein de naïveté et

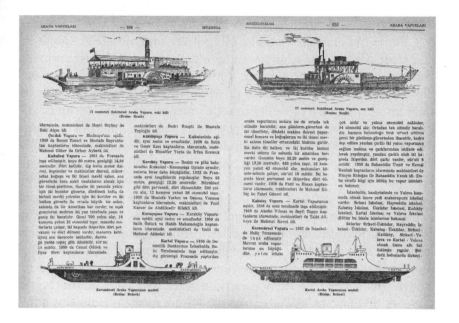

d'optimisme, de s'approprier au hasard et sans ordre un concept que la société occidentale avait mis des siècles à développer. Mais de manière plus profonde, il y a aussi le bonheur de posséder un livre reflétant à merveille l'étrangeté, la complexité, l'anarchie, et la bizarrerie d'Istanbul divisé entre modernité et civilisation ottomane, autant d'aspects ne rentrant dans aucune catégorie ou aucune discipline.

Il m'arrivait parfois de rencontrer des personnes obligées de lire la totalité de ces onze volumes : un ami historien de l'art faisant une recherche sur les *tekke* détruits d'Istanbul, un autre sur les hammams que personne ne connaît… À ce moment-là, sans nous départir de ce même sourire mélancolique, nous éprouvions un inexorable besoin de parler un peu de l'*Encyclopédie d'Istanbul*. Je demandai à mon ami chercheur s'il avait lu qu'à la porte de la partie réservée aux hommes des anciens hammams d'Istanbul il se trouvait toujours des ravaudeurs pour réparer les chaussures trouées et les vêtements abîmés de ceux qui se lavaient à l'intérieur. Mon ami me demanda alors, en faisant référence à l'article « La prune de la sépulture d'Eyyubsultan », du même volume, pour quelle raison on donnait le nom de « prune de sépulture » à une variété de prune qui poussait à Istanbul.

«Qui était ce Bahriyeli Ferhad?» demandai-je encore en feuilletant le volume qui était sur la table. (Réponse: un courageux soldat de la marine n'ayant pas hésité à sauter à la mer pour secourir un jeune homme de dix-sept ans qui était tombé d'un *vapur* à destination des îles aux Princes, un jour d'été de 1958.) Nous nous rappelions en riant une expression devenue rituelle, surtout dans les derniers volumes: «Au moment de la rédaction de cet article, nous n'avons pas pu aller voir la rue dans son dernier état.» Nous parlions de la manière dont, en 1961, Arnavut Cafer, un gangster de Beyoğlu, avait tué l'homme lige de son redoutable concurrent (article *« Le meurtre de Dolapdere »*) ou du *« Café des joueurs de dominos »* (également le titre d'un l'article) où s'étaient réunis un temps les passionnés de ce jeu, particulièrement prisé par les minorités grecque, juive et arménienne d'Istanbul. Ici, lorsque je racontais par exemple que, dans mon enfance, on jouait aux dominos dans notre immeuble, qu'on trouvait jadis des jeux de dominos dans les magasins de jouets, les bureaux de tabac et les papeteries de Nişantaşı et de Beyoğlu, notre conversation, glissant vers les souvenirs, pouvait prendre un tour plus nostalgique. Ou bien, nous discutions de l'article intitulé *« L'homme caleçon »*, cet homme qui s'était fait circoncire de manière esthétique et qui «se promenait de pays en pays avec cinq filles pour en faire la publicité, et que tous les marchands venant d'Anatolie connaissaient très bien, lui et ces filles»; ou de l'hôtel Impérial de Beyoğlu, le préféré des touristes occidentaux, ou encore, comme le relatait en détail l'article *« Boutique »*, de la manière et la logique selon lesquelles les noms des boutiques d'Istanbul avaient changé.

À un moment donné, même si c'était de l'*Encyclopédie d'Istanbul* que nous discutions, on comprenait à notre sourire que notre enthousiasme et notre affection allaient à Reşat Ekrem Koçu. Mais au bout d'un moment, la tristesse, que nous sentions peser de plus en plus, nous montrait que ce n'était pas cela non plus le sujet essentiel. Non, le thème essentiel était le constat que l'effort de Koçu pour appréhender la complexité chaotique d'Istanbul à travers les modes d'explication et de catégorisation «scientifiques» de la pensée occidentale s'était soldé par un échec. L'une des raisons en était certainement la différence, la complexité chaotique, l'anarchie, l'étrangeté sans pareille d'Istanbul par rapport aux villes européennes, son désordre résistant à toute classification habituelle. Mais d'un certain côté, notre façon de déplorer cet aspect « aberrant », singulier et autre, nous montrait que ce n'était pas une plainte mais une fierté et, en fait, une sorte de chauvinisme stambouliote du genre de celui qu'appréciaient les amateurs de l'*Encyclopédie* de Koçu.

Lorsque nous pensions – pour ne pas tomber dans un surcroît d'aberration en nous vantant de l'aberration d'Istanbul – que la raison de l'abandon et de l'échec de l'*Encyclopédie* de Koçu provenait du fait que notre mélancolique écrivain ne maîtrisait pas suffisamment les modes de compréhension et de classification de la pensée occidentale, du fait qu'il n'était tout simplement pas assez occidental, nous nous rappelions que c'était justement pour ces raisons, grâce à cet « échec », que nous l'aimions. Ce qui a mené l'*Encyclopédie d'Istanbul* – ou les œuvres des quatre écrivains mélancoliques – à l'inachèvement ou à l'échec vient de ce que ces écrivains ne furent jamais occidentaux jusqu'au bout. Mais ils s'étaient dégagés de l'identité traditionnelle au point d'être capables de porter un autre regard sur la ville et les tableaux qu'elle offrait, et ils avaient courageusement entrepris, pour devenir occidentaux, un voyage sans re-

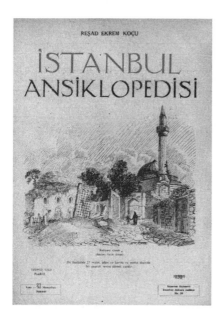

tour qui les laissa au final entre l'Occident et l'Orient. Les pages les plus profondes et les plus «belles» des œuvres de Koçu et des trois autres écrivains mélancoliques, écrites au prix d'une grande solitude et récompensées par une singulière originalité, sont les pages restées entre ces deux mondes.

Après la mort de Koçu, au milieu des années soixante-dix, je voyais les fascicules non reliés de l'*Encyclopédie d'Istanbul* et les ouvrages que Koçu avait publiés les dernières années à compte d'auteur exposés au milieu des vieux livres jaunis, fanés, humides et bon marché dans le carré aux bouquinistes accolé à la mosquée de Beyazıt où je me rendais chaque fois que j'allais au Grand Bazar. Les vendeurs que je connaissais m'assuraient que les volumes que j'avais découverts dans la bibliothèque de ma grand-mère paternelle, même vendus au kilo, ne trouveraient jamais preneur.

19

Conquête ou Chute?
Constantinople devient turc

Comme la plupart des Turcs d'Istanbul, je m'intéressais très peu à Byzance dans mon enfance. Le nom de Byzance m'évoquait alors les barbes et les vêtements effrayants des prêtres orthodoxes, les arches byzantines disséminées dans la ville, les vieilles églises en brique rouge et Sainte-Sophie. Tout cela remontait d'ailleurs à une époque suffisamment ancienne pour se passer de le connaître. Les Ottomans

qui avaient conquis et mis fin à l'Empire byzantin me semblaient eux-mêmes déjà très lointains. Nous autres, nous étions la première génération de la «nouvelle civilisation» à leur succéder à Istanbul. Les Ottomans, dont Reşat Ekrem Koçu avait décrit les aspects insolites, avaient au moins des noms qui ressemblaient aux nôtres. Les Byzantins, eux, s'étaient éteints avec la Conquête. Quant aux

descendants des descendants de leurs descendants, ils dirigeaient des manufactures, des boutiques de chaussures et des pâtisseries à Beyoğlu. L'une des distractions favorites de mon enfance était de sortir faire des achats avec ma mère dans Beyoğlu, où nous faisions le tour de toutes sortes de boutiques tenues par les *Rum*. Chez certains marchands de tissus, la famille entière – père, mère, filles – travaillait dans le magasin, et quand ma mère s'y rendait pour choisir des rideaux ou du velours pour des housses de coussins, ils se mettaient tous à parler en grec entre eux, à toute allure. Ensuite, à la maison, j'imitais cette drôle de langue et les mouvements empressés des filles et de leur père autour du comptoir. L'attention qu'on accordait à mes imitations, le ton qu'employaient les journaux en parlant d'eux et cette habitude de les réprimander sans arrêt en leur disant « Parlez turc ! », me laissaient entendre que les *Rum*, comme les pauvres ou les habitants des bidonvilles, n'étaient pas des gens « estimables ». Je pensais que cela n'était pas étranger au fait que Mehmet le Conquérant leur ait ravi la ville. Le cinquième centenaire de la Conquête d'Istanbul, régulièrement qualifiée de « grand miracle », fut célébré en 1953, un an après ma naissance, mais rien ne captiva autant mon intérêt que la collection de timbres imprimés à cette occasion. Le passage des bateaux par voie de terre, le portrait de Mehmet II par Bellini ou tous les rêves sacrés liés à la Conquête, comme la forteresse de Rumelihisarı, figuraient sur ces timbres comme un défilé de parade.

D'après le nom donné à certains événements historiques, on peut savoir à quel endroit du monde on se trouve, en Orient ou en Occident. Ce qui s'est passé le 29 mai 1453 correspond pour les Occidentaux à la Chute de Constantinople, et à la Conquête d'Istanbul pour les Orientaux. La « Chute » ou la « Conquête » en bref. Des années plus tard, à l'Université Columbia de New York où elle faisait ses études, ma femme s'est vue taxée de nationalisme par son professeur américain parce qu'elle avait employé le terme de « Conquête » dans un devoir. Comme elle était allée au lycée en Turquie, c'est avec les termes de l'éducation nationale turque qu'elle abordait ce fait historique, mais le cœur de ma femme, d'origine russe par sa mère, penchait un peu néanmoins du côté des orthodoxes. Ou bien, peut-être ne considérait-elle cet événement ni comme une conquête ni comme une chute, mais, à l'image de ces infortunés prisonniers de guerre n'ayant d'autre choix que d'être chrétien ou musulman, était-elle restée entre deux mondes.

C'est grâce à l'occidentalisation et au nationalisme turc du début du xxᵉ siècle que les Stambouliotes ont appris à commémorer l'événement en tant que « Conquête ». Au début du siècle dernier, la moitié de la population d'Istanbul n'était pas musulmane, et la majorité des non-musulmans étaient des Grecs, dans la continuité des Byzantins. Pendant mon enfance et mon adolescence, il existait un puissant mouvement nationaliste turc craignant que l'usage du mot Constantinople n'amène à penser que les Turcs n'étaient pas originaires de cette ville, et à voir un jour ses premiers propriétaires revenir nous chasser de ces lieux que nous occupions depuis cinq siècles, ou tout au moins, à faire de nous des citoyens de second rang. Pour eux, l'idée de « Conquête » avait donc toute son importance. Pourtant, les Ottomans eux-mêmes appelaient parfois cette ville Constantinople.

Les Turcs soucieux d'occidentalisation n'aimaient pas, quant à eux, souligner ce terme de Conquête. En 1953, pour ne pas froisser leurs amis occidentaux et les Grecs, le président de la République Celal Bayar et le Premier ministre Adnan Menderes renoncèrent au dernier moment, en dépit d'années de préparatifs, à assister aux cérémonies du cinquième centenaire de la Conquête. Dans les premières années de la guerre froide, la Turquie, membre de l'OTAN, ne tenait pas à rappeler au monde cet événement. Mais trois ans plus tard, lorsqu'en 1955 les foules encouragées en sous-main par le gouvernement turc échappèrent à tout contrôle, les biens des *Rum* et des autres minorités d'Istanbul furent pillés. Ces incidents au cours desquels des églises furent saccagées et des prêtres tués ne sont pas sans rappeler les actes de pillage et de sauvagerie décrits par les historiens « occidentaux » de la chute de Constantinople. En raison des erreurs commises par les États turc et grec, qui, après la fondation des États-nations, traitèrent en « otages » les minorités présentes sur leur territoire, les Grecs qui quittèrent Istanbul ces cinquante dernières années dépassent largement le nombre de ceux qui partirent au cours du demi-siècle après 1453.

En 1955, alors que les Britanniques se retiraient de Chypre et que le gouvernement grec s'apprêtait à prendre le contrôle total de l'île, un agent des services secrets turcs fit sauter la maison natale d'Atatürk à Salonique. La nouvelle se répandit dans toute la ville par le biais des journaux d'Istanbul qui grossirent l'événement en sortant une édition spéciale, et une foule hostile aux minorités non musulmanes se rassembla sur la place de Taksim avant de se répandre dans Beyoğlu d'abord, vers ces boutiques où nous allions avec ma mère, puis dans tout Istanbul, pour détruire, incendier et piller jusqu'au matin.

Dans les quartiers à forte population *rum* comme Ortaköy, Balıklı, Samatya ou Fener, les bandes de pillards, dont la violence répandit l'épouvante, et qui, à certains endroits, saccagèrent et pillèrent les échoppes de pauvres petits épiciers *rum*, brûlèrent leur masure, investirent les maisons et violèrent les femmes *rum* ou arméniennes, se comportèrent de manière aussi brutale et barbare que les soldats de Mehmet le Conquérant lâchés dans la ville après la prise d'Istanbul. Par la suite, il s'avéra que pour mettre en mouvement ces pillards, qui pendant deux jours semèrent la terreur et transformèrent Istanbul en un lieu plus infernal encore que le pire cauchemar oriental des chrétiens et des Occidentaux, les meneurs soutenus par l'État leur avaient assuré qu'ils étaient libres de piller.

Au matin, après cette nuit où tout non-musulman courait le risque d'être lynché dans la rue, Beyoğlu et l'avenue İstiklal étaient emplis de tout ce qui n'avait pu être emporté des magasins vandalisés aux vitrines et aux portes dévastées, mais avait été saccagé à plaisir. Au-dessus de rouleaux de tissus de toutes sortes et de toutes les couleurs, de tas de tapis, de monceaux de vêtements, gisaient des frigidaires, des radios et des machines à laver dont l'usage commençait à se répandre en Turquie. La rue était jonchée de services en porcelaine en miettes, de jouets (à cette époque les meilleures boutiques de jouets se trouvaient à Beyoğlu), d'ustensiles de cuisine, d'éclats de verre d'aquariums, très en vogue en ce temps-là, et d'abat-jour. De-ci, de-là, on voyait des bicyclettes, des voitures retournées ou incendiées, un piano disloqué ou les mannequins de la vitrine d'un grand magasin, brisés, le regard vers le ciel, renversés en direction de la chaussée couverte de tissus,

213

et, même si c'était un peu tard, des chars arrivant pour ramener le calme.

Pendant des années, on parla de ces incidents à la maison, et tous les détails étaient aussi vivants dans ma tête que si je les avais vus de mes propres yeux. Mais à l'heure où les familles chrétiennes nettoyaient leur maison et leur boutique, chez nous, le principal sujet de

discussion était la façon dont mon oncle suivait les événements en courant d'une fenêtre à l'autre dans l'appartement de ma grand-mère paternelle, pendant que les bandes de pillards déchaînés passaient devant notre immeuble, montaient et redescendaient la rue, démolissaient les vitrines des magasins et lançaient des slogans contre les *Rum*, les chrétiens et les riches. Mais parce que mon frère aîné, quelques jours auparavant, avait suspendu un de ces petits drapeaux turcs en tissu acheté dans la boutique d'Alaaddin où, à cause de la montée du nationalisme turc de cette période, ils commençaient aussi à être en vente, on ne toucha ni à la Dodge de mon oncle ni à nos vitres.

20

La religion

Jusqu'à l'âge de dix ans, j'ai été habité par une image de Dieu très précise : c'était celle d'une femme vénérable, aux traits indistincts, extrêmement âgée et drapée de blanc. Bien que d'apparence humaine, cette figure n'apparaissait pas devant mes yeux comme les autres personnages qui peuplaient mon imaginaire, ni comme n'importe qui que j'aurais pu croiser dans la rue. Parce qu'elle avait la tête baissée et se tenait légèrement de profil. Lorsqu'elle s'imposait à mon esprit, alors plongé dans un état tenant à la fois de la curiosité et de l'humble soumission, toutes les images que j'avais dans la tête refluaient, et, après s'être gracieusement tournée une ou deux fois sur elle-même comme dans les films publicitaires ou les génériques de films, cette apparition prenait des contours plus nets et plus tangibles, puis elle s'élevait légèrement dans les airs, vers les contrées auxquelles elle appartenait, au milieu des nuages. Les plis de son tcharchaf blanc étaient minutieusement travaillés, comme les drapés de ces statues dont j'avais vu la reproduction dans les livres d'histoire. Lorsque cette silhouette dont on ne distinguait ni les mains, ni les bras, ni aucune partie du corps surgissait devant mes yeux, je sentais qu'une créature supérieure, très puissante et très respectable, était descendue dans mon esprit, mais je n'en avais pas vraiment peur. Non que je me croie au-dessus de tout péché ou d'une innocence immaculée, mais j'avais le sentiment que cette éminente et lointaine créature ne pouvait s'intéresser à mes songes absurdes et à mes fautes. Je ne me souviens pas de l'avoir jamais appelée à mon secours ni lui avoir demandé quoi que ce soit. Parce que j'étais trop conscient qu'elle avait plus à voir avec les pauvres qu'avec les gens comme moi.

Dans notre immeuble, seuls les domestiques et les cuisiniers s'intéressaient à cette image. Que Dieu n'ait pas seulement à voir avec les pauvres mais avec tous les gens de notre maisonnée, que théoriquement du moins il devait en être ainsi, je m'en doutais un peu, mais nous, nous avions l'heureuse fortune de ne pas avoir besoin de lui. Lui, il venait en aide à ceux qui souffraient, à ceux dont la pauvreté était si grande qu'ils ne pouvaient envoyer leurs enfants à l'école, aux mendiants des rues ayant constamment Son nom sur les lèvres, et aux gens simples et bons se trouvant dans la détresse. C'est pour cela que, lorsque la radio parlait de lointains villages qu'une tempête de neige avait coupés du reste du monde, ou des malheureux qu'un tremblement de terre avait laissés sans abri et sans pays, ma mère disait : « Que Dieu leur vienne en aide ! » Moins que le désir de voir cette prière exaucée, ces mots servaient surtout à évacuer la culpabilité passagère que nous éprouvions à cet instant que tout aille bien pour nous, ainsi que le sentiment de vide provoqué par le fait de ne pas pouvoir faire grand-chose pour les gens en difficulté.

D'ailleurs, avec notre esprit rationnel porté au savoir livresque et aux mathématiques, nous savions que la douce créature à l'âge vénérable et drapée de blanc qui hantait mon imagination resterait sourde à nos vœux. C'est pour cela que nous ne faisions rien. Cependant, les cuisiniers, les domestiques de l'immeuble et tous les autres pauvres que nous connaissions s'employaient avec zèle à mettre à profit chaque occasion de se rapprocher de Dieu : ils jeûnaient un mois par an, et chez nous, pendant les moments de liberté que lui laissait son service, notre Esma Hanım étalait un tapis de prière dans sa petite chambre, et à ses heures de joie, de peine, de bonheur, de peur et de colère, et parfois, en ouvrant ou fermant la porte, en faisant une chose pour la première ou la dernière fois et à maintes autres occasions, elle L'invoquait et marmonnait des paroles en mentionnant Son nom.

Lorsque cette relation opiniâtre que les pauvres et les démunis entretenaient avec Dieu se bornait à rappeler qu'ils avaient besoin d'aide, les autres membres de la maison et moi-même n'en concevions pas un trop grand désagrément. Je dirais même que le fait qu'ils s'en remettent à d'autres, qu'il existe une force autre que nous pour « assumer leur charge », nous procurait un certain soulagement. Mais cette manière de nous délester sur Dieu de notre fardeau nous inquiétait parfois, car elle Lui accordait une toute-puissance qu'ils pourraient un jour utiliser contre ceux qui comme nous étaient dépourvus de foi religieuse, ou tout du moins en faire une force susceptible d'éveiller chez nous une certaine jalousie.

Je me souviens d'avoir plusieurs fois observé avec attention, moins par ennui que par curiosité, notre vieille domestique pendant qu'elle faisait sa prière, et avoir été en proie à cette sorte d'inquiétude. Sur son tapis de prière, la tête baissée et de profil comme l'image de Dieu que j'avais à l'esprit, Esma Hanım accomplissait de lents mouvements, se baissait, se relevait, posait le front sur son petit tapis, ralentissait soudain le rythme, et tandis que je la regardais par l'entrebâillement de la porte, tous ses gestes m'apparaissaient comme une imploration, l'acceptation résignée de ses propres limites, et suscitaient en moi une inquiétude et une colère que j'avais du mal à m'expliquer. Pendant ces prières qu'elle faisait lorsque personne n'était à la maison et qu'elle n'avait pas de travail, le silence qui régnait dans la pièce plongée dans la pénombre et régulièrement interrompu par ses chuchotements me portait sur les nerfs. Mon regard se fixait sur une mouche en train de monter lentement le long de la vitre. La mouche tombait sur le dos, se débattait pour se redresser, et tandis que le bourdonnement affolé de ses ailes diaphanes se mêlait aux prières susurrées d'Esma Hanım, n'y tenant plus, je tirais sur son foulard pour rompre ce jeu exaspérant.

Je savais d'expérience que m'ingérer dans ses prières les « romprait ». Alors que la vieille femme, rassemblant toute sa volonté pour ne pas s'interrompre, poursuivait ses prières comme si de rien n'était, tout en observant d'un côté l'aspect feint et artificiel de ses actes (parce qu'à présent elle ne pouvait que faire semblant de prier), de l'autre, je fulminais contre sa détermination à mettre toute sa force mentale dans ce qu'elle faisait et engageais avec elle une guerre des nerfs. De même que toute la famille était très indisposée par les bigots, je supportais difficilement que Dieu s'immisce entre moi et cette femme qui me couvrait toujours d'affection, qui à la moindre occasion me prenait dans ses bras et me cajolait, ou me présentait comme son « petit-fils » aux passants qui me trouvaient mignon. J'éprouvais malgré tout du respect envers la volonté dont elle faisait preuve pour continuer ses prières, mais l'attachement qu'elle

montrait à une autre instance que nous me mettait mal à l'aise et me faisait peur. Et la peur que j'éprouvais, comme toute la bourgeoisie turque laïque, n'était pas la crainte de Dieu, mais la peur de la colère de ceux qui croient trop en Lui.

Quelquefois, lorsque Esma Hanım faisait ses prières, ma mère ayant besoin de ses services se mettait à l'appeler du fin fond de l'appartement ou attendait qu'elle veuille bien venir décrocher le téléphone en train de sonner. À ce moment-là, la tâche qui m'incombait était de courir dire à ma mère qu'Esma Hanım était occupée à faire sa prière. Parfois, je le faisais de bon cœur, d'autres fois, sous le coup de la même étrange inquiétude, de l'envie d'être méchant mêlée à un sentiment de jalousie, je ne bougeais pas et attendais de voir ce qui se passerait. Il y avait à ce moment-là autant l'envie de mesurer laquelle des fidélités de notre domestique, à nous ou à Dieu, était la plus forte que le désir d'entrer en guerre avec le monde où elle se repliait et dont elle ressortait parfois en brandissant de furieuses menaces.

« Si jamais tu tires mon foulard pendant que je prie, ta main se changera en pierre ! » disait Esma Hanım. Je tirais quand même sur son foulard, et je n'étais pas changé en pierre. Mais, comme les grands, qui même s'ils ne croient en rien ne se départent jamais de leur prudence car on ne sait jamais, j'interrompais mon jeu à un moment donné. Parce que ne pas avoir été changé en pierre, maintenant, ne voulait pas dire que cela ne me m'arriverait pas ultérieurement. Comme tous les gens posés et modérés de notre immeuble, passé un certain point, j'abandonnais là mon indifférence et mon attitude railleuse à l'endroit de la religion, et balayant sans comprendre cette peur de Dieu des croyants, je mettais, sans trop le souligner, leurs croyances et leurs habitudes religieuses sur le compte de leur pauvreté.

J'avais l'impression que c'était parce qu'ils étaient pauvres qu'ils invoquaient sans cesse le nom de Dieu. Mais la manière dont on parlait à la maison, d'un air mi-stupéfait mi-méprisant, du caractère par trop dévot de quelqu'un et du fait qu'il fît ses cinq prières par jour, avec le même air interloqué qu'on aurait eu en face d'un autre tout frais débarqué de son village, aurait pu m'amener à une conclusion totalement inverse : c'était peut-être parce qu'ils croyaient autant en Dieu qu'ils étaient restés pauvres.

Si je n'ai pas développé l'image de ce Dieu vénérable et drapé de blanc qui m'habitait, et si, retenu de creuser la question à cause d'une peur vague et d'une certaine prudence, la relation que j'avais avec elle n'est restée que passagère, l'une des raisons tient au fait que personne à la maison ne m'a donné d'éducation à ce sujet. Peut-être n'avaient-ils eux-mêmes aucune connaissance qu'ils puissent me transmettre : dans notre immeuble, je n'ai jamais vu aucun membre de ma famille faire ses prières, observer le ramadan ou murmurer une oraison. De ce point de vue, ils vivaient comme les bourgeois français ayant passablement pris leurs distances avec la religion mais effrayés à l'idée de régler pour de bon leurs comptes avec elle.

Comme la ferveur laïque de la République kémaliste opposait à ce vide de croyance – pouvant passer pour un manque de principes, un cynisme ou un manque de foi – l'image d'un enthousiasme pour la modernité et l'occidentalisation, cette paresse spirituelle brûlait aux moments adéquats des feux d'un « idéalisme » exhibé avec fierté avant de retomber comme un feu de paille. Mais comme rien de profond n'était venu remplacer la religion, le paysage spirituel à l'intérieur de la famille était aussi vide que les terrains vagues couverts de fougères et les vestiges des anciennes grandes demeures en bois emportées sans résistance par les flammes.

Ce vide et ma curiosité (pourquoi alors avait-on construit toutes ces mosquées ?), ce sont la croyance et les pratiques des domestiques de la maison qui les ont comblés. De tous ces « Si tu y touches, tu seras changé en pierre », « Sa langue s'est nouée », « Un ange est venu et l'a emporté au ciel », « Ne commence pas du pied gauche », il ne m'était pas difficile de déduire que la religion était une sorte de superstition ou de « croyance aveugle ». Les petits morceaux de tissu noués aux tombes des cheiks, les bougies allumées sur la sépulture de Sofu Baba à Cihangir, les «remèdes de bonne femme» que les domestiques, qui ne consultaient pas de médecin, préparaient eux-mêmes dans la cuisine, et – entrés par le biais de la langue dans notre foyer républicain et proeuropéen –, les proverbes, les dictons, les admonestations et les exhortations émanant de l'histoire multicente-naire de divers *tekke* et ordres religieux transformaient l'existence en un amusant jeu de marelle dont à certains moments il ne fallait pas fouler certains carrés ou certains cercles et, à d'autres, sauter dessus à cloche-pied. Même maintenant, lorsque je marche sur une grande place, dans un couloir ou sur les trottoirs, le fait de ne pas poser le pied sur les interstices qui courent entre les dalles ou d'éviter les carrés noirs placés en intervalles devenant d'un seul coup pour moi une affaire de superstition, je me mets à marcher en sautillant.

L'abondance de ce genre de croyances et d'interdictions qui te-naient lieu de religion se confondait parfois dans ma tête avec les recommandations de ma mère, comme le fameux «On ne montre pas du doigt». En entendant cette phrase «N'ouvrez pas la porte et la fenêtre, ça fait un courant d'air», j'ai longtemps cru qu'à l'instar de Sofu Baba, par exemple, il existait aussi un Courant d'air Baba dont il ne fallait pas troubler l'âme.

Plus que sa perception comme un acte voué à interpeller les af-faires de ce monde et notre conscience par le biais de l'existence de Dieu, des livres, des règles et des prophètes, c'est la réduction de la religion à tout un ensemble de règles bizarres et parfois amusan-tes – auxquelles s'intéressaient les classes inférieures du fait de leur détresse – qui facilitait son acceptation dans notre vie quotidienne ballottée au gré d'une drôle de musique et de logique, entre l'Orient et l'Occident. Ni ma grand-mère, ni dans la génération suivante mes oncles, mes tantes, mon père, ma mère n'ont jeûné une seule journée mais, pendant le ramadan, on attendait l'heure de la rupture du jeûne avec l'appétit de ceux qui l'observaient. Pendant l'hiver où la nuit tombait tôt, tandis que ma grand-mère paternelle jouait au poker ou au bésigue avec ses invitées, la rupture du jeûne se transformait en un rituel de l'heure du thé. Ces vieilles dames enjouées qui mangeaient toujours quelque chose en jouant aux cartes cessaient de boulotter à mesure que l'heure de la rupture du jeûne approchait, et tout près de la table de jeu était dressée avec soin une table qu'on aurait pu trouver dans la demeure d'un croyant fortuné, abondamment garnie de toutes sortes de confitures, de fromages, d'olives, de *börek* et de *sucuk*, et, lorsqu'à la radio retentissait le son du *ney* qui annonçait l'imminence de l'heure, ma grand-mère et ses hôtes, à croire qu'elles n'avaient rien avalé depuis le matin, demandaient avec impatience « Combien de temps reste-t-il encore ? » et après le tir du canon, après avoir attendu que le cuisinier ai mangé quelque chose dans l'office, elles se mettaient à leur tour à dévorer avec avidité. Aujourd'hui encore, chaque fois que j'entends un son de *ney* à la radio, l'eau me vient à la bouche.

La première fois qu'on m'emmena à la mosquée, cela eut pour effet de confirmer le préjugé fondamental que je nourrissais au sujet de la religion et de l'islam. Ce n'était pas une visite officielle : un après-midi où tout le monde était sorti, la domestique Esma Hanım, moins par amour du rituel que parce qu'elle s'ennuyait ferme à la maison, m'emmena à la mosquée sans demander l'autorisation de personne. Dans la mosquée de Teşvikiye, une petite foule de vingt ou trente personnes, formée des domestiques, des cuisiniers et des concierges qui servaient chez les riches familles de Nişantaşı, et les propriétaires de petites boutiques des rues adjacentes, était assise sur

les tapis, moins dans une atmosphère de célébration religieuse que dans un esprit de solidarité et de camaraderie, et se livrait en chuchotant à des ragots en attendant l'heure du sermon. Je me souviens de m'être promené parmi eux pendant qu'ils faisaient leur prière, avoir couru et joué dans les recoins isolés de la mosquée, et du fait que personne ne m'ait grondé ou forcé à me tenir tranquille, et même que de nombreuses personnes m'avaient très gentiment souri, comme cela a toujours été le cas dans mon enfance. J'avais une fois de plus constaté que la religion était faite pour les pauvres, mais contrairement aux caricatures des journaux et à l'atmosphère républicaine qui régnait à la maison, je m'étais convaincu que les croyants étaient des gens inoffensifs.

Mais je comprenais, en voyant de temps en temps le dédain de mise chez nous se transformer en colère autoritaire, qu'il existait une contradiction entre l'aspect bon et naïf de ces gens et les choses auxquelles ils croyaient, une contradiction que venaient encore renforcer les grands projets visant à la modernisation, à l'européanisation et au développement. Et il nous incombait, non seulement dans nos propres intérêts mais dans ceux du pays, de faire montre d'une vigoureuse fermeté contre l'attachement excessif à leurs croyances de ces gens « ignorants » que notre statut de possédants, et surtout le fait d'être occidentalisés et « positivistes » nous octroyait le droit de diriger. Je saisissais, avec mon esprit d'enfant, que les récriminations acerbes de ma grand-mère paternelle, lorsqu'elle apprenait qu'un électricien devant réparer quelque chose était allé faire sa prière, visaient moins une petite réparation restée en souffrance que la tradition et les pratiques qui nous maintenaient dans un état de sous-développement.

De même que je percevais dans les journaux à travers les articles kémalistes, les caricatures de femmes en tchador noir et de réactionnaires, barbe en collier et chapelet à la main et à l'école à travers les commémorations de Kubilay – soldat martyr de la révolution – que les aimables superstitions des pauvres pourraient atteindre de redoutables extrémités capables de nuire à nous-mêmes, au pays et à la nation dont nous nous sentions un peu plus qu'eux dépositaires ; je sentais également que notre fortune, en tant que classe dominante, était méritée. À ces moments-là, cédant à l'état d'esprit scientifique porté aux mathématiques en vigueur à la maison, j'en déduisais que, si nous étions dans une position de «maîtres», ce n'était pas parce que nous avions de la fortune, mais parce que nous étions occidentalisés et modernisés. Et cela nous amenait à dénigrer les familles qui, bien qu'aussi riches, n'étaient pas aussi occidentalisées que nous. Les années suivantes, lorsque, la démocratie progressant un peu, les autres riches du pays ayant quitté leur province pour Istanbul commencèrent à faire leur apparition «en société», comme les faillites à répétition de mon père et de mon oncle nous avaient appauvris, la fortune de certaines personnes ignorant tout de la culture occidentale et de la laïcité mais bien plus riches que nous commença à provoquer déception et colère dans la famille: si les biens, les propriétés, les privilèges et le confort que nous étions en train de perdre, nous les méritions parce que nous étions occidentalisés, comment se justifierait la richesse de ces gens qui sur de nombreux sujets spirituels (à cette époque j'ignorais tout de Mevlana, des finesses du soufisme et de la grande culture iranienne) pensaient comme des chauffeurs ou des cuisiniers, et que certains gauchistes dont les actions provocatrices préparaient le terrain au coup d'État militaire appelaient *hacıağa*[35]? Ce n'est pas contre les attaques de la gauche (d'ailleurs il n'y a jamais eu en Turquie de mouvance de gauche aussi puissante), mais bien plus poussée par la peur de voir un jour les classes inférieures et les riches provinciaux brandir en commun la bannière de la religion contre leur propre style de vie que la bourgeoisie occidentalisée d'Istanbul soutint l'ingérence de l'armée dans la politique et toutes les interventions militaires faites à Ankara ces dernières quarante années. En glissant subrepticement de la religion à la sphère de l'islam politique, beaucoup moins lié à la religion que ce que l'on imagine, et des coups d'État militaires, je crains de rompre la secrète harmonie de ce livre.

Pour moi, le thème essentiel de la religion, c'est la culpabilité. Dans mon enfance, j'ai éprouvé ce sentiment de culpabilité parce que je n'avais pas assez peur de l'image de cette femme vénérable drapée de blanc qui s'imposait de temps en temps à mon esprit, et parce que je n'arrivais pas suffisamment à y croire. Je me suis également senti coupable de me tenir à part de ceux qui y croyaient. Mais avec un instinct enfantin, j'ai embrassé de toutes mes forces ce sentiment de culpabilité comme un malaise capable d'apporter de la profondeur à mon être – tout comme le monde imaginaire où je m'évadais sans cesse, sans effort et sans que rien puisse m'en empêcher – et d'enrichir ma vie de plus de couleurs et d'intelligence. Ce mal-être anxieux m'a rendu malheureux la plupart du temps, mais par la suite, pas tandis que j'étais plongé dans ses affres mais en m'en rappelant, il m'a permis d'aimer la vie que j'avais laissée derrière moi. J'aimais à penser que l'autre Orhan, dont j'ai souvent imaginé l'existence, ailleurs, vivant heureux dans un autre appartement d'Istanbul, n'était pas assailli quant à lui par des tourments comme la peur de la religion et le sentiment de culpabilité. Lorsque j'en avais assez des exigences de la religion et de la culpabilité, j'avais envie d'aller à la recherche de cet autre Orhan que j'imaginais parti au cinéma au lieu de perdre son temps à ce genre de choses.

Malgré tout, il y eut aussi des moments dans mon enfance où je me pliais aux diktats de la religion. Par exemple, en dernière classe de primaire, j'avais une institutrice dont j'aimais beaucoup me faire remarquer, dont un sourire suffisait à me rendre heureux et un haussement de sourcil à m'inquiéter, et dont je me souviens aujourd'hui comme d'un être plutôt terne et autoritaire. Cette vieille femme aux cheveux blancs et à la mine sévère expliquait avec enthousiasme à la classe les «beautés de notre religion», non comme une question de croyance, de foi et d'humilité telle que je la ressentais et la redoutais, mais selon une esthétique utile et raisonnable. D'après elle, c'est parce que le jeûne, autant que la maîtrise du souffle, était une «diète» d'un très grand bienfait pour la santé que Mahomet lui avait donné autant d'importance. Des siècles plus tard, les Occidentales d'aujourd'hui soucieuses de leur beauté redécouvrent combien le régime est vital. L'exécution de la prière était d'ailleurs une sorte de gymnastique qui activait la circulation du sang et tonifiait le corps. De nos jours, dans des millions de bureaux et d'usines du Japon, on stoppe quotidiennement le travail sur un coup de sifflet, on fait cinq minutes de gymnastique, de même qu'on fait sa prière, puis on reprend son activité. Cette présentation utilitaire et rationnelle de l'islam s'accordant à l'inclination pour la foi et à l'esprit de sacrifice que nourrissait en secret le petit positiviste que j'étais, un jour de ramadan, je décidai moi aussi de jeûner.

C'était sous l'influence de notre institutrice et pour lui plaire que je faisais cela mais je ne le lui ai pas dit. Lorsque je fis part de ma décision à ma mère, je la vis tout à la fois s'étonner, se réjouir et s'inquiéter. Bien qu'elle n'observât aucune pratique religieuse, ma mère était la plus encline d'entre nous à penser que « mieux vaut croire, on ne sait jamais » ; pour elle, le jeûne restait malgré tout une pratique de gens non occidentalisés. Mais je n'en dis pas un mot à mon grand frère ni à mon père. Avant même d'avoir accompli mon premier jeûne, mon penchant pour la foi était devenu un objet de honte qu'il fallait cacher. Face au discours et à la sensibilité chatouilleuse, soupçonneuse et ironique de la famille sur tout ce qui touchait aux symboles de classes, l'éloquence positiviste au sujet des devoirs religieux, que j'avais apprise de mon institutrice, avait battu en retraite avant même de se manifester. J'accomplis mon jeûne sans n'en rien laisser paraître à personne, sans m'en prévaloir ni m'attendre à un quelconque « bravo ». Peut-être aurait-il fallu que ma mère me dise qu'un enfant de onze ans n'avait nul besoin de jeûner. Mais elle se contenta de me préparer des gâteaux, des pains aux anchois, les choses que j'aimais pour le repas de rupture du jeûne. Je lus dans ses yeux une certaine satisfaction qu'il y ait chez son plus jeune fils la crainte de Dieu, en même temps qu'une inquiétude d'y voir un côté dévastateur, plus porté que tout le monde à se torturer l'esprit et à s'infliger des souffrances morales.

Dans la famille, l'exemple le plus probant de cette attitude ambivalente face à la religion était la fête du sacrifice. Comme chaque bon musulman en mesure de le faire, chaque année on amenait un mouton qu'on attachait dans la cour intérieure de l'Immeuble Pamuk, et le matin de la fête, le boucher du quartier venait à la maison pour le sacrifier. N'aimant pas particulièrement les moutons ni les agneaux, je n'avais pas, comme ces enfants au cœur d'or de certains romans illustrés, le cœur brisé à chacun des bêlements de l'animal qui vivait ses derniers jours. Surtout, je me réjouissais à l'idée que nous serions bientôt débarrassés de cet animal hideux, idiot et puant, et tandis que d'un côté la viande de l'animal était distribuée aux pauvres, de l'autre, toute la famille réunie pour le repas de midi sirotait la bière que prohibait la religion, et sous prétexte que la viande fraîche sentait mauvais, nous mangions une tout autre viande achetée chez le boucher ; cela me rappelait que tout le monde ne vivait pas comme je le faisais moi-même sa spiritualité dans l'angoisse perpétuelle et la culpabilité. Si l'essence religieuse de l'idée du sacrifice était de tuer un animal *à la place* d'un enfant en signe de soumission à Dieu, et d'échapper ainsi au sentiment de culpabilité, nous faisions exactement le contraire, et en mangeant une viande de meilleure qualité achetée chez le boucher *à la place* de l'animal sacrifié, nous commettions une fois de plus un acte qui aurait dû générer en nous un sentiment de culpabilité.

Mais je vivais dans un foyer où ce genre de contradictions de l'esprit et les plus profondes incohérences étaient passées sous silence. Le vide spirituel que j'ai très souvent constaté chez les riches familles stambouliotes, laïques et occidentalisées, se manifeste davantage dans ses silences que dans le rejet de la religion : alors que les gens pouvaient parler de sujets comme les mathématiques, la réussite scolaire, le football ou les divertissements, sur des thèmes aussi essentiels que l'amour, l'affection, la religion, le sens de la vie, la jalousie ou la haine, tout le monde se repliait d'un air hébété et lugubre sur son quant-à-soi, et si en proie à quelque tourment ils cherchaient à discuter de ce genre de choses et à communiquer avec les autres, ils se mettaient à s'agiter et à bouger les mains et les bras comme des sourds-muets incapables de prononcer un seul mot. Puis, s'absorbant dans une musique passant à la radio et la fumée de leur cigarette, ils se retiraient dans leur propre monde. C'est dans un silence semblable que s'est déroulé le jeûne que par ferveur religieuse j'avais de moi-même décidé d'observer. Étant donné la brièveté des sombres journées d'hiver, je n'ai d'ailleurs pas trop souffert de la faim. Toujours est-il qu'en mangeant ce que m'avait préparé ma mère pour le repas de rupture du jeûne, des choses aux anchois, au tarama et à la mayonnaise ne ressemblant en rien aux mets traditionnels au fromage et au *sucuk* cuisinés pour le ramadan, j'étais empli de sérénité et de contentement. Plus que d'avoir fait quelque chose pour Dieu, c'était le plaisir d'avoir passé avec succès l'épreuve que je m'étais moi-même imposée. Ce soir-là, après m'être rempli avec plaisir l'estomac, je me suis précipité à travers les rues froides au cinéma Konak, j'ai regardé un film de Hollywood et j'ai tout oublié ; l'idée de jeûner de nouveau ne m'a même pas effleuré l'esprit.

Mais cette relation infructueuse avec la religion ne me détourna nullement des sujets religieux et métaphysiques. Même si je n'arrivais pas à croire en Lui comme je le désirais, j'échafaudais dans un coin de ma tête l'idée que si Dieu, comme on le disait, était un être omniscient, il aurait l'intelligence de comprendre pourquoi je n'avais pas réussi à croire en Lui et qu'Il m'absoudrait. Si je ne retournais pas cette incrédulité en défi, en provocation délibérée contre Lui, Dieu ferait preuve de compréhension, il considérerait la culpabilité que j'éprouvais de ne pas croire en Lui et les affres de mon incroyance comme des circonstances atténuantes, et d'ailleurs ne ferait pas tant de cas de l'enfant que j'étais.

Ce n'était pas de Dieu que j'avais peur, mais de la colère que les croyants trop fervents pourraient éprouver contre des personnes comme moi. Un second motif de crainte était la stupidité de ces gens extrêmes dans leur foi et dont l'intelligence – que personne ne s'offense – ne pouvait en aucune manière rivaliser avec celle de ce Dieu auquel ils croyaient avec passion. La peur qu'un jour je serai puni de ne pas être « comme eux » ne m'a pas quitté pendant des années, et dans ma jeunesse, elle eut plus d'influence dans mon attrait pour les idées de gauche que les ouvrages théoriques. Après, ce qui me stupéfia fut de voir nombre de Stambouliotes occidentalisés, laïcs et quasiment athées, n'éprouver aucun sentiment de culpabilité à cause de leur position. Toutes ces personnes, qui de même qu'elles ne suivaient aucun précepte religieux affichaient pour des raisons de classe un mépris souverain envers les gens fidèles à leurs rites – exactement comme ces snobs prétendument « modernistes » brocardant les pratiques artistiques et culturelles de la classe inférieure –, j'ai toujours imaginé qu'à un moment de leur vie, lors d'un accident de voiture ou d'un séjour à l'hôpital par exemple, elles avaient entrepris de sceller avec Dieu une secrète entente.

Je me rappelle qu'avec un camarade de classe, dont j'admirais le courage justement pour ne pas avoir noué ce genre de secrète connivence, nous avions commencé à discuter de ce genre de sujets, même si c'était un peu court, pendant les pauses au collège. Au détour d'une de nos conversations métaphysiques, me voyant complètement empêtré avec ma peur, ce garçon issu d'une riche famille d'entrepreneurs, qui montait à cheval dans le parc de leur merveilleuse maison sur les flancs du Bosphore et représentait la Turquie dans les concours hippiques internationaux, ce garçon d'une turbulence endiablée leva soudain les yeux au ciel et déclara : « S'Il existe, qu'Il me tue ! Là, maintenant ! » et avec une assurance qui me laissa pantois, il ajouta : « Tu vois bien, je suis encore en vie. » Je me sentais coupable d'être incapable du même courage et de lui donner, au fond, secrètement raison, mais j'aimais, sans le savoir, le trouble et le doute de mon esprit.

Cette culpabilité, provenant d'un sentiment de déréliction moins lié à Dieu qu'au sentiment communautaire que partageait la ville, je la vivais comme quelque chose de tout personnel. Après mes douze ans, lorsque cette tension métaphysique entre croyance et sentiment d'appartenance céda la place à la curiosité et aux sentiments de culpabilité au sujet de la sexualité, mes angoisses religieuses perdirent de leur intensité. Reste que chaque fois que je croise une vieille femme vêtue d'un tcharchaf blanc, dans la foule, sur un bateau ou sur un pont, je frémis.

21

Les riches

Au milieu des années soixante, chaque dimanche, ma mère achetait le journal *Akşam*. L'*Akşam* n'était pas de ces quotidiens qui entraient chaque jour à la maison. C'est pour cela que tous les dimanches matin, il fallait se rendre exprès chez le marchand de journaux, et mon père, sachant que ma mère se le procurait pour les échos mondains de la rubrique « Le saviez-vous ? », tenue par un rédacteur sous le pseudonyme de Gül-Peri, en faisait chaque fois toute une affaire, histoire de plaisanter. À travers les railleries et les piques de mon père, je sentais que s'intéresser aux ragots sur la bonne société était une faiblesse humaine motivée par deux raisons : la première était que « les riches » – nous en faisions partie, ou du moins souhaitions-nous encore le croire – étaient la plupart du temps passés au crible des allusions perfides et souvent truffées de mensonges des journalistes qui signaient ces commérages d'un nom d'emprunt. La seconde, c'était qu'être maladroits au point de se retrouver dans les colonnes des échos mondains n'était pas une chose qu'on pouvait envier aux gens riches. Malgré tout, ma mère et mon père lisaient ces cancans et les prenaient au sérieux :

« – Tous nos regrets compatissants à Feyziye Madenci. Un voleur se serait introduit dans sa maison de Bebek, mais on ignore exactement ce qui a été volé. Reste à voir si la police parviendra à élucider ce cambriolage fort énigmatique.

– L'été dernier, Aysel Madra n'avait pas pu se baigner parce qu'elle s'était fait opérer des amygdales. Cet été, sur l'île de Kuruçeşme,

230

elle était heureuse quoiqu'un tantinet nerveuse. Allez donc savoir ce qu'elle avait cette fois…

– Muazzez Ipar est allée à Rome. Cette élégante dame de la société stambouliote ne s'est jamais montrée aussi gaie que pendant ce voyage. La raison ? On se demande si ce n'est pas grâce au monsieur qui l'accompagnait.

– Semiramis Sarıay, qui passe chaque été à Büyükada, rentre désormais dans sa maison de Capri. Et de là, elle ira à Paris où elle inaugurera plusieurs expositions de peinture. À quand les expositions de sculpture ?

– La société d'Istanbul semble frappée par le mauvais œil. Les personnes souvent citées dans cette rubrique tombent malades et se font opérer les unes après les autres. Même Harika Gürsoy que, dernièrement encore, nous avons vue très enjouée à la fête du clair de lune célébrée à Çamlıca dans la maison du défunt Ruşen Eşref. »

« Ah, Harika aussi a été opérée des amygdales », disait par exemple ma mère.

« Elle ferait mieux de se faire enlever les verrues qu'elle a sur la figure », assenait cruellement mon père, mais sans s'appesantir sur le sujet.

D'après ces conversations, je comprenais que certains individus de la « haute société » auxquels le rédacteur masqué du journal faisait allusion, en citant leur nom ou en le taisant (c'était selon) étaient des gens de notre connaissance, et je sentais que ma mère, quoi qu'elle en eût, enviait la vie que menaient ces personnes à l'évidence bien plus riches que nous. Le léger ressentiment qu'éprouvait ma mère envers leur richesse ressortait parfois à travers ces mots : « Ils sont tombés dans les journaux. » Comme le terme « tomber » le laissait entendre, ces paroles exprimaient tout autant une défiance envers les journaux d'Istanbul colportant des tas de nouvelles mensongères qu'une forte conviction stambouliote que les riches ne doivent pas faire étalage de leur personne.

Je me souviens que pour les riches, il était de bon ton de ne pas faire montre de soi-même, de sa fortune ou de sa puissance au besoin, et que pendant mon enfance et mon adolescence, non seulement ma mère mais beaucoup de riches Stambouliotes s'exprimaient souvent par allusion et plus rarement ouvertement. Ce trait distinctif des anciens riches d'Istanbul n'était pas le résultat de règles de bienséance prônant la modestie, ou d'une morale du travail et de l'accumulation comme chez les protestants. Cela provenait simplement de la peur de l'État. Pendant des siècles, les sultans et l'État ottomans avaient considéré comme une menace toute personne s'enrichissant de manière excessive – la plupart du temps des pachas jouissant d'un pouvoir politique – et, s'emparant d'un prétexte, ils les éliminaient et spoliaient leurs biens. Avec les souvenirs de l'impôt sur la fortune institué au cours de la Seconde Guerre mondiale et qui les dépouilla sans pitié de leurs biens et de leurs usines, ainsi que de la sauvage mise à sac de leurs boutiques lors des événements des 6 et 7 septembre 1955, les Juifs qui s'étaient enrichis au point de prêter de l'argent à l'État ottoman dans les derniers siècles de l'Empire, les Arméniens et les *Rum* qui étaient montés en puissance grâce à leurs petits commerces et leur artisanat, n'avaient bien évidemment pas l'esprit serein.

C'est la raison pour laquelle les grands propriétaires terriens venus de leur province à Istanbul et les riches industriels provinciaux de la deuxième génération osaient davantage exposer leurs biens, leurs possessions et se prévaloir de leur fortune que les riches Stambouliotes. Naturellement, ils étaient raillés et traités de «parvenus» par les familles stambouliotes que la peur de l'État avait privées de cette quiétude ou, comme la nôtre, dont la richesse n'avait pas duré plus d'une génération à cause de mauvais investissements. À la tête de la seconde famille la plus riche de Turquie, originaire d'Adana, mais lui-même issu de la deuxième génération installée à Istanbul, le richissime Sakıp Sabancı était peut-être quelqu'un dont l'aisance lui valait d'être dénigré et traité de «parvenu» par les riches Stambouliotes, et dont le physique étrange allant jusqu'à une bizarrerie dérangeante suscitait les quolibets de tout le monde (mais dont on ne disait rien dans les journaux, de peur qu'il n'arrête d'y publier ses publicités), mais après 1990, comme Frick à New York, grâce à cette fameuse impudence de provincial à exposer sa fortune, c'est lui qui fut en mesure de fonder dans sa maison le meilleur musée privé d'Istanbul.

Une autre raison pour laquelle, dans mon enfance, les riches Stambouliotes dissimulaient leurs richesses derrière des portes et entre des murs et ne faisaient aucune collection ni n'ouvraient de quelconque musée, c'était la peur justifiée que leur richesse ne soit considérée comme de l'«argent sale». Étant donné que l'État et la bureaucratie mettaient leur nez partout où l'on produisait quelque chose et que faire fortune sans s'associer avec des hommes politiques était impossible, tout le monde pouvait supposer que même le riche «le mieux intentionné» avait des zones d'ombres et des taches dans son passé. Une fois l'argent de mon grand-père épuisé, mon père, qui avait dû travailler aux côtés de Vehbi Koç pendant des années, non seulement se gaussait joyeusement de son accent provincial et de la lenteur d'esprit de son fils – qu'il trouvait loin d'être aussi intelligent que son père –, mais racontait aussi dans ses moments de colère que derrière la fortune des Koç il y avait les queues et les disettes de la Seconde Guerre mondiale.

Dans mon enfance et ma jeunesse, les riches Stambouliotes ayant gagné de l'argent grâce à leur créativité ou leurs trouvailles commerciales, et continuant à s'enrichir selon la même logique, donnaient moins l'impression d'avoir confiance en eux que de chercher à cacher (cette peur diminua après les années quatre-vingt-dix), à protéger cette fortune qu'ils avaient acquise d'un seul coup par le passé, grâce à une opportunité bien exploitée et à leurs relations avec l'État et la bureaucratie entretenues à coups de pots-de-vin. Surtout, ils donnaient l'impression de personnes passant le reste de leur vie à se justifier. Leur richesse n'étant fondée sur aucune activité intellectuelle, ils n'avaient que peu d'intérêt pour les livres et l'étude, ou que sais-je encore, des choses comme le jeu d'échecs. Après la fondation de la République, la période ottomane – où quelqu'un ayant étudié et reçu une bonne éducation pouvait s'élever dans l'État et devenir un riche pacha –, avec sa culture mystique, ses *tekke* frappés d'interdiction et ses livres désormais indéchiffrables furent mis sur la touche, et avec la révolution de l'alphabet, cette culture raffinée censée céder d'elle-même sa place à la culture européenne, fut vouée à l'oubli.

Pour légitimer leur fortune et se sentir plus à l'aise, la seule chose qu'il restait aux nouveaux riches d'Istanbul, frileux au dernier degré, dépourvus d'idées, tétanisés par une peur justifiée de l'État, et incapables de porter jusqu'aux générations suivantes ce qu'ils avaient gagné, était de se faire passer pour plus européens qu'ils n'étaient. C'est dans ce but qu'ils utilisaient les vêtements, les meubles et les dernières inventions de la technologie occidentale (du presse-fruits au rasoir électrique) que leur argent leur permettrait de rapporter d'Europe, se les montraient les uns aux autres et étaient heureux. Le fait que certaines familles, établies depuis des années à Istanbul, à la tête d'une affaire ayant assuré leur fortune et n'ayant désormais plus de soucis avec l'État et les lois ni aucun motif de crainte, décident un beau jour de liquider leur travail, leurs meubles, leur maison et tous leurs biens, parce qu'elles trouvent plus séduisant de vivre dans un banal quartier de Londres, avec pour tout horizon le mur de l'immeuble d'en face et la télévision anglaise qu'elles ne comprennent pas vraiment, plutôt qu'à Istanbul en regardant le Bosphore (ce qu'avait fait un proche de ma tante, un célèbre chroniqueur et propriétaire de journal) est sans doute un bon exemple des proportions aberrantes que peut prendre l'effort de paraître occidental. Un autre exemple était la coutume de faire venir d'Europe une gouvernante pour qu'elle enseigne sa langue aux enfants, comme on le faisait dans l'aristocratie russe à une époque, et, comme dans *Anna Karenine* ou nombre de familles connues, l'escapade amoureuse du maître de maison avec la gouvernante.

L'absence d'aristocratie héréditaire dans l'Empire ottoman poussa les riches de l'époque de la République à vouloir se démarquer et paraître « le plus authentiques », « différents », « singuliers » possible. En effet, avant que les riches n'achètent et ne s'approprient, comme des « antiquités », tous les anciens meubles et objets de la culture ottomane – pour beaucoup partis en fumée dans les incendies en même temps que les *yalı* qui les abritaient –, il fallut attendre au moins jusqu'aux années quatre-vingt. C'est à cette époque seulement que l'on comprit, en faisant collection des symboles de la culture ottomane, que ces objets n'étaient en rien contradictoires avec l'occidentalisation. À côté des récits relatant que nous étions riches autrefois et même que nous le paraissions encore, toutes les histoires qu'on racontait à la maison, avec enjouement et en riant, sur le caractère et les habitudes des riches d'Istanbul, et plus encore sur la manière dont ils l'étaient devenus (j'aimais surtout l'histoire de cet homme qui, ayant fait venir un bateau rempli de sucre pendant la Première Guerre mondiale, s'enrichit en une nuit et savoura jusqu'à la fin de sa vie sa bonne fortune), m'empêchaient peut-être, comme d'autres, de trouver les riches « mystérieux ». Mais comme le sentiment de fugacité et de vide que procure le fait de ne pas savoir quoi faire de son argent, le manque d'âme et de culture leur octroyait une certaine singularité, et lorsque je rencontrais un de ces riches Stambouliotes – que ce soit un parent éloigné, quelqu'un de notre connaissance, un ami d'enfance, de jeunesse de mon père ou de ma mère, un habitant de Nişantaşı ou encore quelqu'un affublé d'un surnom dans les colonnes de la rubrique « Le saviez-vous ? » –, j'éprouvais malgré tout de la curiosité pour leur vie.

Par exemple, il y avait un ami de jeunesse de mon père, un homme chic dont je ne savais s'il se flattait ou déplorait de ne « jamais avoir eu besoin de travailler de toute sa vie » (ce qui à cette époque à Istanbul était la preuve de la fortune de quelqu'un), grâce à l'héritage considérable que lui avait laissé son père, un pacha en charge de la fonction de grand vizir dans la dernière période de l'Empire ottoman. Après avoir passé une grande partie de sa journée à ne rien faire, ou à lire le journal et regarder les passants par la fenêtre de son appartement de Nişantaşı, dans l'après-midi, prenant tout son temps, il mettait ses plus beaux vêtements achetés à Paris ou à Milan, se rasait, peignait soigneusement sa moustache, et comme unique travail de la journée, se rendait au Hilton, où il passait deux heures dans la pâtisserie de l'hôtel à siroter son thé : « Il n'y a qu'ici où je me sente en Europe », avait-il une fois déclaré à mon père, en fronçant les sourcils comme s'il livrait un important secret, et en prenant une expression affligée, mendiant de la compassion pour ce grand supplice moral. De la même génération, une amie de ma mère cette fois, une femme très riche et extrêmement grosse, qui disait à tout le monde « Alors petit singe, comment ça va ? », bien que ce soit elle qui ressemblât à un singe, cette femme, que nous imitions mon frère et moi, après avoir passé toute sa vie à rejeter les demandes en mariage qui lui étaient faites par des hommes qu'elle ne trouvait pas suffisamment européanisés et raffinés, et à tomber amoureuse d'hommes riches et distingués qui ne se marièrent jamais avec elle car n'était pas assez belle, finit par épouser, vers la cinquantaine, un policier d'une trentaine d'années qu'elle disait « très gentleman, très distingué », et après ce mariage qui se solda rapidement par un échec, elle consacra le reste de son existence à expliquer aux jeunes filles de sa classe sociale qu'il leur fallait se trouver un mari du même rang qu'elles.

Ces gens, en contact plus ou moins étroit à la fois avec la culture traditionnelle et la culture européenne vu qu'ils descendaient de la dernière génération des pachas et des riches réformateurs ottomans, n'ont pas réussi à transformer en capital les biens légués par leurs pères et leurs familles, ni à injecter leurs richesses dans le capital commercial et industriel sauvage en plein essor à Istanbul, pour la simple raison que leur vieille mentalité savait parfaitement que, sans même parler production ou commerce, ils seraient incapables de s'asseoir à une table et boire un thé avec ces «rustauds de commerçants» qui partageaient, en même temps qu'une habitude de l'arnaque sans merci et de la triche, une culture de l'amitié et de la communauté tout aussi «profonde et authentique» que la leur. Lorsque nous allions en visite dans les demeures ou les *yalı* du Bosphore des plus anciens riches, la plupart du temps inconscients d'être escroqués par les avocats qu'ils avaient pris pour veiller sur leurs biens et percevoir leurs loyers, comme je savais très bien que beaucoup préféraient les chats et les chiens à la gent humaine, j'accordais de la valeur à l'affection particulière dont ils me gratifiaient. Voir que toutes ces personnes, vivant dans des *yalı* du Bosphore qui dans quelques années atteindraient des prix exorbitants lorsqu'ils seraient mis en vente (s'ils ne brûlaient pas avant) et au milieu des lutrins, des divans, des tables serties de nacre, des tableaux, des enseignes, d'anciens fusils, de sabres historiques ayant appartenu à leur grand-père, de médailles, de montres énormes et beaucoup d'autres vieux objets qui iraient s'entasser, dix ou quinze ans plus tard, dans la boutique de l'antiquaire Raffi Portakal – sans compter tous les autres biens qu'elles possédaient par ailleurs en dehors de leur propre *yalı* et de tout ce qu'il contenait –, voir que chacune de ces personnes menait un genre de vie plutôt pauvre et étiolé me plaisait. Ils avaient tous des manies montrant que leur rapport à la réalité en dehors de leur *yalı-konak* était plutôt problématique : l'un d'eux, un grand-père squelettique marchant avec une canne, entraînait mon père dans un coin et lui montrait sa collection de montres, puis sa collection d'armes, d'un air aussi mystérieux que s'il montrait des images de femmes nues. Une vieille tante se lançait de nouveau dans les mêmes explications que lorsque nous étions venus il y a cinq ans pour nous dire comment contourner le très dangereux petit tas de décombres d'un mur et descendre dans la remise où se trouvaient les caïques ; une autre parlait en chuchotant pour que les domestiques ne puissent pas entendre ; une autre encore, redemandant sans aucun tact la chose dont ma mère prendrait plus tard ombrage, cherchait à savoir d'où le père de mon père était originaire. Un de nos oncles, un homme obèse ayant peu à peu pris l'habitude de faire visiter sa demeure aux invités comme s'il s'agissait d'un musée, nous réservait, à chacune de nos visites, une banale histoire de pots-de-vin lue dans le journal sept ans plus tôt, comme s'il venait tout juste de la découvrir dans le *Hürriyet* de ce matin, et tombait des nues devant l'ampleur du scandale et de l'infamie qui régnaient dans cette ville. À un moment de notre visite, au milieu de toutes ces histoires et de ces échanges de nouvelles, tandis que ma mère nous surveillait encore du coin de l'œil pour voir si nous ne faisions pas de bêtises, moi, j'arrivais à la conclusion que pour ces « riches » nous n'étions pas des gens aussi importants qu'ils voulaient bien s'efforcer de le montrer, et je désirais quitter au plus tôt le *yalı* ou le *konak* où nous étions et rentrer à la maison. Cette inégalité, je la sentais dans le fait que quelqu'un écorche le nom de mon père ou croie que mon grand-père était un agriculteur de province, ou, comme je l'ai vu chez beaucoup de riches, dans cette propension à monter en épingle une petite faute banale et totalement insignifiante de la vie quotidienne (comme le fait de servir du sucre en poudre au lieu de sucre en morceaux, que la domestique ne porte pas des chaussettes de la bonne couleur ou que des bateaux à moteur passent trop près du *yalı*) et la colère et l'obsession aidant, d'en faire un sujet de discussion d'une importance démesurée, n'en finissant plus et faisant oublier notre présence. D'ailleurs, leurs fils, leurs petits-enfants ou n'importe qui de mon âge présent à la maison à cet instant et attendant que je me lie d'amitié avec lui, comptait parmi ses proches quelqu'un de « difficile », capable de se disputer avec les pêcheurs dans le café du quartier, de taper sur un prêtre de l'une des écoles françaises de la ville ou, quelques années plus tard, s'il n'était pas interné dans un asile en Suisse, de se suicider.

Parce que l'attachement à leurs biens, à leurs propriétés, à leurs colères et à leurs obsessions était si fort qu'il les amenait à se traîner mutuellement devant les tribunaux, comme ma famille de l'Immeuble Pamuk, je trouvais une ressemblance entre ces gens et les «nôtres». Parmi ces personnes – qui bien qu'elles aient vécu depuis des années sous le même toit se poursuivaient en procès à cause de conflits de propriété, et qui par la suite, comme mon père-mon oncle-mes tantes, dînaient toutes ensemble en riant –, j'en connais aussi qui, prenant leurs fâcheries au sérieux, ne s'adressaient plus la parole pendant des années alors même qu'elles habitaient dans la même maison, ou d'autres qui, ne supportant même plus de se voir, entreprenaient de diviser tout le *yalı* avec un affreux mur en plâtre, en commençant par la plus grande pièce, celle avec un plafond haut, des encorbellements et une vue donnant sur le Bosphore (certes, ils ne se voyaient plus, mais toute la journée ils entendaient le bruit qu'ils faisaient, de la toux au bruit de pas) ; et j'ai aussi connu des gens qui, usant de diverses ruses juridiques, se fermaient les uns aux autres les routes menant à la porte de leur jardin, parce qu'ils avaient divisé le *yalı* en disant «le harem est pour toi, les dépendances pour moi», ce n'est pas leur propre tranquillité qui les rendait heureux, mais les désagréments qu'ils pourraient infliger à leurs proches parents qu'ils détestaient.

Le constat que de semblables litiges familiaux au sujet des biens se poursuivaient dans la génération suivante m'a fait penser que ce genre de haine intrafamiliale était une particularité du riche Stambouliote. Dans les premiers temps de la République, les enfants d'une riche famille s'étant comme mon grand-père fait une situation puis installés dans un coin de Nişantaşı, pas très loin de notre avenue Teşvikiye, divisèrent en deux le terrain que leur père avait acheté à un pacha d'Abdülhamit. D'abord, le premier frère fit construire un immeuble sur la moitié du terrain, un peu en retrait de façon à ne pas mordre sur le trottoir, en respectant la législation municipale. Quelques années plus tard, l'autre frère fit également construire un immeuble sur sa propre moitié de terrain, parallèle mais débordant sur l'avant de trois mètres, et coupa sciemment la vue à son plus jeune frère. Sur ce, comme le sait tout Nişantaşı, le premier frère, dans le seul but d'obstruer la vue des fenêtres latérales de l'autre, fit construire un mur de la hauteur d'un immeuble de cinq étages.

Du fait que les familles originaires de province s'établissant à Istanbul se soutiennent et s'apportent de l'aide pour s'implanter dans la ville, ce genre de conflits familiaux apparaît rarement parmi les

Stambouliotes de fraîche date. Après 1960, lorsque sous la pression de l'accroissement de la population le prix des terrains augmenta, l'argent qui se mit soudain à pleuvoir comme s'il tombait du ciel tourna la tête à tous ceux qui vivaient à Istanbul depuis plusieurs générations et avaient réussi à devenir propriétaires de plusieurs terrains dans la ville. Et naturellement, la première des choses qu'allaient faire ces gens pour prouver qu'ils étaient des anciens riches d'Istanbul, ce fut bien sûr de se disputer entre eux pour le partage de leurs biens. C'est sans doute pour cela qu'au début des années soixante le plus jeune des frères, alors propriétaire de terrains sur les monts et les collines en friches à l'arrière de Bakırköy et s'étant enrichi de façon inouïe avec la soudaine explosion du développement urbain, sortit son arme et tira sur son frère aîné. Les journaux que je lisais avec attention évoquaient, comme autre mobile du crime, le fait que le frère aîné était amoureux de la femme du plus jeune. Comme le fils aux yeux verts du meurtrier fratricide était un camarade de classe de primaire, au lycée Terraki de Şişli, je me suis intéressé de près à ce meurtre entre gens riches qui m'a beaucoup ébranlé. Tandis que les unes des journaux faisaient leur miel des détails de cette bataille pour la possession de biens et d'une femme, le fils de l'assassin entrait en classe, avec son teint clair et ses cheveux roux, son pantalon court et son éternelle veste de paysan bavarois, et un mouchoir à la main, il pleurait toute la journée en silence. Et depuis quarante ans maintenant, chaque fois que je passe dans ce secteur d'Istanbul, qui porte le nom de famille de mon camarade à la veste bavaroise et compte deux cent cinquante mille habitants, ou que j'entends prononcer le nom, connu de tout Istanbul, de ce quartier désormais devenu une petite ville, je me souviens des yeux rougis de mon ami qui pleurait sans cesse, sérieusement, mais sans ostentation.

Cette manière de régler les conflits familiaux, non comme nous, devant les tribunaux, mais de façon plus radicale par les armes, était devenue une pratique courante, notamment dans les familles d'armateurs originaires de la mer Noire. Ces gens, dont la plupart commençaient avec des petits bateaux de pêche, puis se livraient une concurrence acharnée pour l'obtention de navires mis aux enchères par l'État – non parce qu'ils appréciaient cette invention occidentale en tant que libre concurrence mais parce qu'ils aimaient s'étriller les uns les autres par le biais des bandes qu'ils avaient constituées –, et qui, lorsqu'ils étaient fatigués de s'entre-tuer, échangeaient comme les princes du Moyen Âge des filles en mariage et vivaient des périodes de paix ne durant jamais longtemps, car ils recommençaient à se tirer dessus (ce qui affligeait surtout les épouses des deux clans désormais apparentés), mais ils ne perdaient jamais rien de leur goût de la plaisanterie, ces gens, passant des petits bateaux aux gros navires de pêche, et de là à de petits tankers, commencèrent à marier leurs filles au fils du président de la République, et à donner des fêtes et des réceptions « débordantes de faste, de caviar et de champagne », selon l'expression de l'époque, ce dont les colonnes de la rubrique « Le saviez-vous ? », que suivait attentivement ma mère, se feraient l'écho.

Sur les photographies, prises sur le vif lors de ces soirées, ces noces ou ces bals auxquels se rendaient ma mère et mon père, et parfois aussi mes oncles et ma grand-mère paternelle, rapportées le soir même et trônant plusieurs jours sur un buffet, je reconnaissais quelques personnes passant régulièrement à la maison, un ou deux riches dont le portrait paraissait dans les journaux, un homme politique s'étant assuré de confortables revenus avec eux, et d'après les conversations téléphoniques de ma mère avec ma tante qui allait plus souvent qu'elle à ce genre de réceptions, j'essayais de me représenter cette ambiance de noces. Contrairement aux fêtes où à partir des années quatre-vingt-dix étaient conviés les caméras de télévision, la presse et les mannequins, et qui se faisaient entendre de tout Istanbul avec leurs feux d'artifice, les bals et les noces des riches de l'époque précédente répondaient moins à l'envie de faire savoir au reste de la population d'Istanbul combien ils étaient riches qu'au besoin de se retrouver entre soi et d'oublier ses craintes et ses soucis. Lorsque j'allais moi-même à ce genre de noces et de réceptions, malgré la confusion de mon esprit, je percevais immédiatement le bonheur particulier qui régnait parmi les riches. Ce bonheur, je le voyais briller dans les yeux de ma mère lorsqu'elle sortait de la maison après s'être préparée toute la journée. Mais il tenait moins au fait de se rendre à un divertissement, de savoir qu'elle allait passer un moment agréable à s'amuser et manger de bonnes choses, que de se savoir dans la compagnie des gens riches, et d'être pour telle ou telle raison reconnue comme quelqu'un des leurs.

Lorsqu'ils entraient dans un grand salon très illuminé, ou dans une réception en plein air, donnée dans un parc pour un mariage en été, tandis qu'ils déambulaient entre les tables joliment dressées, les chaises, les auvents, les fleurs, les domestiques et les garçons, je sentais que les riches étaient très contents de se voir, et que le fait de se trouver au milieu d'autres riches renommés les rassérénait. C'est la raison pour laquelle je les voyais, comme ma mère, regarder la foule en se demandant « Qui est là ? », et au fur et à mesure qu'ils apercevaient ceux dont ils auraient apprécié qu'ils soient invités à la même réception qu'eux, je les sentais se réjouir. En voyant qu'ils se retrouvaient dans le même lieu que les autres riches, qui comme eux étaient connus uniquement grâce à l'abondance de leur fortune, ces gens dont beaucoup devaient leur richesse moins à leur savoir, leur créativité et leurs efforts qu'à la chance ou à une combine qu'ils désiraient oublier, et qui se fiaient davantage à leur argent qu'à leurs propres capacités, se sentaient soulagés et essayaient en même temps de retrouver le moral.

Quant à moi, en général, quelque temps après les premiers échanges, j'étais soudain emporté par les courants d'un drôle d'état d'âme et commençais à me sentir étranger aux lieux. Soit je me sentais déprimé à la vue d'un objet qui n'existait pas à la maison ou d'un genre de luxe que je ne connaissais absolument pas (un couteau à viande électrique par exemple), soit je ressentais un profond malaise de voir à quel point mon père et ma mère pouvaient à cet instant être intimes avec des gens dont ils racontaient que la fortune reposait sur un acte blâmable, une infamie, une scandaleuse combine. Un moment après je découvrais qu'en réalité ma mère, profondément heureuse de se trouver en compagnie de ces gens, et mon père, faisant sans doute le joli cœur auprès d'une de ses secrètes maîtresses, n'avaient pas oublié les histoires et les médisances qu'ils racontaient sur eux à la maison, mais qu'ils faisaient seulement et temporairement comme s'ils n'en avaient jamais rien su. D'ailleurs, n'est-ce pas ce que faisaient tous les riches ? Être riche, c'était peut-être perpétuellement « faire comme si ». Par exemple : j'ai entendu beaucoup de riches Stambouliotes dans beaucoup de réceptions se plaindre du repas qui leur avait été servi lors de leur dernier voyage en avion comme s'il s'agissait d'un sujet d'une importance et d'une gravité extrêmes, comme s'ils ne passaient pas une grande partie de leur vie à manger des plats ordinaires et vite faits. Si ces gens étaient aussi à l'aise, c'est parce que leur âme, ils l'avaient cachée dans un endroit sûr, lointain et difficilement accessible, comme l'argent qu'ils plaçaient dans les banques suisses (« détournaient », disaient mes parents) et parfois, je m'inquiète de savoir si cette désinvolture n'aurait pas été pour moi un mauvais exemple dans la vie.

Parfois, par une allusion de mon père, je comprenais que l'âme de ces gens n'était pas aussi inaccessible que cela. La superficialité, le manque d'âme de ces riches Stambouliotes, les choses artificielles qu'ils faisaient pour paraître plus occidentaux qu'ils n'étaient, leur manière de vivre avec leur personnalité on ne peut plus fade et timorée, sans jamais s'abandonner à aucune obsession ou passion, sans faire de collection ou de musée ; lorsqu'à vingt ans, même si ce n'était pas exactement en ces termes, je me laissais emporter par une critique venimeuse, et lorsque je retournais mon venin contre les amis de la famille, les amis d'enfance de mon père et de ma mère, ou les parents de certains de mes amis, mon père me coupait soigneusement la parole, et pour me mettre en garde – et comme je le penserais par la suite, peut-être parce qu'il avait peur que je sois malheureux dans la vie –, il s'empressait de dire qu'«en réalité» la femme dont je parlais (une belle femme) avait très bon cœur et que c'était une «fille» très bien intentionnée, et que je comprendrais très bien si je la connaissais mieux.

22

Les bateaux qui passent sur
le Bosphore, les incendies,
la pauvreté, les changements
de maison et autres catastrophes

Les échecs continuels des affaires montées par mon père et mon oncle, les disputes entre mon père et ma mère, les frictions entre notre famille de quatre personnes et la grande famille dont ma grand-mère maternelle était le centre m'enseignèrent petit à petit que la vie était faite autant de ces événements amusants – les plaisirs dont on découvre chaque jour un nouveau (le dessin, la sexualité, l'amitié, le sommeil, être aimé, manger, jouer, contempler, etc.) – et des inépuisables possibilités de bonheur, que de catastrophes, soit importantes – de celles qui se manifestent soudain et puis se propagent, prenant une ampleur inattendue –, soit plus insignifiantes et modestes. Dès mon enfance, après les informations et la météo à la radio – et les messages au ton très grave de l'«Annonce aux marins» indiquant à quelles latitude et longitude avaient été repérés les navigateurs à la sortie du Bosphore sur la mer Noire –, j'ai appris que ces catastrophes, comme les mines posées au hasard dont on parlait dans tout Istanbul, pouvaient éclater à tout moment et selon des modalités complètement imprévues.

À chaque instant, une dispute inattendue entre mes parents ou une querelle sur des questions de propriété à l'étage du dessus pouvait éclater, ou bien mon grand frère, s'énervant tout d'un coup sous un prétexte quelconque, pouvait décider de m'administrer une sévère leçon. Ou bien encore, un autre jour, mon père, revenu à la maison, pouvait tranquillement annoncer que l'appartement où nous habitions avait été vendu, qu'il avait été saisi, qu'il nous fallait déménager ailleurs ou qu'il allait partir en voyage.

Durant ces années, on a très souvent changé de demeure. Au cours de chaque déménagement la tension augmentait à la maison, mais comme l'attention de ma mère sur nous se relâchait – elle se portait davantage sur le contrôle du processus d'emballage de chacun des ustensiles de cuisine dans de vieux journaux –, profitant de ce climat de liberté, nous nous amusions mon frère et moi à courir dans l'appartement. Alors que les buffets, placards et tables – dont nous commencions à croire que chacun constituait un élément intangible, doté d'une place définitive, du paysage intérieur de la maison –, déplacés de leur lieu habituel, quittaient la maison parmi les portefaix, et alors que se vidait l'appartement où nous avions passé des années, une tristesse m'envahissait ; mais la découverte sous un buffet d'un stylo, d'une bille ou bien d'une petite voiture perdue (précieux souvenir) oubliée depuis des années m'était d'une grande consolation. Dans certaines des demeures où nous nous sommes installés, il ne régnait pas la chaleureuse quiétude de l'Immeuble Pamuk à Nişantaşı, mais comme depuis ces maisons de Cihangir ou de Beşiktaş la vue sur le Bosphore était bien plus belle, je n'ai pas été malheureux d'y emménager, et même notre appauvrissement progressif ne m'a pas frappé.

Face à ces petites catastrophes, je gardais toujours en réserve certaines parades de mon invention. Une de ces parades – s'inscrivant dans la même logique que rester lié mentalement à un ordre et à des règles répressifs, à leur régularité et répétition (ne pas marcher

sur des lignes, ne jamais fermer complètement certaines portes) ou alors faire tout le contraire (aller rejoindre l'autre Orhan, fuir dans le monde parallèle, dessiner ou bien provoquer une dispute avec mon grand frère et susciter moi-même la catastrophe) –, c'était de compter les bateaux passant sur le Bosphore.

À la vérité, depuis que je me connais, je compte les bateaux qui prennent le Bosphore d'un bout à l'autre. Je compte les tankers roumains, les frégates soviétiques, les *taka* des pêcheurs en provenance de Trabzon, les bateaux de passagers bulgares, ceux de la compagnie publique qui mettent le cap sur la mer Noire, le navire d'observation soviétique, l'élégant transatlantique italien, les bateaux chargés de charbon, les caboteurs de Varna, les cargos décolorés, mal entretenus et rouillés et les navires sombres et déglingués, au pavillon et au pays indécis. Je ne compte pourtant pas tout : je ne compte pas les bateaux à moteur qui font passer d'une rive à l'autre du Bosphore les fonctionnaires se rendant au travail et les femmes rentrant du marché, filet à la main ; ni ceux des lignes urbaines, que je connais désormais tout comme mon père, qui transportent les voyageurs rêveurs et tristes qui vont d'un coin à l'autre d'Istanbul avec force thé et cigarettes, parce que ces bateaux, comme les objets de la maison, sont des éléments en fait inséparables de mon monde.

Je comptais les bateaux avec une sorte d'inquiétude, parfois avec peine, par moments avec affolement, le plus souvent sans même m'en apercevoir. Ce faisant, j'avais l'impression que, d'une certaine manière, je protégeais la régularité de mon existence. Enfant, durant les moments de colère et de tristesse débordantes, quand, fuyant ma propre personne, l'école et la vie, j'étais perdu, libre, dans les rues d'Istanbul, j'arrêtais le comptage. Et alors je sentais que je regrettais les catastrophes, les incendies, une autre vie, l'autre Orhan.

Il se peut que mon obsession devienne plus compréhensible, si je raconte comment j'ai commencé à compter les bateaux. À l'époque, c'était au début des années soixante, nous habitions ma mère, mon père, mon frère et moi dans un petit appartement avec vue sur la mer, dans un immeuble qu'avait fait construire mon grand-père à Cihangir. J'étais en dernière année d'école primaire ; j'avais donc onze ans. Une fois par mois, avant de me coucher, je réglais le réveil au cadran décoré d'un dessin de cloche pour qu'il sonne quelques heures avant le lever du soleil ; je me réveillais vers la fin de la nuit dans le silence des ténèbres, et, comme je ne pouvais pas rallumer tout seul le poêle éteint avant même que je me sois endormi, j'entrais dans le lit vide de la pièce vide qu'utilisait parfois la domestique pour éviter de mourir de froid les nuits d'hiver, puis je prenais mon manuel de turc et, jusqu'à l'heure de partir à l'école, je me mettais à répéter avec rage, pour le savoir par cœur, le poème qu'il fallait assimiler.

« Drapeau, drapeau, tes cieux,
oh glorieux drapeau qui flotte dans les cieux ! »

Comme le savent tous ceux qui doivent apprendre par cœur un texte, une prière ou un poème, quand nous nous efforçons de mémoriser des mots, nous ne faisons pas trop attention à ce que nous voyons alentour. Dans ces moments-là, les yeux de notre esprit (si l'on peut dire), comme pour faciliter le travail de mémorisation, s'intéressent aux images offertes par nos rêveries. De la sorte, pendant l'apprentissage par cœur, notre regard, n'écoutant plus du tout notre raison, contemple le monde comme pour son pur plaisir. Les matins sombres d'hiver, tandis que j'apprenais des poèmes en tremblant de froid, je regardais par la fenêtre l'obscur Bosphore qui paraissait presque irréel.

Entre les immeubles de trois ou quatre étages, entre les toits et les cheminées des maisons de bois en ruine, toutes destinées à brûler une par une dans les dix années suivantes, entre les minarets de la mosquée de Cihangir, le Bosphore apparaissait, et, comme à ces heures matinales les bateaux des lignes urbaines ne circulaient pas encore, en l'absence de tout projecteur et de toute lumière pour l'éclairer, il semblait plongé dans l'obscurité. Sur la rive asiatique, les lampes des vieilles grues de déchargement de Haydarpaşa, les phares d'un cargo passant sans bruit, parfois un clair de lune plus ou moins net ou la lumière d'un bateau à moteur isolé perçaient cette dense obscurité, et je discernais alors les pontons, tels des géants rouillés et moussus, couverts de moules, la barque d'un pêcheur solitaire et la blancheur de la tour de Léandre pareille à un spectre. Mais la plupart du temps, la mer était baignée d'une mystérieuse pénombre. Et même au moment où les hauteurs couvertes d'immeubles et de cimetières plantés de cyprès s'éclairaient légèrement, bien avant le lever du soleil du côté asiatique, le Bosphore restait encore sombre, et il me semblait que ses eaux demeureraient éternellement obscures.

Dans la pénombre de la nuit, alors que mon esprit était occupé par les jeux mystérieux du par cœur, de la répétition et de la mémoire, mes yeux se fixaient parfois sur quelque chose qui passait très lourdement sur les eaux vives du Bosphore, un navire bizarre, un bateau de pêcheur sorti très tôt. Bien que je ne porte aucunement ni mon attention ni ma raison sur ce que j'apercevais, c'était comme si mes yeux contrôlaient un instant la chose sur laquelle ils s'étaient arrêtés par réflexe et ne lui donnaient l'autorisation d'emprunter le Bosphore qu'à partir du moment où ils avaient compris qu'il s'agissait d'un objet habituel : oui, me disais-je à moi-même, c'est un navire de marchandises, c'est un bateau de pêcheur dont l'unique lampe ne marche pas ; oui, c'est le premier bateau à moteur qui transporte les passagers du matin, de l'Asie vers l'Europe ; oui, c'est un vieux remorqueur en route pour un des ports éloignés de l'Union soviétique…

Un de ces matins, alors que, recroquevillé sous la couverture, j'apprenais mes poèmes dans le froid, mes yeux se fixèrent et s'immobilisèrent d'étonnement sur un objet que je n'avais encore jamais vu. Je me rappelle bien ma stupeur sidérée d'alors ; j'en oubliai complètement le livre que j'avais dans les mains. Au cœur de la nuit obscure, c'était comme un géant qui s'élargissait en s'approchant de moi (je le regardais de la hauteur la plus proche de la mer) et en surgissant des flots ; de par son immensité et sa forme, c'était un monstre sorti des rêves : un navire de guerre soviétique ! Géante forteresse flottante jaillie, comme issue d'un conte, des entrailles indécises du brouillard et des ténèbres ! Elle avait sensiblement diminué sa vitesse, elle passait en silence, mais elle était tellement puissante que son simple passage, sous l'effet de sa masse, faisait grincer l'encadrement et le bois des fenêtres, les parquets de la maison, s'entrechoquer les pinces mal accrochées du poêle, et, tour à tour, les casseroles et les *cezve*[36] dans la cuisine obscure. Elle faisait trembler fortement et en profondeur, comme si se produisait un petit tremblement de terre, les vitres des chambres bien chauffées où se trouvaient ma mère, mon père et mon grand frère, le raidillon pavé descendant vers la mer, les poubelles devant les portes, et tout le quartier à l'air passablement triste aux premières heures du matin. Autrement dit, cette rumeur transmise de bouche à oreille par les Stambouliotes durant les années de guerre froide était bien fondée : les navires de guerre russes passaient sans bruit le Bosphore après minuit.

Un instant, un fulgurant sentiment de responsabilité s'empara de moi. Toute la ville était endormie et j'étais le seul à avoir vu cet instrument géant des Soviets en route vers je ne sais quelle direction pour commettre je ne sais quelle mauvaise œuvre. Je devais réveiller et faire se lever Istanbul et le monde entier. En outre, cette situation ressemblait à ce que je lisais dans les revues de mon enfance, et aux histoires d'enfants courageux et héroïques qui protégeaient toute une ville plongée dans le sommeil nocturne de la catastrophe d'une inondation, d'un incendie ou des armées ennemies. Pourtant, je n'avais aucunement l'intention de sortir du lit que j'avais eu tant de peine à réchauffer.

Je fus saisi par l'inquiétude et, pour la surmonter, j'entrepris avec angoisse de faire une chose qui devint chez moi à partir de ce moment une habitude : avec toute l'attention de mon esprit ouvert à l'exercice du par cœur, je me mis à compter les bateaux soviétiques qui passaient ! Qu'est-ce que je veux dire par là ? Tout comme les légendaires espions américains réputés prendre des photos de tous les bateaux communistes qui empruntaient le Bosphore, depuis un poste d'observation secret sur une hauteur (c'est une autre légende de l'Istanbul des années de guerre froide, qui n'est sans doute pas sans fondement), j'ai enregistré les particularités des bateaux qui passaient, mais ce, mentalement. Dans mon imagination j'établissais des corrélations entre le navire qui passait et les autres, entre le courant du Bosphore et, d'une certaine manière, la rotation de la terre : j'ai compté, et ainsi j'ai fait du navire géant un phénomène banal. Car je savais fort bien que seules les choses non dénombrées, non enregistrées et aux caractéristiques non déterminables provoquaient des catastrophes redoutables. Et j'ai ainsi commencé avec angoisse à contrôler, non seulement les navires soviétiques géants, mais aussi – en dénombrant tous les navires « dignes d'être comptés » qui empruntaient le Bosphore – l'ordre du monde et mon propre bonheur. Ils avaient bien raison ceux qui nous avaient enseigné, tout au long de ma vie scolaire, que les détroits étaient la clé de la conquête du monde entier, qu'ils étaient le cœur de la géopolitique mondiale, et que, pour cette raison, toutes les nations et toutes les armées, et en premier lieu les Russes, désiraient s'emparer de notre beau Bosphore.

Après mon enfance, j'ai toujours habité sur une hauteur contrôlant, regardant le Bosphore, même de loin, même entre des immeubles, des coupoles et des collines. En raison de cette signification spirituelle que revêt la possibilité de voir le Bosphore, même de loin, toute chose égale par ailleurs, dans les maisons d'Istanbul, la fenêtre avec vue sur la mer a pris la place du *mihrab* dans les mosquées (de l'autel dans les églises ou du *tevan* dans les synagogues) et les fauteuils dans le salon, les canapés, les chaises, la table du repas, tout, d'une certaine manière, est disposé dans cette direction. Une autre conséquence de la passion de pouvoir voir le Bosphore de la maison, c'est que, depuis un bateau qui va de la mer de Marmara en direction du Bosphore, Istanbul se dévoile sous l'aspect de millions de fenêtres avides, ouvertes pour voir ce navire et le Bosphore, des fenêtres se coupant la vue les unes les autres et se dressant impitoyablement les unes contre les autres.

J'ai appris, quand j'ai commencé à partager avec les autres mes manies et mon malaise, que le fait de compter les bateaux passant par le Bosphore n'était pas une bizarrerie qui m'était réservée, mais qu'il y avait des tas de Stambouliotes de tout âge qui étaient d'un

tempérament semblable au mien ; que la majorité d'entre nous, dans le courant de la vie quotidienne, jetant ainsi un coup d'œil sur le Bosphore par la fenêtre ou le balcon, comptait les bateaux, pour savoir si des catastrophes, des morts, des événements bouleversants se profilaient ou non à l'horizon. Par exemple, des années après, à Beşiktaş où nous avions déménagé, avenue Serencebey, il y avait un lointain parent qui vivait dans une maison avec vue sur le Bosphore, et qui notait sur un carnet, comme s'il s'agissait d'un strict devoir, les bateaux qui passaient dans un sens ou dans l'autre. Au lycée, j'avais un camarade de classe qui prétendait que tout navire suspect – un peu ancien, rouillé, démodé ou alors dont on ne savait pas à quel pays il appartenait – transportait secrètement des armes d'Union soviétique vers des rebelles sécessionnistes de je ne sais plus quel territoire, ou bien allait ébranler les marchés internationaux avec le pétrole qu'il transportait.

Ces manies peuvent aussi être considérées comme les produits d'une culture d'avant la télévision, où le jeu consistant à regarder par la fenêtre était un moyen important de passer le temps. On peut aussi les comprendre comme un sous-produit des plaisirs infinis de la contemplation du paysage du Bosphore. Mais derrière mon intérêt pour le comptage des bateaux, comme derrière des manies analogues de nombre de connaissances, se trouve une autre peur fichée au cœur des foules stambouliotes. La transformation de leur ville, consommant jadis toute la richesse du Proche-Orient, en un lieu appauvri et triste, réduit, épuisé, petit à petit anéanti, en ruine – suite aux guerres avec l'Occident et la Russie qui ont embrasé l'Empire ottoman –, a fait des Stambouliotes une foule introvertie et nationaliste, en permanence soupçonneuse vis-à-vis de l'extérieur, des lieux éloignés, des Occidentaux et en fait de tout type de nouveauté et de toute chose portant trace de l'étranger. En outre, pour les mêmes raisons, les Stambouliotes, tout comme je pouvais le ressentir au cours de mon enfance, ne se sont pas encore libérés de la crainte de cent cinquante ans qu'à chaque instant, dans leur ville, toute sorte de catastrophe pouvait être endurée et de nouvelles défaites et destructions survenir.

Quand je quitte Istanbul, il m'arrive, parfois, de vouloir rentrer sans tarder dans ma ville pour pouvoir continuer à compter les bateaux. Parfois même, je pense que je serai plus rapidement en proie au sentiment de tristesse et de perte que diffuse la ville si je ne compte pas les bateaux qui passent. Peut-être que la tristesse est un destin inévitable pour qui a passé à Istanbul toutes les années que j'y ai vécues. Mais la résolution de faire quelque chose contre la tristesse est importante également car elle confère une dimension de devoir à la contemplation oisive du Bosphore depuis la fenêtre.

En tête des catastrophes que toute la ville a continuellement en mémoire et qu'elle attend avec inquiétude, c'est sûr que figurent les accidents de bateaux sur le Bosphore. On les vit avec le sentiment de former une grande communauté réunissant toute la ville. Comme je sentais que la vie se déroulait hors des règles ordinaires et que, en fin de compte, il ne nous arriverait rien, je me réjouissais secrètement de ces catastrophes et j'en éprouvais même un plaisir coupable.

Par exemple, quand on a compris, au bruit de la déflagration et aux fumées de l'incendie noircissant le ciel étoilé, que deux tankers pleins de pétrole s'étaient heurtés au milieu du Bosphore et qu'ils s'étaient mis à brûler après une forte explosion, j'avais à peine huit ans et, au lieu d'avoir peur, je me suis enthousiasmé dans l'attente d'un spectacle. Ce n'est que par la suite qu'on apprit par téléphone que les dépôts de pétrole alentour avaient explosé et qu'en fait tout le Bosphore, de part en part, s'était embrasé. Comme lors de tous les grands incendies, d'abord certains ont vu des flammes et de la fumée, ensuite ont entendu des racontars, faux pour la plupart, et enfin, malgré les objections des mères et tantes paternelles, nous avons cédé à l'attirance irrésistible du spectacle du feu.

Mon oncle nous réveilla en urgence et, après avoir rempli la voiture, nous conduisit à Tarabya par les collines qui bordent le Bosphore. Je me rappelle que la vue des policiers interdisant l'accès à la route littorale devant le grand hôtel en cours de construction m'avait autant affligé et ému que l'incendie. Je devais apprendre plus tard, non sans jalousie, qu'un de mes camarades d'école – en compagnie de son père ayant prononcé, fort de sa carte de presse, un «presse!» vantard – avait franchi le cordon de police. C'est ainsi qu'en 1960, à la fin d'une nuit d'automne, j'ai contemplé, enthousiaste, le Bosphore en feu, parmi la foule des badauds stambouliotes déversés dans la rue, en chemise de nuit, en pyjama, en pantalons enfilés précipitamment et en pantoufles, leur bébé dans les bras, sacs et pochettes à la main. Comme je l'ai constaté au cours des années suivantes, lors de séances de contemplation de ces extraordinaires incendies de mer, de *yalı* et de navires, les vendeurs de *helva* en feuille, de *simit*, d'eau, de graines, de *köfte*, de sirop – dont je n'arriverai jamais à comprendre comment ils pouvaient faire leur apparition en l'espace de si peu de temps –, passant parmi la foule, avaient déjà commencé à exercer leur commerce.

Le tanker nommé *Peter Zoraniç*, en provenance du port soviétique de Tvapse, avec son chargement de dix mille tonnes de gaz liquide, et à destination de la Yougoslavie, s'était mal engagé dans le Bosphore, selon les articles de presse parus par la suite ; ce faisant, il était entré en collision avec le tanker grec *World Harmony* qui filait en direction de l'URSS pour s'approvisionner en hydrocarbures ; une ou deux minutes après, le gaz liquide échappé du tanker yougoslave s'était enflammé avec un bruit que tout Istanbul allait entendre. Comme l'équipage des deux navires avait soit quitté précipitamment les lieux, soit était mort calciné dans l'instant, les bateaux demeurés sans pilote échappèrent à tout contrôle et commencèrent à divaguer comme des boules de feu, menaçant les quartiers des deux rives, Emirgân, les *yalı* de Yeniköy, Kanlıca, les dépôts de pétrole et d'essence de Çubuklu, et les rivages de Beykoz, encore couverts de bâtiments en bois. Ainsi les lieux que naguère Melling dépeignait comme le paradis ou à propos desquels A. Ş. Hisar parlait de «civilisation du Bosphore» se trouvaient pris dans les hydrocarbures en flammes et les fumées noires.

À chaque mouvement des navires, dès qu'ils se rapprochaient d'une côte, les riverains abandonnaient avec angoisse leur *yalı* ou

leur maison de bois, sortaient dans la rue, couvertures en main, et fuyaient le rivage. Le tanker yougoslave fut d'abord entraîné de la rive asiatique vers la rive européenne; là, il se heurta au *Tarsus* qui transportait des voyageurs et avait jeté l'ancre devant İstinye: en peu de temps, ce navire, saisi par les flammes, commença à brûler à son tour. Quand les bateaux en feu dérivèrent vers Beykoz, la foule fuyant le rivage – imperméables enfilés à la hâte sur les chemises de nuit, couvertures à la main – grimpa en direction des collines. La mer en feu était toute lumineuse et toute jaune. Toutes les cheminées des navires, transformées en masse de fer incandescent, leurs mâts, les saillies des cabines de pilotage, tout vacillait sous l'effet déformant de la chaleur. Le ciel était illuminé d'une grande lumière écarlate qui semblait émise par les entrailles mêmes des navires. De temps en temps il se produisait une explosion, des plaques de tôle de la taille d'une couverture glissaient conjointement dans la mer, comme des feuilles de papier, et du rivage et des hauteurs parvenaient des cris ; à chaque déflagration, on entendait des pleurs d'enfants.

Pouvait-il y avoir quelque chose de plus édifiant que de voir saisis par les flammes des lieux où l'on sentait les fleurs printanières en se promenant parmi les arbres de Judée et les chèvrefeuilles odoriférants, où l'on dormait d'un sommeil paradisiaque à l'ombre des mûriers, où l'on contemplait, sur la mer luisante comme de la soie, les nuits d'été au clair de lune, la teinte argentée des gouttelettes d'eau perlant à l'extrémité des rames pesamment actionnées pour s'approcher, parmi une ribambelle de barques, de celle où l'on jouait de la musique ; et de voir soumis au même sort des jardins plantés de cyprès et de pins et des bois, des *yalı* épargnés jusque-là, et parmi les plus vieux ; le tout accompagné d'explosions, d'incendies, d'un ciel rougeoyant, de foules en pleurs fuyant leur maison en tenue de nuit ?

Comme je devais le comprendre par la suite, tout advint parce que, alors, je ne comptais pas encore les bateaux. Ce sentiment de culpabilité face aux catastrophes ne suscitait pas en moi le désir de fuir loin des lieux sensibles, mais, tout au contraire, aiguillonnait ma volonté de témoigner en allant sur les lieux de la catastrophe. Par la suite, comme, en vérité, à la façon de nombreux Stambouliotes, je désirais les catastrophes, dans le feu de l'action de chacune d'entre elles j'étais gagné par un sentiment de culpabilité. Cependant le désir de contempler et de me trouver sur les lieux de l'événement était plus fort que ce sentiment.

Même Tanpınar – qui tout au long de sa vie s'est lamenté de la disparition progressive des vestiges de la culture ottomane sous les assauts de la modernisation à l'occidentale, de la pauvreté et, plus encore, de l'ignorance et du désarroi des Stambouliotes eux-mêmes, et qui a traité ce sujet dans ses dimensions les plus profondément

spirituelles dans ses romans – avoue dans le chapitre «Istanbul» de son livre *Cinq Villes*, qu'il prend plaisir à contempler l'incendie des anciens *konak* en bois (en comparant lui aussi ce plaisir, comme Gautier, à celui de Néron). Il y a plus étrange encore. C'est que, quelques pages auparavant, le même Tanpınar s'afflige sincèrement, écrivant : «Devant nos yeux des chefs-d'œuvre, les uns après les autres, fondent comme du sel gemme tombé dans l'eau, et deviennent amoncellements de cendres et de terre.»

Tanpınar, à l'époque, avait contemplé depuis sa maison du raidillon Tavuk-Uçmaz, à Cihangir – située dans la même rue que l'immeuble qu'avait fait construire mon grand-père dans les années cinquante, et d'où je comptais les navires de guerre soviétiques –, l'incendie du bâtiment en bois de l'ancien *yalı* Sabiha Sultan, ancien siège du Parlement ottoman et de l'Académie des Beaux-Arts (où il avait lui-même enseigné). Et c'est peut-être pour excuser son indécision – partagé qu'il était entre, d'un côté, la jouissance de l'évocation littéraire de ces «flammes et colonnes de fumée qui virevoltaient puis se haussaient en un instant vers les cieux dans cette incroyable fin du monde» qui n'excéda pas une heure, étouffant les alentours d'une plaisante pluie d'étincelles accompagnée d'explosions, et, de

256

l'autre côté, son désarroi face à l'anéantissement de l'une des plus belles constructions en bois de l'époque de Mahmud II et de tout un tas de souvenirs et d'études (toute la collection et tous les relevés de Sedad Hakkı Eldem, le plus grand architecte-archiviste de l'architecture ottomane, disparurent dans cet incendie) – que Tanpınar évoque les pachas ottomans jadis curieux des spectacles d'incendie. Avec un étrange sentiment de culpabilité, il dénombre ainsi un par un ceux qui vont au spectacle, forçant l'allure des chevaux de leur voiture dès qu'ils entendent «Au feu!», ceux qui emportent avec eux des couvertures, des fourrures ou même, comme le spectacle est destiné à durer longtemps, tout le nécessaire pour faire à manger et pour préparer le café.

Les incendies de l'ancien Istanbul n'étaient pas seulement des spectacles où se rendaient en courant les curieux de tout poil, les pachas, les pilleurs, les voleurs et bien sûr les enfants, c'était aussi un grand divertissement populaire, dont les écrivains voyageurs occidentaux visitant la ville à partir de la moitié du XIXᵉ siècle se sentirent tenus d'être témoins en personne et de rendre compte. Théophile Gautier, venu à Istanbul en 1852, raconte avec complaisance et par le menu chacun des cinq incendies dont il a été témoin durant les deux mois où il est resté dans la ville. (Au moment du premier incendie, il était en train d'écrire une poésie dans le cimetière de Beyoğlu.) À l'évidence, pour un amateur de spectacle, les incendies de nuit sont toujours préférables. Gautier qualifie de «paysage extraordinaire» l'incendie d'une fabrique de peinture au bord de la Corne d'Or, crachant des flammes multicolores vers le ciel; et, avec un œil de peintre, il porte son attention sur les ombres des bateaux dans la Corne d'Or, sur les ondulations de la foule contemplant l'incendie et sur les bruits de craquement du bois dévoré par les flammes et des bâtiments qui s'effondrent. Un moment après, il retourne sur les lieux de l'incendie et s'emploie à considérer comme une particularité des Turcs musulmans cette faculté d'acceptation, au nom du «destin», de tous les malheurs qui peuvent survenir, à l'image de ces centaines de familles s'efforçant de vivre dans des baraquements bricolés en l'espace de deux jours, parmi les tapis, les matelas, les oreillers, les ustensiles et autres biens sauvés de l'incendie.

Quoi qu'il en soit, l'incendie est une composante à ce point inséparable de l'histoire ottomane d'Istanbul longue de cinq siècles que les Stambouliotes, tout particulièrement à partir du XIXe siècle, s'étaient d'avance préparés à ce type de catastrophe qui anéantissait la ville. Au XIXe siècle, pour les Stambouliotes vivant dans les maisons de bois, dans les rues étroites, l'incendie de leur maison, plus qu'une catastrophe, était un événement auquel ils étaient déjà préparés comme à une fin inévitable. Même si l'Empire ottoman ne s'était pas effondré, l'Istanbul du début du XXe siècle aurait quand même perdu une grande partie de sa puissance et de sa mémoire, en raison des incendies répétés qui, engloutissant en un assaut des milliers de maisons, des dizaines de quartiers, voire de vastes portions de la ville, laissèrent derrière eux des dizaines de milliers de personnes sans domicile, dans l'indigence et le désarroi.

Cependant, pour les gens comme moi, témoins de la destruction par le feu, dans les années cinquante et soixante, des derniers *yalı* de la ville, de ses derniers *konak* ou même des maisons de bois en ruine, cette jouissance à contempler les incendies portait les stigmates d'une gêne mentale différente de celle des pachas ottomans qui prenaient plaisir au spectacle : avec un sentiment de culpabilité, d'humiliation et de jalousie, nous voulions sans tarder réduire à néant les dernières traces d'une grande culture et d'une civilisation dont nous n'avions pas pu être les dignes héritiers – tout cela pour pouvoir développer à Istanbul une imitation de la civilisation occidentale de deuxième catégorie, terne et sans relief.

Durant mon enfance et ma jeunesse, quand un des *yalı* en bois du Bosphore commençait à prendre feu, des foules curieuses de contempler ce spectacle se formaient des deux côtés du Bosphore, et les bateaux à moteur et autres barques chargés de ceux qui souhaitaient tout voir d'encore plus près s'approchaient du *yalı* en feu. Dans ma prime jeunesse, quand un tel incendie venait à éclater, on se téléphonait entre camarades, on remplissait des voitures et on allait en bande à Emirgân par exemple ; là, tout en écoutant sur l'autoradio Creedence Clearwater Revival, nouvellement à la mode, dans les voitures garées côte à côte au bord de l'eau, tout en mangeant des toasts au *kaşar* et en buvant du thé et des bières achetés à la buvette d'à côté, on contemplait les mystérieuses flammes du *yalı* en feu sur la rive opposée, en Asie.

Pendant le spectacle, on évoquait des histoires du genre de celle de la maison en bois sur la rive européenne qui, autrefois, avait pris feu, atteinte par des clous incandescents propulsés dans les airs par-dessus le Bosphore, à partir de maisons en bois incendiées sur la rive asiatique. Mais pour finir, on parlait aussi de l'amour, des ragots politiques, des matchs de foot et de la déraison de nos pères et mères. Le plus important, c'est que si un tanker obscur passait devant le *konak* en bois en train de brûler, personne ne s'en souciait, personne ne le prenait en compte ; parce qu'en fait la catastrophe avait déjà éclaté. Mais aux moments où le feu était à son paroxysme, où le sentiment de catastrophe était le plus effrayant, il se faisait un silence parmi les camarades, à l'intérieur des voitures ; alors, j'avais l'intuition que chacun, tout en regardant les flammes, pensait à son propre malheur à venir.

Parfois même j'éprouve jusque dans mon sommeil la peur d'un nouveau désastre, celui qui viendra du Bosphore, et que tous les Stambouliotes ont en tête au quotidien. De temps en temps, une sirène de bateau me réveille, entre minuit et le matin. Ce dense et puissant bruit de sirène, s'étirant et circulant, redoublé en échos par les collines qui enserrent le Bosphore, si je l'entends de nouveau dans le silence de la nuit, je comprends aussitôt qu'il y a du brouillard sur le Bosphore. Les nuits de brume, la sirène du phare de Ahırkapı, qui émet ses signaux depuis l'endroit où le Bosphore débouche dans la mer de Marmara, se fait aussi entendre à intervalles réguliers, pleine de tristesse. De la sorte, dans mon esprit divaguant entre sommeil et éveil, prend forme un grand navire imaginaire qui tente de trouver son chemin dans les eaux agitées du Bosphore envahi par le brouillard.

C'est un navire de quel pays, celui-ci, de quelle taille est-il, qu'est-ce qu'il transporte ? Quelle est la cause de l'inquiétude du capitaine dans sa cabine de pilotage et des aides anonymes à ses côtés ? Est-ce qu'ils ont été pris par un courant, est-ce qu'ils viennent de remarquer une masse noire s'approchant d'eux dans la brume, ou alors, est-ce qu'ils font sonner la sirène parce qu'ils ont dévié de leur trajectoire et s'aperçoivent qu'ils prennent une mauvaise direction ? Les Stambouliotes, couchés dans leur lit, entre sommeil et éveil, au fur et à mesure qu'ils perçoivent les appels de sirène du navire qui parviennent à leurs oreilles avec une souffrance et un désespoir croissants, vont et viennent, partagés entre la compassion pour les marins et la crainte de la catastrophe, entre le cauchemar et la simple curiosité pour ce qui peut bien se passer là-bas sur le Bosphore. Les jours de tempête ma mère disait : « Que Dieu vienne en aide à ceux qui prennent la mer par ce temps ! » D'un autre côté, le sentiment qu'il se déroule une catastrophe épouvantable à proximité, mais à une distance suffisante pour ne pas être mis en danger, constitue le meilleur des somnifères pour ceux qui se réveillent au milieu de la nuit. Donc les Stambouliotes, entre sommeil et éveil, un moment après avoir noté la sirène du bateau, se blottissent dans leur couverture, et finissent par se rendormir. Dans leur rêve, ils peuvent même se voir dans un bateau pris par le brouillard, au seuil du danger.

Qu'ils aient ou non rêvé, tout comme généralement ils oublient leurs songes, le matin ils oublieront aussi qu'ils ont été réveillés au cœur de la nuit par la sirène d'un bateau dans le brouillard. Seuls les enfants ou ceux qui sont restés enfants se rappellent la brume de la nuit et la sirène du bateau. Dans les moments les plus ordinaires de la vie quotidienne, en faisant la queue à la poste ou bien en déjeunant, une personne tout près de nous glisse à une autre :

« Cette nuit, j'ai été réveillé en plein rêve par la sirène d'un bateau. »

À ces moments, je sens que depuis mon enfance, les nuits de brouillard, je fais le même rêve que des millions de Stambouliotes habitant sur les hauteurs du Bosphore.

Je voudrais maintenant évoquer une autre peur qui sourd dans les rêves de ceux qui habitent dans les *yalı* au bord du Bosphore, à l'instar des incendies de tanker, en racontant un accident profondément gravé dans ma mémoire. Par une de ces nuits de brouillard, le 4 septembre 1963 à quatre heures du matin s'il faut être précis, le cargo de 5 500 tonnes du nom de *Arhangelsk* – qui transportait à destination de Cuba des matériaux d'usage militaire chargés au port russe de Novorossisk –, s'étant acharné à poursuivre son chemin malgré une visibilité qui ne dépassait pas dix mètres, s'est échoué sur le rivage de Baltalimanı, s'avançant sur dix mètres, détruisant d'un coup deux *yalı* en bois et tuant trois personnes.

« Nous avons été réveillés par un bruit effroyable. Nous pensions que la foudre était tombée sur le *yalı*, jusqu'à fendre le toit et le partager en deux. Par une chance inouïe, nous nous trouvions du côté qui ne s'est pas effondré. Nous ressaisissant pour examiner ce qui se passait, dans le salon du troisième étage, nous nous retrouvâmes nez à nez avec un énorme cargo. »

Outre les paroles des rescapés, les journaux publièrent des photos du bateau entré dans le salon du *yalı* en bois : le navire pointait son nez mortifère parmi les canapés renversés, la photo accrochée au mur du grand-père pacha, les grappes de raisin demeurées dans l'assiette sur la commode, les tapis suspendus au-dessus du vide comme des traînes de rideau, car l'autre moitié de la pièce avait disparu, avec les buffets, les trépieds et les calligraphies sacrées encadrées. Ce qui rendait ces photos à la fois effrayantes et attirantes à un degré insupportable, c'était la présence des objets – les fauteuils familiers, qui ressemblaient à ceux de notre maison, les commodes, les trépieds, les paravents, les chaises, les tables et les canapés – au milieu desquels avait pénétré le bateau, semant la mort. En relisant, dans les journaux reliés vieux de trente ans, le fait que la belle lycéenne morte dans l'accident s'était fiancée peu avant, puis les sujets de conversation, la veille de l'accident, entre ceux qui devaient mourir et ceux qui devaient être sauvés, et la douleur du jeune du quartier faisant face, au milieu des décombres, au cadavre de sa jeune fiancée, je me suis rappelé à quel point, pendant des jours, tout le monde à Istanbul avait parlé de l'accident.

Étant donné qu'à cette époque la population d'Istanbul n'était pas de dix millions comme aujourd'hui mais d'un million, les accidents sur le Bosphore étaient vécus, non pas comme les catastrophes ordinaires d'une ville grouillante où l'on se perd au milieu de la foule, mais comme des histoires de quartier, circulant de bouche à oreille jusqu'à prendre la dimension d'un mythe. Ce qui m'a étonné, c'est que plusieurs de mes connaissances, apprenant que j'écrivais quelque chose sur Istanbul, m'ont parlé avec nostalgie de ces bonnes vieilles catastrophes du Bosphore, l'œil quelque peu humide, comme lorsqu'on parle des beaux jours du passé, et qu'elles ont insisté pour que j'évoque dans mon texte leur propre florilège de désastres.

Ainsi une fois, en juillet 1966 si je ne m'abuse, le bateau à moteur qui transportait des passagers de l'association d'Amitié turco-allemande pour une croisière sur le Bosphore était entré en collision, entre Yeniköy et Beykoz, avec un autre, chargé de bois, qui descendait vers la mer de Marmara. Il avait aussitôt coulé : treize personnes étaient mortes, englouties dans les eaux obscures. Ça, il fallait absolument que je l'écrive.

Et puis un tanker roumain nommé *Ploiesti* avait envoyé par le fond, après l'avoir fendu en deux d'un seul coup – ce, en une fraction de seconde –, un bateau de pêcheur sous les yeux d'une connaissance en train de compter les bateaux, résignée, sur le balcon de son *yalı*. Ça aussi, j'étais tenu de l'écrire.

Les années qui suivirent, un tanker roumain à nouveau (*Independenta*) était entré en collision au large de Haydarpaşa avec un autre navire (le cargo grec *Euryali*). Le carburant qui se déversait prit feu tout d'un coup et le tanker encore plein de pétrole explosa avec un bruit effroyable, au point que nous fûmes tous réveillés ; cet accident, je devais ne pas l'oublier. Je n'ai pas oublié : bien qu'on se trouvât à des kilomètres du lieu de l'accident, la moitié des vitres des fenêtres des maisons dans notre quartier fut brisée par la violence de la déflagration et les rues furent jonchées de bris de verre.

Et il y avait aussi ce navire coulé au fond du Bosphore avec ses moutons : le 15 novembre 1991, le navire nommé *Rabunion*, battant pavillon libanais, avait emprunté le Bosphore avec une cargaison de plus de vingt mille moutons achetés en Roumanie ; après être entré en collision avec le bateau de marchandises battant pavillon philippin nommé *Madonna Lili* – qui transportait du blé de La Nouvelle-Orléans en Russie –, il coula en compagnie de ses moutons. Un très petit nombre de ces animaux, sautant du navire, a pu nager et être sorti de l'eau par des Stambouliotes qui buvaient leur café en lisant le journal dans les maisons de thé au bord du Bosphore ; mais près de vingt mille malheureux moutons attendent toujours la bonne âme qui les sortira des profondeurs du Bosphore. Cet accident a eu lieu exactement à la verticale du deuxième pont sur le Bosphore connu comme le «pont de Fatih» ; cependant je n'aborderai pas la plus grande découverte des Stambouliotes après 1970 : le suicide en se jetant du Pont du Bosphore, habitude très répandue parmi les citadins. Cela parce que, tandis que j'écrivais ce livre, une nouvelle tirée des journaux d'Istanbul de l'époque de ma naissance, sur laquelle je suis tombé parmi les collections de vieux journaux que j'ai commencé à lire avec plaisir et conformément à mes habitudes d'enfance, m'a rappelé que la mort dans le Bosphore, plus que le suicide depuis le pont, suivait une autre voie, beaucoup plus répandue. En voici un exemple :

> «Une voiture s'est précipitée dans la mer à Rumelihisarı. Malgré toutes les recherches menées hier (24 mai 1952), on n'a pu retrouver ni la voiture ni ses occupants. Alors que la voiture fonçait dans la mer, le chauffeur, ouvrant la porte, s'est écrié "À l'aide !", mais, pour une raison inconnue, il l'a refermée et a été happé par les eaux avec sa voiture. On suppose que l'automobile a été engloutie sous l'effet du courant dans des bas-fonds. »

Cela aussi, tiré d'un journal d'Istanbul du 3 novembre 1997, soit quarante-cinq ans plus tard :

> « Lors d'un retour de noces, une automobile qui se rendait à Tellibaba pour y faire offrandes et vœux, et dans laquelle se trouvaient neuf personnes, s'est précipitée dans la mer à Tarabya, échappant au contrôle du conducteur sous l'emprise de l'alcool. Dans l'accident, une femme mère de deux enfants a trouvé la mort par noyade. »

Au fil des ans, combien de fois ai-je entendu, lu et vu que de nombreuses voitures étaient tombées dans le Bosphore, que leurs occupants avaient été emportés sans espoir de retour, au cœur des eaux profondes ! Une fois la voiture tombée dans l'eau – à l'intérieur de laquelle se trouvent des enfants qui braillent, des amoureux qui se querellent, des ivrognes qui rient de tout et de rien, des maris qui rentrent chez eux à toute vitesse, des jeunes qui essaient les freins de leur nouveau véhicule, des conducteurs distraits, des nostalgiques tentés par le suicide, des hommes mûrs qui ne voient pas bien dans l'obscurité, des étourdis qui confondent la marche avant et la marche arrière après avoir bu du thé sur le quai, leurs camarades, des gens qui ne comprennent pas comment tout a pu déraper d'un coup, Şefik, un ancien de la Trésorerie, et sa belle secrétaire, des policiers qui contemplent le Bosphore en comptant les bateaux, le chauffeur inexpérimenté parti se promener en compagnie de sa famille avec la voiture de l'usine empruntée sans autorisation, le producteur de chaussettes en nylon que connaît un de vos parents éloignés, le père et le fils vêtus d'un imperméable de même couleur, le célèbre bandit de Beyoğlu et sa chérie, ainsi que la famille de Konya qui voit pour la première fois le Pont du Bosphore –, celle-ci ne coule pas tout de suite comme une pierre ; on a l'impression qu'elle demeure un moment à la surface de l'eau. S'il y a une rue à la lumière du jour, ou même une *meyhane* à la lueur des lampes, quoi qu'il en soit, durant ce très bref instant, ceux qui sont du côté viable du Bosphore pourraient entrevoir la terreur sur les visages de ceux qui sont en train de passer sans le vouloir dans les profondeurs de l'autre côté. Ensuite, insensiblement, la voiture commence à s'enfoncer dans les eaux agitées et obscures du Bosphore.

Je voudrais rappeler que les portes de la voiture qui s'enfonce dans le Bosphore ne pourront plus s'ouvrir, en raison de la pression exercée par les eaux envahissant l'intérieur de l'habitacle. Un journal un peu plus fin que les autres, à une période où de nombreuses voitures tombaient dans l'eau, fit un travail intelligent, justement en vue de fournir aux lecteurs ces informations, au moyen d'un petit guide illustré de dessins bien faits :

COMMENT SORT-ON D'UNE VOITURE TOMBÉE DANS LE BOSPHORE ?

1. Surtout ne paniquez pas. Fermez les fenêtres et attendez que les eaux aient bien rempli votre voiture. Levez les taquets des portes. Que personne ne bouge de l'endroit où il se trouve.
2. Si la voiture continue à descendre vers le fond du Bosphore, tirez le frein à main.
3. Une fois que les eaux sont sur le point d'envahir la totalité de votre voiture, respirez tant que vous pouvez l'ultime centimètre cube d'air coincé sous le plafond, puis ouvrez lentement les portes et sortez sans affolement de la voiture.

J'aurais bien voulu ajouter pour ma part un quatrième point qui aurait dit : « Et vous pouvez remonter à la surface, à condition qu'au dernier moment, *inshallah*, votre imperméable ne se coince pas dans le manche du frein à main. » Et si vous savez nager, une fois que vous aurez émergé, vous remarquerez immédiatement à quel point, malgré toute la tristesse de la ville, le Bosphore et la vie sont beaux.

23

Nerval à Istanbul : les promenades dans Beyoğlu

Les fragments de certains tableaux de Melling me saisissent de stupeur. Le peintre a vu et représenté des collines d'Istanbul où s'établiraient les rues, les routes, les maisons, les quartiers qui allaient devenir le cadre de toute mon enfance et de mon existence, alors qu'elles étaient encore vierges de tout peuplement et de toute construction. Voir, dans les coins de ces paysages, une loupe à la main, les endroits qui prendraient plus tard le nom de Yıldız, de Maçka ou de Teşvikiye à l'état de collines dépeuplées, couvertes de peupliers, de chênes et

de jardins potagers, suscite chez moi une impression proche de la douleur éprouvée par les Stambouliotes à la vue des lieux dévastés par les incendies, des jardins de grandes demeures calcinées, des murs éboulés, des arcades et des décombres où ils avaient vécu à une époque. Découvrir que les lieux qu'on a depuis son plus jeune âge assimilés comme le centre de son propre monde, et qui, pour cette raison, constituent le point de départ de toute connaissance, découvrir qu'en fait, récemment encore (cent ans avant ma naissance), ces lieux n'existaient pas, provoque une surprise et un choc aussi insoutenables que de voir après sa mort le monde qu'on laisse derrière soi. Ce frisson de stupeur est celui de toute l'expérience de la vie, de tout le difficile et fragile acquis des relations humaines, et des choses face au temps.

C'est ce saisissement que j'éprouve aussi dans certaines pages de la partie «Istanbul» du *Voyage en Orient* de Gérard de Nerval. Un demi-siècle après que Melling a peint ses tableaux, le poète français, venu à Istanbul en 1843, raconte à un moment sa promenade depuis le couvent des Mevlevis, dans ce secteur de Galata qui cinquante ans plus tard deviendrait le Tünel, jusqu'à l'emplacement qui porte

aujourd'hui le nom de Taksim – exactement comme je le ferai cent quinze ans plus tard en tenant ma mère par la main. La Grande-Rue de Péra, rebaptisée «avenue İstiklal [37]» après l'instauration de la République, au cœur de l'actuel Beyoğlu, était quasiment identique en 1843. Après le couvent des Mevlevis, Nerval compare cette rue à Paris : «Des boutiques brillantes de marchandes de mode, de bijoutiers, de confiseurs et de lingers, des hôtels anglais et français, des cabinets de lecture et des cafés», des consulats. Mais après le bâtiment que le poète appelle l'hôpital français (de nos jours, le Centre culturel français), la ville se termine de manière étonnante, stupéfiante, et même effrayante, pour moi. Parce que l'actuelle place de Taksim, dans les parages de laquelle j'ai vécu depuis mon enfance, et qui était le centre et la plus grande place de mon univers, Nerval la décrit comme un espace vide investi par les attelages, les vendeurs de *köfte*, de pastèques et de poisson. Il parle de cimetières, dont rien ne resterait cent ans plus tard, qui jouxtaient cette place et se mêlaient à la ville dans le prolongement du plateau et sur ses abords. Mais une phrase de Nerval à propos de ces planes étendues où je devais passer plus tard toute mon existence et qui m'apparaîtraient toujours «couvertes d'immeubles très anciens» reste imprimée dans mon esprit : «C'est un plateau immense ombragé de sycomores et de pins!»

Nerval avait trente-cinq ans lorsqu'il vint à Istanbul. Deux ans auparavant, il avait été victime de la première de ses crises de mélancolie qui l'amèneraient à se pendre, douze ans plus tard à Paris, et avait séjourné quelque temps dans un asile. Quant à Jenny Colon, une comédienne qu'il aimait sans retour d'un amour qui le hanterait sa vie durant, elle était morte six mois plus tôt. C'est rempli de cette souffrance, et naturellement sous l'influence de la fascination romantique pour l'Orient, qui, avec Chateaubriand, Lamartine et Hugo, commençait à devenir une tradition dans la littérature française, que Nerval avait entrepris son « voyage en Orient » qui passerait par l'Égypte et Le Caire, Alexandrie et la Syrie, Chypre, Rhodes, Izmir et Istanbul. En tenant compte du fait que Nerval, à l'instar des écrivains qui l'ont précédé, unit son intention d'écrire sur l'Orient à la mélancolie de la littérature française, on s'attend que les observations du poète à Istanbul soient d'une rare singularité.

Or, dans l'Istanbul de 1843, Nerval ne s'intéresse pas à sa propre mélancolie mais aux choses qui peuvent la lui faire oublier. C'est d'ailleurs pour fuir ses souffrances morales, tout au moins pour se les cacher à lui-même ainsi qu'à son entourage, qu'il avait entrepris ce périple. Dans une lettre à son père, il avait écrit que l'incident de sa crise de démence et son séjour en maison de santé deux ans avant son voyage en Orient était clos et qu' «il prouverait aux gens qu'il ne s'agissait que d'un simple accident», avant d'ajouter plein d'espoir qu'il était complètement rétabli. Nous pouvons penser que n'ayant pas encore été frappé par la défaite, la pauvreté et le déclin face à l'Occident, Istanbul n'offrait pas au poète suffisamment matière à nourrir son sentiment de mélancolie. N'oublions pas que cette implacable tristesse était un sentiment qu'éprouvaient, au sein de la ville, ceux qui y vivaient après la défaite. Dans son récit de voyage, Nerval, reprenant les mots de son célèbre poème, écrit que « le soleil noir de la mélancolie » apparaissait de lieu en lieu en Orient, mais ce sont les rives du Nil qu'il cite en exemple. Alors que dans l'Istanbul de 1843, sur les lieux les plus riches, les plus attrayants et les plus exotiques de la ville, il agit comme un journaliste empressé de rassembler des données pour écrire à son sujet.

C'est la raison pour laquelle il était venu en période de ramadan. Ce devait être, à ses yeux, comme d'aller à Venise pour le carnaval. (Le mois de ramadan est « à la fois carême et carnaval », écrit-il). Pendant les nuits du ramadan, Nerval assiste à une représentation de Karagöz, au spectacle de la ville illuminée de lanternes, et se rend au café pour écouter le conteur public. Un siècle plus tard, en raison de la technologie moderne, de l'occidentalisation et de la montée de la pauvreté, ces scènes qu'observeraient et décriraient encore nombre de voyageurs occidentaux furent délaissées et oubliées par les Stambouliotes et « Les nuits et les divertissements du ramadan d'autrefois », ou autres titres semblables, devinrent cette fois le sujet de beaucoup d'œuvres et de mémoires d'écrivains d'Istanbul. Derrière cette littérature, dont la lecture enchanteresse lorsque j'étais enfant éveillait la nostalgie du passé et me prépara à ce jour où je décidai tout seul de jeûner, se tient l'image d'un « Istanbul touristique » diffusée par Nerval et beaucoup d'observateurs occidentaux, qui, s'inspirant tous les uns des autres, l'ont rendu exotique et suave. Même s'il raille les auteurs britanniques écrivant immédiatement un livre après avoir visité en trois jours tous les sites « touristiques » d'Istanbul, Nerval avait comme eux assisté à un rituel de derviches, guetté la sortie du sultan de son palais et l'avait aperçu de loin (Nerval soutient que leurs regards s'étaient croisés et qu'Abdülmecit aussi l'avait vu) et avait émis des avis sur les modes vestimentaires, les us et coutumes des Turcs en faisant de longues balades dans les cimetières.

Dans *Aurélia ou le rêve et la vie*, une œuvre autobiographique d'une singularité saisissante (que lui-même compare à la *Vie nouvelle* de Dante) dont il portait des pages dans ses poches lorsqu'on le retrouva pendu, et à laquelle les surréalistes, André Breton, Paul Éluard et Antonin Artaud, vouaient une grande admiration, Nerval raconte qu'après avoir été rejeté par la femme qu'il aimait, il ne lui restait rien d'autre dans la vie que « les enivrements vulgaires » et avoue sans ambages avoir couru le monde et s'être diverti follement avec « les costumes et les mœurs bizarres des populations lointaines ». Conscient de l'aspect superficiel, facile et sommaire de ses observations au style journalistique sur les mœurs, les descriptions de la ville, les femmes orientales et les nuits du ramadan, il avait ajouté de longs récits au *Voyage en Orient* – comme les écrivains éprouvant le besoin de glisser un nouveau récit, limpide et ingénu, lorsqu'ils sentent leur narration perdre de sa vigueur – qu'il avait pour la plupart développés ou inventés lui-même. (Dans un long texte ayant pour thème les saisons de la ville, en vue d'un ouvrage intitulé *Istanbul*, préparé en commun avec Yahya Kemal et A. Ş. Hisar, Tanpınar dit s'être demandé si ces récits ajoutés par Nerval étaient inventés ou issus des histoires traditionnelles ottomanes.) Les descriptions de la ville placées entre ces récits, plus proches du monde onirique de Nerval, de sa profondeur et de sa densité mais n'ayant que peu de rapports avec Istanbul, servent à créer un cadre narratif à la Shéhérazade. Sentant d'ailleurs que les tableaux qu'il brosse manquent de puissance, Nerval, qui cherche à séduire le lecteur en répétant à l'envi « comme dans les *Contes des Mille et Une Nuits* », achève sa visite d'Istanbul en précisant qu'il n'a pas « entrepris de peindre Constantinople ; ses palais, ses mosquées, ses bains et ses rivages ont été tant de fois décrits », puis il dit quelque chose dont cent ans plus tard des écrivains d'Istanbul tels que Yahya Kemal et Tanpınar se le tiendraient pour dit et deviendrait un cliché dans la bouche des voyageurs occidentaux : « Si son aspect extérieur est le plus beau du monde, on peut critiquer […] la pauvreté de certains quartiers et la malpropreté de beaucoup d'autres » avant de comparer la ville à « une décoration de théâtre, qu'il faut regarder de la salle sans en visiter les coulisses ». C'est probablement en lisant Nerval que Yahya Kemal et Tanpınar, qui développeraient une image d'Istanbul s'adressant aux Stambouliotes par leurs textes et leurs poèmes, avaient dû avoir l'intuition qu'ils ne pourraient le faire qu'en alliant la beauté de l'aspect extérieur à la misère des « coulisses ». Mais pour comprendre l'image d'Istanbul, inventée et diffusée par les deux plus grands poètes et écrivains stambouliotes que sont Yahya Kemal et Tanpınar, tous deux admirateurs de Nerval, et que la génération suivante allait propager en la simplifiant, pour pouvoir appréhender cette image où dominaient davantage les motifs de la pauvreté et de l'histoire que des beautés de la ville, il faut nous pencher sur les livres d'un autre écrivain venu à Istanbul à la suite de Nerval.

24

Le périple mélancolique de
Gautier dans les faubourgs

Théophile Gautier, écrivain, journaliste, poète et critique, était l'ami de Nerval depuis le lycée. Ils avaient vécu ensemble leur jeunesse, s'étaient enthousiasmés ensemble pour le romantisme de Hugo, avaient un moment habité l'un près de l'autre à Paris, et leurs liens ne s'étaient jamais distendus. Quelques jours avant de se suicider, Nerval avait cherché à voir Gautier, et ce dernier écrivit un texte bouleversant après que son ami eut mis fin à ses jours en se pendant à une grille, rue de la Vieille-Lanterne.

Deux ans auparavant, en 1852 (c'est-à-dire neuf ans après le voyage de Nerval en Orient et juste cent ans avant ma naissance), les événements qui plus tard donneraient lieu au rapprochement de l'Angleterre, de la France et de l'Empire ottoman contre la Russie, et déclencheraient la guerre de Crimée, suscitèrent de nouveau l'intérêt des lecteurs français pour le voyage en Orient. En cette période où Nerval caressait le rêve de faire un second séjour en Orient, ce fut Gautier qui, cette fois, se rendit à Istanbul. La vitesse et l'expansion des navires à vapeur avaient réduit à onze jours la durée du trajet entre Paris et Istanbul. Gautier séjourna soixante-dix jours dans cette ville et publia ses impressions dans les journaux auxquels il collaborait, et les rassembla immédiatement dans un livre intitulé *Constantinople*. Cet ouvrage épais, très populaire et traduit en plusieurs langues, est, après le *Constantinopoli* de l'écrivain italien Edmondo De Amicis, édité vingt-cinq ans plus tard à Milan, le meilleur de tous les livres sur Istanbul écrits au XIXᵉ siècle.

Comparé à celui de son ami Nerval, le récit de voyage de Gautier témoigne de plus de savoir-faire, d'organisation et de fluidité. Cela tient au fait que Gautier est *feuilletoniste**, qu'il publie dans la presse des articles sur l'art et la culture et des romans en feuilletons (quelque part, il compare cette situation à celle de Shéhérazade obligée chaque nuit d'inventer une histoire), et que son écriture répond toujours à l'urgence et au souci d'être divertissant de celui sachant qu'il doit chaque jour faire parvenir un texte au journal. (Ce qui lui avait valu les critiques de Flaubert.) Mais mis à part les clichés habituels sur les sultans, les femmes, les cimetières et les sujets rebattus, ces faiblesses de journaliste firent de son livre sur Istanbul un grand reportage urbain. La valeur que prendra ce reportage aux yeux de ceux, qui comme Yahya Kemal et Tanpınar développeront plus tard une image d'Istanbul

pour les Stambouliotes, réside dans le fait que tout en procédant d'un côté comme un journaliste de talent, de l'autre, suivant les conseils de son ami Nerval, Gautier pénètre dans les « coulisses » de la ville, s'aventure dans les faubourgs, les quartiers délabrés, les rues obscures et sales, et fait pour la première fois sentir au lecteur que l'Istanbul miséreux et désolé a autant d'importance que les images touristiques.

Dans son voyage à Istanbul, on comprend que Gautier pense à son ami Nerval, et ce, dès les pages décrivant le trajet. En passant par l'île de Cythère, il se souvient qu'ici Nerval avait vu un cadavre pendu à une potence et enveloppé dans des linges graisseux. (Cette image, qu'aimaient beaucoup les deux amis dont l'un se pendra, un troisième ami, Baudelaire, l'avait empruntée au *Voyage en Orient* de Nerval pour la reprendre dans son poème *Le voyage à Cythère*.) À son arrivée à Istanbul, comme Nerval, Gautier adopte « le costume musulman » pour se promener à son aise dans la ville. Venu lui aussi en période de ramadan, il relate en les enjolivant les divertissements des nuits du ramadan. Comme son ami, il passe à Üsküdar pour voir un rituel des derviches rufai[38], se promène dans les cimetières (de vrais enfants jouant entre les pierres tombales!), assiste à une représentation du Karagöz, fait le tour des boutiques, déambule avec plaisir dans les marchés en observant attentivement les gens, et comme Nerval encore, s'arrange pour voir le sultan Abdülmecit se rendant à la prière du vendredi. Comme nombre de voyageurs occidentaux, Gautier formule les réflexions habituelles sur les femmes musulmanes qu'il ne voit que de loin, leur confinement, leur inaccessibilité et leur mystère (Gardez-vous de demander aux maris comment sont leurs femmes, dit-il). Mais il a l'honnêteté de reconnaître que les femmes flânent dans les rues de la ville même si elles ne peuvent le faire seules. Il s'attarde aussi longuement sur le palais de Topkapı, les mosquées et l'Hippodrome dont Nerval n'avait rien dit parce qu'il les trouvait trop touristiques. Cependant, étant donné que tous ces endroits et ces thèmes étaient des choses que les voyageurs occidentaux venant à Istanbul à cette période se sentaient tenus de voir et de raconter, il convient peut-être de ne pas exagérer l'influence de Nerval sur ces sujets «touristiques». Ce qui rend le livre de Gautier si agréable à lire, bien que son auteur ne soit pas exempt d'une certaine fatuité, d'un talent d'observateur enclin à la plaisanterie, et d'une curiosité de journaliste occidental pour l'étrange et l'insolite, tient autant à son art consommé de tourner tout cela en dérision qu'à son œil de peintre.

Théophile Gautier avait rêvé d'être peintre jusqu'à ce qu'à dix-neuf ans il lise les poèmes des *Orientales* de Hugo. Il était en son temps reconnu comme un critique d'art très brillant. Pour parler des paysages et des vues d'Istanbul, il recourut à un lexique pictural d'une étendue que jamais aucun écrivain n'avait jusque-là appliqué à cette ville. En décrivant la silhouette de la Corne d'Or et d'Istanbul vue du plateau où se trouve le couvent des Mevlevis de Galata dont Nerval avait parlé neuf ans plus tôt, c'est-à-dire l'actuelle place du Tünel qui est le terminus du tramway Maçka-Tünel qu'enfant j'empruntais avec ma mère lors de nos sorties à Beyoğlu, Gautier commence par ces mots: «Cette vue est si étrangement belle que l'on doute de sa réalité»; puis, avec la satisfaction d'un peintre sûr de la finesse et des nuances du tableau qu'il vient de brosser et l'assurance d'un écrivain conscient de son art, il décrit de telle manière les jeux de lumière entre les minarets, les coupoles, Sainte-Sophie, les mosquées de Beyazıt, Süleymaniye, Sultanahmet, les nuages, les eaux de la

Corne d'Or, les jardins de cyprès de la pointe du Sérail « sur un fond de teintes bleuâtres, nacrées, opalines, d'une inconcevable finesse », que le lecteur n'ayant jamais vu ce paysage prend plaisir à le découvrir. Ahmet Hamdi Tanpınar, l'écrivain stambouliote le plus sensible aux paysages d'Istanbul et à la variation de l'aspect de la ville sous l'effet de « tout un jeu de lumière », apprit beaucoup de la langue et de l'acuité visuelle de Gautier. Dans un article qu'il écrivit pendant la Seconde Guerre mondiale, Tanpınar évoque le manque d'ardeur des écrivains turcs à voir et parler des choses de leur environnement, et tandis qu'il compare avec les écrivains occidentaux pour illustrer son propos, il rappelle combien Stendhal, Balzac, Zola étaient en contact étroit avec la peinture, et que par ailleurs Gautier était peintre.

Le talent de Gautier à décrire le paysage avec toutes ses couleurs, sa beauté et ses nuances, ainsi qu'à en parler avec sensibilité, contribua à faire de ses promenades dans les « coulisses » d'Istanbul, dans les rues écartées de la ville et – selon l'expression poétique utilisée plus tard par Yahya Kemal, qui avait lu et aimait Gautier – dans « l'Istanbul miséreux et désolé », un texte flamboyant. Avant de pousser ses flânerie jusqu'aux rues à l'écart et au pied des murailles, Gautier écrit que, d'après ce que lui avaient dit des amis venus visiter Istanbul avant lui, il savait que les vues magnifiques de la ville, comme « les décorations de théâtre » ayant besoin d'« éclairage et de perspective », perdaient de leur attrait à mesure qu'on s'en approchait : ce qui de loin apparaît comme un tableau fascinant n'est en réalité qu'un amoncellement de rues étroites, montueuses, infectes, sans aucun caractère, un assemblage incohérent de maisons, de mosquées et d'arbres « colorés par la palette du soleil ».

Mais Gautier avait tendance à voir l'environnement sale et chaotique comme « beau » et mélancolique. Il le faisait profondément ressentir, avec l'engouement de la littérature romantique pour les ruines grecques et romaines et les décombres des civilisations passées, allié à une facétie de bon aloi. Dans sa jeunesse où il rêvait d'être peintre, dans le quartier du Louvre où il vivait voisin de Nerval à proximité du musée, Gautier trouvait d'une grande beauté la nuit, à la clarté de la lune, les maisons désertes et fantomatiques de l'impasse du Doyenné que Balzac comparait à des cryptes, ainsi que les vestiges de l'église Saint-Thomas-du-Louvre.

Descendant de son hôtel de l'actuel quartier de Beyoğlu vers la Corne d'Or par la colline de Galata, après avoir traversé le pont de Galata de 1853 qu'il décrit comme un «pont de bateaux», Gautier entra avec son guide français à Unkapanı pour s'enfoncer à l'intérieur de ces quartiers du nord-ouest de la ville, et dans une prose vigoureuse, il relata ce périple en disant qu'ils étaient «entrés dans le labyrinthe». À mesure qu'ils s'éloignaient, leur solitude augmentait et les chiens les suivaient en grognant. Chaque fois que je lisais ces pages décrivant les maisons en bois délabrées, à la peinture écaillée et aux planches noircies, les fontaines brisées et hors d'usage, les mausolées abandonnés au toit effondré qu'ils avaient croisés sur leur route, je pensais que tout ce que j'avais vu dans ces lieux en me pro-

menant avec mon père en voiture était, en dehors des pavés, identique il y a cent ans. Si l'attention de Gautier comme la mienne avait été retenue par ces obscures maisons en bois à l'état de ruine, ces murs en pierre, ces rues désertes et les cyprès signalant les cimetières, c'est parce qu'il en émanait de la beauté. Ce paysage que je verrai dans ma jeunesse cent ans plus tard, en me promenant seul dans les quartiers pauvres et non occidentalisés de la ville – et à la disparition duquel j'assisterai douloureusement en trente ans, à cause des incendies et de l'invasion du béton –, l'avait certes fatigué, mais il avait poursuivi « d'une rue et d'une place à l'autre ». L'appel à la prière lui avait semblé, comme pour moi dans mon enfance, s'adresser « à ces maisons muettes, aveugles et sourdes, s'écroulant dans le silence et la solitude». Il avait observé les rares passants, une vieille femme, un lézard disparaissant entre les pierres, et deux ou trois enfants, semblant tout droit sortis d'une aquarelle de Decamps, qui était venu à Istanbul avec Flaubert deux ans avant lui, en train de lancer des cailloux dans la vasque d'une fontaine, avec un sentiment du temps en parfaite adéquation avec ce tableau. Lorsque la faim se faisait

sentir, il avait constaté la rareté des restaurants et des boutiques sur cette rive de la ville, et mangé les mûres cueillies aux ronces, qui dans mon enfance, et même cinquante ans plus tard à l'heure où j'écris tout cela, animeraient les petites rues d'une touche de couleur et de vie malgré la progression du béton. Dans le quartier grec de Samatya, ou le quartier juif de Balat qu'il appelait «le ghetto», il manifesta le même intérêt pour l'aspect vivant de la ville en dépit de son état de ruine et de la petite vie de quartier. Il trouva les façades des maisons de Balat lépreuses, ses rues sales et boueuses, mais les quartiers grecs du Fener, quant à eux, mieux entretenus; cependant, au cours de toutes ces promenades, à la vue d'un mur datant de l'époque byzantine, d'un grand arc de viaduc surgissant entre les rues, les maisons et les arbres, plus que la pérennité de la pierre et de la brique, il ressentit le caractère éphémère du bois.

L'aspect le plus fort de ces fatigantes et éprouvantes promenades et de tout le livre de Gautier, ce sont toutes les émotions ressenties par

l'auteur tandis qu'il cheminait dans ces quartiers lointains et désolés de la ville à travers les vestiges des murs datant de Byzance. Il réussit parfaitement à faire partager au lecteur l'épaisseur, la force, l'état de délabrement, les fissures des remparts et la lente érosion du temps : les lézardes qui courent tout le long d'une tour (cela m'effrayait quand j'étais enfant), des morceaux de tour abattus et couchés sur le côté (il y a, entre Gautier et nous, le grand tremblement de terre de

1894 qui détériorera beaucoup les remparts), la végétation poussant
entre les fissures et les figuiers s'élançant au sommet des tours, ainsi
que le dépeuplement des zones le long desquelles s'étiraient tous
ces murs à moitié détruits, le silence des faubourgs et des quartiers
pauvres. «Il serait difficile de supposer une cité vivante derrière ces
remparts morts qui pourtant cachent Constantinople», écrit Gautier.
Et à la fin de cette longue promenade dans les faubourgs, dans les

quartiers pauvres et désolés de la ville, Gautier avait dit : « Je ne crois pas qu'il y ait nulle part au monde une promenade plus austèrement mélancolique que ce chemin qui circule pendant près d'une lieue entre un cimetière et des ruines. »

Pourquoi suis-je si heureux d'entendre dire par d'autres qu'Istanbul est une ville mélancolique ? Pourquoi est-ce que je déploie tant d'efforts pour expliquer au lecteur que le sentiment que me procure la ville où j'ai passé toute mon existence est de la tristesse ?

Le sentiment fondamental qui règne sur Istanbul et s'est propagé dans les environs de la ville ces cent cinquante dernières années (1850-2000) est incontestablement de la tristesse, je n'en ai pas le moindre doute. Ce que j'essaie de raconter, c'est ce qui découle de l'invention, de l'expression et de l'invocation de ce sentiment en tant que concept, et que tout cela a été pour la première fois écrit par des poètes français renommés (notamment par Gautier sous l'influence de son mélancolique ami Nerval). Pourquoi ce que pensent Gautier et les Occidentaux auxquels je l'identifie à propos de ma ville, de la vie d'Istanbul et de ses spécificités a toujours été pour moi, et pour la ville, un sujet d'une telle importance ?

25

À l'aune du regard occidental

Nous sommes tous, en tant qu'individu et en tant que société, plus ou moins préoccupés par ce que pensent de nous les étrangers, les gens que nous ne connaissons pas. Si cette préoccupation atteint des proportions allant jusqu'à nous faire souffrir, perturber notre rapport au réel et prendre plus d'importance que la réalité elle-même, c'est le signe que cela nous pose problème. Mon rapport – comme beaucoup de Stambouliotes – avec ce que perçoit un regard occidental dans ma ville est problématique, et comme tous les écrivains de la ville ayant un œil tourné sur l'Occident, j'ai de temps en temps l'esprit confus sur ces questions.

Ahmet Hamdi Tanpınar – qui, avec Yahya Kemal, allait pour la première fois développer une représentation littéraire de la ville que grâce aux revues et aux journaux les Stambouliotes feraient leur – avait, tout comme Yahya Kemal, lu avec beaucoup d'attention les notes du voyage à Istanbul de Nerval et de Gautier. Avec le chapitre sur Istanbul dans son livre intitulé *Cinq Villes*, Tanpınar signe le texte le plus important du XXe siècle jamais écrit sur cette ville par un Stambouliote, et l'on peut dire que ces pages ont en partie été rédigées en contrepoint aux écrits de Nerval et Gautier, sur le ton du dialogue ou de la controverse par endroits. Dans un passage de ce texte, après avoir montré que l'écrivain et homme politique français Lamartine avait brossé «un très minutieux portrait» du sultan Abdülmecit et fait allusion aux subsides que lui aurait alloués ce dernier pour qu'il rédige une *Histoire de la Turquie* (il y en avait une élégante copie en huit volumes dans la bibliothèque de mon grand-père), Tanpınar rappelle que l'intérêt de Nerval et Gautier pour Abdülmecit était beaucoup plus anecdotique, car étant journalistes, ils se devaient de répondre aux attentes de lecteurs occidentaux « ayant déjà leur opinion ». Tanpınar juge aussi les rêveries de Gautier (ou des voyageurs occidentaux) sur les femmes du harem impérial, tout comme sa manière de se vanter que le sultan ait lancé un coup d'œil à l'Italienne qui était à ses côtés, plutôt « frivoles » ; il ajoute toutefois que nous ne devions pas lui en vouloir car « le harem était bel et bien une réalité ».

Cette petite remarque recèle tous les dilemmes du Stambouliote cultivé, extrêmement mal à l'aise face à tout ce que voit l'observateur occidental dans la ville. D'un côté, à cause de l'occidentalisation, les valeurs et le jugement de l'écrivain occidental avaient acquis une importance considérable pour le lecteur stambouliote, et c'est justement la raison pour laquelle, de l'autre, le fait que l'observateur occidental dépasse la mesure sur tel ou tel sujet froissait immédiatement le lecteur stambouliote se targuant de connaître cet écrivain et la culture occidentale qu'il incarnait. De plus, on était bien en peine de définir ce qu'était au juste ce « dépassement de la mesure ». On oublie toujours que le caractère des villes, comme celui des gens, est précisément fait de ce qui « excède la mesure » ou de l'excès des remarques d'un observateur extérieur dépassant les bornes sur certaines choses. Un exemple : lorsque l'observateur occidental note que les cimetières d'Istanbul se fondent dans la vie quotidienne, pour moi, il « dépasse la mesure ». Mais comme l'a remarqué Flaubert, cette particularité, qui disparaîtra sous l'influence de l'Occident, était cependant une caractéristique importante de la ville à cette époque.

La montée du nationalisme turc concomitante à l'occidentalisation rendit cette relation encore plus inextricable. Pour les observateurs occidentaux mettant le pied à Istanbul dans la seconde moitié du XVIIIᵉ et au XIXᵉ siècle, des sujets de prédilection comme le harem, le marché aux esclaves (on doit à Mark Twain une fantaisie ironique sur la façon dont figureraient dans les pages boursières des grands journaux américains la race et le prix de la dernière moisson de filles tcherkesses et géorgiennes), les mendiants, les charges invraisemblables sur le dos des portefaix (je les voyais dans mon enfance en passant sur le pont de Galata et ils me faisaient peur, avec leurs monceaux de boîtes en fer empilées sur une hauteur vertigineuse, et, lorsqu'ils étaient pho-

tographiés par des touristes européens, tout le monde ressentait de la gêne, mais jamais le moindre malaise quand ces mêmes portefaix étaient immortalisés par un photographe stambouliote, Hilmi Şahenk, par exemple), les *tekke* de derviches (un pacha de sa connaissance explique à Nerval que les derviches rufai qui se plantaient un peu partout des tiges de fer dans le corps étaient des « fous » et conseille à son hôte français de ne pas se rendre dans leur *tekke*), et le confinement des femmes, étaient autant de thèmes faisant en même temps l'objet des critiques des Stambouliotes occidentalisés. Mais la lecture de ces mêmes critiques sous la plume d'un célèbre auteur occidental suscitait généralement d'imprévisibles sentiments de vexation et des réactions nationalistes.

L'une des raisons pour lesquelles cette relation d'amour et de haine ne prend jamais fin est le désir des élites réformatrices d'obtenir l'approbation de l'Occident et d'entendre, par la voix des meilleures plumes et des médias occidentaux, qu'elles sont comme les Occidentaux. Cependant, des écrivains comme Pierre Loti ne cachent pas qu'ils aiment Istanbul et les Turcs pour des raisons tout à fait contraires : justement parce qu'ils ne ressemblent pas aux Occidentaux et conservent leur côté oriental et « exotique ». Alors que Pierre Loti reproche aux Stambouliotes de s'être occidentalisés et d'avoir commencé à perdre leur caractère traditionnel, les lecteurs qui l'apprécient en Turquie appartiennent à une petite minorité en voie d'occidentalisation. Mais lorsque surgissent des problèmes politiques internationaux, les lecteurs stambouliotes occidentalisés et l'univers passablement exotique et édulcoré des romans de Pierre Loti se retrouvent sur la question d'une nécessaire « turcophilie ».

Chez André Gide, qui raconte dans son *Journal* son voyage de 1914 en Turquie, la « turcophilie » n'apparaît nullement comme un remède à tous les maux. Au contraire, en employant le mot « race » qui devenait à la mode, et non celui de « nation », Gide explique qu'il n'apprécie pas du tout les Turcs : Cette race porte les horribles vêtements qu'elle mérite ! Il se félicite que son voyage en Turquie lui ait rappelé combien la civilisation occidentale, et surtout celle de la France, étaient supérieures. À la différence de ce qui se passerait dans une situation semblable aujourd'hui, la presse populaire turque, les journaux et les revues ne réagirent pas à ces propos – qui à leur parution blessèrent énormément les écrivains turcs en vue de cette période, Yahya Kemal en tête, et les intellectuels turcs d'Istanbul –, se gardant de divulguer au peuple ces affronts qu'ils dissimulèrent comme un secret, et ils rongèrent intérieurement leur frein. Sans doute, les intellectuels occidentalisés donnaient-ils secrètement raison aux récriminations de Gide. Un an après la publication sous forme de livre de ces textes relatant le mépris de Gide pour le costume des Turcs, le plus grand promulgateur de réformes d'occidentalisation, Atatürk, interdit le port de tous ces vêtements traditionnels[39].

J'éprouvais moi aussi le désir de lire ce texte violemment critique contre la ville et de m'associer à son auteur, et ce genre de lecture était plus plaisante que celle d'auteurs comme Pierre Loti se répandant sans cesse en extase sur la beauté, l'étrangeté, l'enchantement et la singularité sans pareille d'Istanbul. La plupart du temps, le problème ne réside pas dans la beauté des lieux, les paysages urbains, le caractère avenant des gens, voire la considération montrée au promeneur occidental, mais dans ce que l'écrivain attend de la ville et le lecteur d'un texte sur la ville. À partir du milieu du XIXᵉ siècle, une image d'Istanbul s'enrichissant en permanence des mêmes motifs apparut dans les littératures française et anglaise. S'influençant tous les uns les autres dans des sujets comme les *tekke* des derviches, les incendies, la beauté des cimetières, le palais et le harem, les mendiants, les chiens errants, la prohibition de l'alcool, les femmes voilées, le mystère de la ville, un voyage sur le Bosphore et la beauté du paysage et de la silhouette d'Istanbul, ces écrivains, qui parfois séjournaient dans les mêmes endroits et étaient conduits par les mêmes guides, n'éprouvaient aucune déception une fois à Istanbul, parce qu'ils retrouvaient ce qu'ils en avaient lu. Cette nouvelle génération de voyageurs occidentaux, percevant peu à peu que l'Empire ottoman était en déclin et sous-développé par rapport à l'Europe, ne s'intéressait guère à des sujets tels que le secret de la puissance de l'armée ottomane, les subtilités inconnues de l'appareil d'État, qui avaient suscité la curiosité dans les siècles passés ; et au lieu de trouver comme avant la ville et les gens effrayants, inaccessibles et incompréhensibles, ils apprenaient à les percevoir comme bizarres, amusants et touristiques. D'ailleurs, pour eux, le seul fait d'être arrivés jusqu'à Istanbul était déjà une réussite et une distraction suffisantes, et comme l'ultime victoire de ce voyage était de voir et d'écrire la même chose que les écrivains occidentaux qui les avaient précédés, aucun d'entre eux, parvenu à ce point, n'était disposé à vivre une désillusion.

Le rapprochement d'Istanbul et de l'Occident grâce aux navires à vapeur et au chemin de fer commença à offrir au voyageur occidental, se retrouvant d'un seul coup dans les rues d'Istanbul, le luxe et le plaisir de se demander ce qu'il était venu faire dans ces lieux infâmes. Dès lors, à cette étape où se retrouvaient l'ignorance et le snobisme, l'audace créatrice et la probité, au lieu d'essayer de comprendre la différence des cultures, la bizarrerie des us et coutumes ou les caractéristiques structurelles du pays et de la culture, les voyageurs « cultivés » du genre d'André Gide découvrirent la revendication du droit du promeneur à se distraire, à se divertir et à être heureux à Istanbul. Sûrs d'eux-mêmes au point de proclamer que, s'ils ne disent rien d'intéressant sur la ville, c'est qu'Istanbul (pas eux) est ennuyeux et sans originalité, ces touristes écrivains de la dernière période montrent que les victoires militaires et économiques de la civilisation occidentale ont prodigué à leurs ressortissants un orgueil et une confiance que même les intellectuels occidentaux les plus critiques n'ont pu dissimuler, et que désormais eux aussi croient du fond du cœur que l'Occident est une référence pour toute l'humanité.

Ces écrivains et leurs successeurs apparaissent à une époque où l'intérêt exotique pour Istanbul a fortement diminué. Les causes de cette désaffection sont la disparition de nombreux éléments touristiques tels que le harem, les *tekke* de derviches, le sultan ou les maisons en bois et le fait que l'Empire ottoman a cédé la place à la petite République de Turquie imitant l'Occident. À la fin de cette époque où le flux des gens venant chercher l'inspiration à Istanbul s'était tari, où chaque étranger descendant à l'hôtel Hilton d'Istanbul était interviewé par les journalistes de la presse locale, le poète russo-américain Joseph Brodsky publia en 1985 un long article intitulé « Loin de Byzance » dans la revue *New Yorker*. Influencé par un texte très ironique sur l'Islande écrit par le poète Auden, d'entrée, Brodsky énumère longuement tous les motifs de sa venue à Istanbul (en avion), avec l'air de s'en excuser. Dans ce texte qui me froissa profondément par son ironie, d'autant plus que, très loin d'Istanbul à ce moment-là, j'avais envie de lire quelque chose d'agréable sur la ville, j'aime beaucoup

pourtant cette formulation de Brodsky : « Comme tout ici est chargé d'ans. » « Ce n'est ni vieux, ni suranné, ni antique, ni même démodé, simplement chargé d'ans ! » insistait-il, et il avait raison. Lorsque l'Empire ottoman déclinant s'effaça devant la République de Turquie en rupture avec le reste du monde et uniquement préoccupée d'une identité turque encore mal définie, Istanbul ressentit la perte de ses anciens jours bruissant d'une multitude de langues, de victoires et de faste, pour se transformer en un endroit déserté, vide, noir et blanc, monotone et monolingue, où chaque chose s'enroulait lentement sur elle-même.

L'Istanbul de mon enfance et de ma jeunesse était un lieu dont la dimension cosmopolite s'effaça promptement. En 1852, cent ans avant ma naissance, Gautier remarquait, comme de nombreux voyageurs, que dans les rues d'Istanbul on parlait turc, grec, arménien, italien, français et anglais (et plus encore que ces deux dernières langues, il faut ajouter ce qu'on appelait le ladino[40]) et que dans cette « tour de Babel », beaucoup de personnes parlaient même plusieurs de ces langues ; et il se sentait un peu honteux, comme la majorité des Français ne parlant d'autre langue que la leur. Après la fondation de la République de Turquie, la poursuite de la conquête, le renforcement de l'identité turque d'Istanbul et l'espèce de nettoyage ethnique pratiqué par l'État dans la ville asséchèrent toutes ces langues. Le souvenir d'enfance qui me reste de cette épuration culturelle était cette manière de faire taire ceux qui parlaient grec, arménien (les Kurdes en fait n'étaient pas très visibles dans l'environnement de toutes ces langues) à voix haute dans la rue, en leur lançant un tonitruant « Citoyen, parle turc ! ». Des panneaux répétant la même injonction étaient suspendus un peu partout.

Mon intérêt pour les récits de voyage des écrivains occidentaux, même si leurs textes étaient de temps en temps contestables, ne provenait pas seulement d'une relation d'amour et de haine ou d'un désir trouble d'être malmené et confirmé dans mes propres observations. Jusqu'au début du XXe siècle, mis à part quelques documents officiels détaillés et une poignée d'épistoliers urbains critiquant le comportement des Turcs dans la rue, les Stambouliotes n'écrivirent que peu de choses sur Istanbul. La description des rues, de l'atmosphère, de l'ambiance, des détails de la vie quotidienne vus comme un tout, la transcription de la façon dont respirait la ville à chaque heure, ses odeurs, ce travail que seule la littérature pouvait mener à bien fut effectué pendant des siècles par les voyageurs occidentaux. De même que pour savoir à quoi ressemblaient les rues d'Istanbul dans les années 1850 et comment s'habillaient les diverses catégories de la population il faut regarder les images de Decamps ou les gravures des peintres occidentaux, c'est seulement dans les pages des écrivains voyageurs occidentaux (si je ne tiens pas à passer des années dans le labyrinthe des archives ottomanes) que je peux lire ce qui s'est passé, cent ans, deux cents ou quatre cents ans auparavant dans les rues, les avenues et sur les places où j'ai passé toute ma vie, comment on vivait à l'époque, et savoir qu'à l'emplacement de telle place actuelle il se trouvait jadis un terrain vide, et qu'à la place de tel terrain vague se trouvait autrefois une place avec des arcades. L'attention de la plupart d'entre eux était également orientée vers l'exotique et le pittoresque.

Dans *Le Retour du Flâneur*, un essai sur les *Promenades dans Berlin* de Franz Hessel, Walter Benjamin déclare ceci : « Si nous séparons en deux les descriptions de ville faites jusqu'à présent en fonction du lieu de naissance de leurs auteurs, dit-il, les textes des écrivains étant nés et ayant grandi dans la ville dont ils parlent restent minoritaires. » D'après Benjamin, chez la majorité des écrivains arrivés de l'extérieur dans une ville, ce qui les enthousiasme la plupart du temps sont les vues exotiques et pittoresques. Quant à l'intérêt porté à leur propre ville par ceux qui y sont nés et y ont grandi, il se mélange toujours à leurs propres souvenirs.

Ma position personnelle, en raison de l'occidentalisation, est celle des lecteurs et écrivains stambouliotes (et peut-être aussi, en raison de l'occidentalisation désormais inévitable du monde entier) celle, finalement pas très originale, de tous les habitants de toutes les villes du monde en dehors de l'Occident. La manière dont étaient perçues les générations précédentes de la ville où je vis, c'est-à-dire le journal de la vie d'Istanbul et son cahier de souvenirs, ce sont des étrangers qui les ont tenus.

C'est peut-être pour cela que, quelquefois, je lis ce que les voyageurs ont écrit sur la ville non comme le rêve exotique d'un autre mais comme s'il s'agissait de mes propres souvenirs. De plus, j'ai toujours beaucoup de plaisir quand l'observateur occidental perçoit et relate quelque chose que j'ai remarqué, mais que je n'ai pas conscience d'avoir remarqué parce que personne n'en parle. Par exemple : le constat par Knut Hamsun du léger balancement du pont de Galata soutenu par des bateaux à l'époque de mon enfance, ou le fait que Hans Christian Andersen écrive que les cyprès des cimetières sont « ténébreux ». Regarder Istanbul avec les yeux d'un étranger est toujours un grand contentement et une habitude particulièrement nécessaire face au sentiment communautaire et au nationalisme régnants. Parfois le harem ou les vêtements et les coutumes décrits avec réalisme me paraissent si éloignés de ma propre vie que, même si je sais parfaitement qu'il ne s'agit pas d'un rêve, tout ce qui est raconté m'apparaît comme le passé de la ville d'un autre. L'occidentalisation m'a donné, à moi et à des millions de Stambouliotes, le plaisir de trouver notre propre passé « exotique ».

Je me dupe moi-même en pensant que regarder la ville d'une multitude de points de vue différents préserve la vitalité de mon lien avec elle. Parfois, je pense que me dire que je ne suis jamais allé ailleurs, que je ne suis même pas sorti chercher l'autre Orhan qui m'attend patiemment quelque part dans Istanbul, fossilisera mon esprit, que mon trop grand attachement à cette ville finira sans doute par tuer le désir qu'il y a dans le regard que je lui porte. À ces moments-là, je me console en pensant que l'aliénation dans mon regard sur la ville, je l'ai acquise à force de lire les livres de voyageurs occidentaux. Parfois, ce que j'ai lu de certaines avenues et petites rues à l'aspect immuable, des maisons en bois à l'état de ruines, des marchands ambulants, des terrains vagues et de la mélancolie sous la plume d'un observateur occidental m'apparaît comme issu de mes propres souvenirs.

Cela a certainement joué dans le fait qu'Istanbul, dont la population s'est multipliée par dix au cours de ma vie, semble se transformer en d'autres lieux à cause de la foule, et ce, bien que certaines avenues et certaines places n'aient pas du tout changé. J'ai toujours la nostalgie du temps où la ville était vide et déserte.

Étant donné que la ville n'a jamais été sous le joug de la colonisation de l'Occident, la projection par les voyageurs occidentaux de leurs propres fantasmes ou de leurs rêves orientaux sur Istanbul n'a

causé aucun préjudice aux Stambouliotes. Si je lis chez Gautier que, face aux catastrophes des incendies, les Turcs ne versaient pas une larme, et que, contrairement aux Français qui pleuraient beaucoup en de telles circonstances, ils gardaient un air grave et impassible parce qu'ils étaient fatalistes, je ne pense pas commettre une grande injustice en n'approuvant absolument pas cette opinion. Mais je sens que les lecteurs français prédisposés par cet état d'esprit à y croire ne pourront pas comprendre pourquoi, depuis cent cinquante ans, les habitants d'Istanbul n'ont pas pu se libérer du sentiment de tristesse.

L'aspect le plus douloureux dans les écrits des voyageurs occidentaux sur Istanbul, c'est de se rendre compte que les choses dont ces observateurs, de merveilleux écrivains pour certains, ont parlé avec excès en pensant qu'il s'agissait là d'une caractéristique de la ville et des Stambouliotes, auront disparu d'Istanbul peu de temps après. Car si les observateurs occidentaux aimaient voir et décrire ce qu'il y a d'« exotique » et de non occidental à Istanbul, le mouvement d'occidentalisation en train de s'instaurer considéra ces caractéristiques, ces institutions et ces traditions comme un obstacle sur le chemin de la modernisation et les balaya en peu de temps. En voici une petite liste :

Tout d'abord, le corps des janissaires qui, jusqu'au XIXe siècle, était l'un des thèmes sur lesquels les voyageurs occidentaux ont le plus écrit a été dissous. Le marché aux esclaves, un autre sujet de curiosité du voyageur occidental, après avoir fait couler beaucoup d'encre disparut lui aussi. Les *tekke* des derviches rufai, très appréciés des voyageurs occidentaux, qui se plantaient des broches dans tout le corps et ceux des Mevlevis ont été fermés avec la République. Les vêtements ottomans, si fréquemment représentés par les peintres occidentaux, furent abandonnés peu de temps après leur dénigrement

par André Gide. Le harem était un sujet dont raffolaient les écrivains occidentaux, il n'existe plus désormais. Soixante-quinze ans après que Flaubert eut dit qu'il ferait écrire par les calligraphes du marché le nom de son cher ami, toute la Turquie passa de l'alphabet arabe à l'alphabet latin, et le plaisir de cet exotisme disparut lui aussi. De toutes ces pertes, la plus lourde pour les Stambouliotes selon moi fut celle des jardins, des places, des tombes et des cimetières où s'immisçait la vie quotidienne, déplacés, au nom de l'occidentalisation, dans des endroits effrayants cernés de hauts murs ressemblant à ceux des prisons, sans cyprès, sans arbres et sans horizon. Les portefaix que tout au long de l'histoire de la République les touristes trouvaient très intéressants, et les vieilles voitures américaines qui avaient retenu l'attention de Joseph Brodsky par exemple, après qu'on eut beaucoup écrit à leur sujet, ne mirent pas longtemps à disparaître.

On compte néanmoins un motif rescapé de ce processus « observateur occidental-disparition de la chose observée ». Ce sont les hordes de chiens qui traînent encore dans nombre de petites rues d'Istanbul. Après avoir supprimé le corps des janissaires parce qu'il ne correspondait plus au modèle de discipline militaire occidentale qu'il

Les chiens des rues.
Le déjeuner.
Souvenir de

Photogr. Abdullah.

voulait appliquer, Mahmut II s'était donné pour objectif de se débarrasser de ces bandes de chiens qui pullulaient dans la ville, mais en vain. Après l'instauration du gouvernement constitutionnel, avec un autre mouvement de « réforme » réalisé à l'aide des Tsiganes, tous les chiens de la ville furent ramassés un à un puis déportés sur l'île de Sivriada, mais ils réussirent victorieusement à en revenir. Qui sait si l'abondance de textes ironiques écrits à ce sujet par les Français, qui trouvaient les bandes de chiens errant dans chaque coin d'Istanbul très exotiques, et plus exotique encore leur confinement sur une île – des années plus tard, même Sartre y fait allusion dans son roman *L'Âge de raison* – n'a pas joué un rôle là-dedans ?

Conscient de cet exotisme, l'éditeur stambouliote de cartes postales, Max Fruchtermann, parmi toute une série de vues d'Istanbul publiées à la fin du XIXᵉ siècle et au début du XXᵉ, a toujours accordé une place aux chiens des rues, devenus des clichés, au même titre que les derviches, les cimetières et les mosquées.

26

La mélancolie des ruines : Tanpınar et Yahya Kemal dans les faubourgs

Tanpınar et Yahya Kemal sortaient ensemble faire de longues promenades dans les quartiers isolés, lointains et pauvres d'Istanbul. À l'époque de la Seconde Guerre mondiale, lors d'une promenade solitaire dans ces mêmes endroits, « dans ces quartiers vastes et miséreux entre Kocamustafapaşa et les remparts », Tanpınar raconte combien ces déambulations étaient instructives pour lui. Ce sont les lieux où Gautier, qui les avait arpentés en 1853, avait profondément ressenti la mélancolie de la ville. Tanpınar et Yahya Kemal avaient commencé à se rendre dans ces quartiers pendant « les années de l'armistice ». Au cours des soixante-dix ans qui séparent la venue de Nerval et Gautier à Istanbul et les promenades dans ces quartiers périphériques des deux plus éminents écrivains turcs, fervents admirateurs des œuvres des deux écrivains français et lecteurs attentifs de leurs récits de voyage et de leurs textes sur Istanbul, l'Empire ottoman, perdant peu à peu tous ses territoires dans les pays des Balkans et au Moyen-Orient, avait périclité, les sources de revenus alimentant Istanbul s'étaient taries, et l'afflux permanent d'immigrants musulmans fuyant le nettoyage ethnique pratiqué par les nouveaux États fondés dans les Balkans n'avait en rien accru la population et la richesse de la ville dont la Première Guerre mondiale avait emporté des centaines de milliers d'habitants. À l'inverse de l'Europe et de l'Occident, qui durant ces soixante-dix ans connurent un grand essor technologique et matériel, Istanbul s'était appauvri, et ayant perdu sa puissance et son rayonnement dans le monde, commença à devenir une ville en proie au chômage et isolée sur la scène du monde. J'ai passé mon enfance avec le sentiment de vivre non dans une des grandes villes du monde, mais dans une grosse et indigente bourgade de province.

Dans son parcours solitaire, que Tanpınar raconte dans *Un périple dans les faubourgs,* et plus encore dans ses promenades en compagnie de Yahya Kemal, il se dispose non seulement à découvrir la ville

miséreuse et isolée des quartiers excentrés, mais aussi à constater que la Turquie et Istanbul sont un coin pauvre et retiré du monde. La découverte des faubourgs en tant que paysage reflète cet état de banlieue du monde de la ville et du pays. Tanpınar évoque les endroits

dévastés par les incendies, les monuments en ruine et les vestiges des remparts que j'ai moi aussi beaucoup vus dans mon enfance.

Puis, dans ce quartier pauvre et délabré, son attention est ensuite attirée par des voix de femmes (un « bruissement de harem », dit Tanpınar à la manière ancienne) provenant d'un « grand *konak* en bois de la période hamidienne, resté debout on ne sait comment », mais en adéquation avec la thématique politico-culturelle sur laquelle est construit son texte, il explique que ces voix ne sont pas l'écho des Ottomans, mais proviennent du labeur moderne de pauvres citadines travaillant « dans une usine de chaussettes ou sur un métier à tisser ». Cet endroit est l'un de ces faubourgs « que nous connaissons tous depuis l'enfance », comme le dit Tanpınar, et que la lecture de n'importe quelle page d'Ahmet Rasim rappelle à notre souvenir, « avec sa fontaine recouverte d'une petite tonnelle ou de vigne vierge, son linge étendu au soleil, son enfant, son chat et son chien, sa petite mosquée et son cimetière ». La mélancolie, que la lecture de Nerval et Gautier lui a appris à percevoir dans les quartiers retirés de la ville, les vestiges délabrés, les coins déserts et les images saisissantes des remparts, Tanpınar la transforme en une tristesse autochtone et la transfère avec talent sur un paysage local ou la vie d'une femme moderne au travail.

Dans quelle mesure était-il conscient du sens de ce qu'il faisait, difficile de le savoir, toujours est-il qu'il avait parfaitement conscience de tenter de donner une beauté et une signification particulières aux faubourgs, aux vestiges délabrés de la ville, aux rues dépeuplées et oubliées dévastées par les incendies, aux ruines, aux fabriques, aux dépôts et aux maisons en bois partant à vau-l'eau. Car dans le même texte, Tanpınar déclare :

« L'aventure de ces quartiers en ruine m'apparaissait comme un symbole. Combien de temps, d'incidents et d'événements avait-il fallu pour donner à un seul quartier d'une ville ce visage ? À la suite de combien de conquêtes, de défaites et de migrations ces gens étaient-ils venus jusque-là, après quels effondrements et redressements avaient-ils pu prendre cet aspect ? »

Nous sommes dès lors en mesure d'apporter une réponse à cette question qui taraude peut-être aussi le lecteur : pourquoi le sentiment de tristesse-mélancolie éveillé par la chute de l'Empire ottoman, la pauvreté dans laquelle s'enfonçait Istanbul par ailleurs en perte d'identité face à l'Occident, n'a-t-il pas provoqué chez ces deux grands écrivains, si attachés à la ville, un repli sur soi à la Nerval, et

de pair avec ce renfermement, la recherche d'une poésie « uniquement poésie » (« pure poésie », disait Yahya Kemal) ? Dans l'*Aurélia* de Nerval, nous voyons la mélancolie qu'accroît l'échec amoureux rabaisser toutes les autres activités de sa vie au rang d'« enivrements vulgaires ». Nerval était venu à Istanbul pour oublier sa mélancolie. (Et, sans s'en rendre compte, il imprégna de cette mélancolie le regard de Gautier sur la ville.) On dirait qu'en arpentant ces quartiers tristes et lointains Yahya Kemal et Tanpınar, qui deviendront les plus grands poètes et romanciers de la littérature turque du xxᵉ siècle, cherchaient à éprouver de manière plus profonde encore la mélancolie et les choses qu'ils avaient perdues. Pourquoi ?

C'est qu'ils avaient un but politique : ils voulaient découvrir dans les décombres d'Istanbul le peuple et le nationalisme turcs et montrer que le grand Empire ottoman s'était certes effondré, mais que le peuple turc qui le constituait (ce que les *Rum*, les Arméniens, les Juifs, les Kurdes et les autres minorités étaient tout disposés à oublier avec la République), même accablé de tristesse, n'était pas encore abattu. Mais ils tenaient à développer cette idée en la parant d'une « beauté » absente de la phraséologie lourde et autoritaire utilisée par les idéologues de l'État turc nationaliste, de ce concept de nation et de la nécessité d'y adhérer à peine intégrés. Yahya Kemal avait passé dix ans à Paris au contact de la poésie et de la littérature françaises, et il savait que le nationalisme turc ne pourrait exister qu'à la condition de penser « comme un Occidental », et de le « sublimer » avec une représentation adaptée et inspirée de l'Occident.

La défaite de l'Empire ottoman dans la Première Guerre mondiale, l'état de « ville prisonnière » d'Istanbul (selon l'expression de Tanpınar dans son roman *Ceux qui sont en dehors de la scène*), la présence des cuirassés français et britanniques sur le Bosphore, devant le palais de Dolmabahçe où résidait le sultan, et divers projets politiques ne favorisant pas à l'avenir l'identité turque à Istanbul et en Anatolie les contraindront à adhérer au nationalisme turc. (Les années suivantes, cette contrainte qui facilita leurs rapports avec l'État et les mena aux fonctions d'ambassadeur et de député, leur nationalisme, leur silence face à des violences ethniques antichrétiennes et antioccidentales, comme celles du 6-7 septembre, ne firent l'objet d'aucune plainte.) Tandis que la guerre se poursuivait contre l'armée grecque en Anatolie, Yahya Kemal, qui n'éprouvait pas un enthousiasme immodéré pour la guerre, la politique et les soldats, ne partit pas rejoindre Ankara ; il resta à Istanbul, « en dehors de la scène » comme le dit Tanpınar dans le titre de son roman, et, tout en écrivant des poèmes évoquant les victoires turques du passé, il s'attelait à développer l'image d'un «Istanbul turc». L'aspect littéraire, que Yahya Kemal développa avec succès, de ce projet politique fut de mêler les formes poétiques traditionnelles et la métrique (*aruz*) héritées de la littérature persane à la couleur et au style du turc écrit et parlé, et de décrire le peuple turc comme un grand peuple ayant fait de grandes conquêtes et produit de grandes œuvres. En présentant la ville d'Istanbul comme l'œuvre la plus grandiose qu'ait réalisée le peuple, Yahya Kemal avait deux objectifs : après la Première Guerre mondiale, pendant les années de l'armistice, montrer aux occupants que si jamais Istanbul devait devenir une colonie occidentale, cette ville n'était pas un lieu dont on se rappelle seulement Sainte-Sophie et ses églises, mais que son identité turque était également à prendre en compte. Quant aux années suivant la guerre d'Indépendance et la fondation de la République, c'était pour souligner que le peuple turc d'Istanbul s'efforçait de «devenir une nouvelle nation». Chacun de ces deux écrivains a écrit de longs articles intitulés «Istanbul turc», apportant un soutien idéologique à la «turquification» d'Istanbul, en passant outre son côté cosmopolite, multilingue et multiconfessionnel.

«Comme nous avons embrassé nos œuvres du passé, pendant ces douloureuses années de l'armistice !», se souvient Tanpınar des années plus tard. Yahya Kemal également, dans un texte intitulé «Sur les remparts d'Istanbul», raconte avoir pris à la même époque le tramway de Topkapı avec ses étudiants, avoir marché «le long des remparts profilant à perte de vue, de la Marmara à la Corne d'Or, leurs tours et leurs créneaux», et s'être reposé sur «les blocs entiers de murs éboulés». Pour prouver qu'Istanbul était turc, ces deux auteurs étaient conscients qu'ils ne pourraient pas, comme tant d'observateurs «touristiques» occidentaux, se contenter du panorama de la ville vue de loin avec sa silhouette hérissée de minarets et d'églises. La silhouette à laquelle avaient succombé tous les observateurs étrangers, de Lamartine à Le Corbusier, n'était pas (à cause de la prédominance de Sainte-Sophie) une image «nationale» autour de laquelle pourrait se rassembler tout l'Istanbul turc, mais demeurait une beauté cosmopolite. Comme Yahya Kemal et Tanpınar, les Stambouliotes nationalistes avaient besoin d'une beauté empreinte de tristesse, mettant l'accent sur la population musulmane vaincue, écrasée et pauvre d'Istanbul, démontrant que cette population subsistait sans avoir rien perdu de son identité, et exprimant le sentiment de déchéance et de défaite. C'est pour cela qu'ils se rendirent dans les faubourgs, en quête d'images esthétiques rassemblant dans une même tristesse les habitants de la ville, l'ancien, le délabré et le passé, et retrouvèrent les paysages mélancoliques des quartiers périphériques que des promeneurs comme Gautier avaient découverts soixante-dix ans auparavant. Pour décrire l'aspect traditionnel, intact et resté en dehors de l'influence de l'Occident de ces faubourgs, qu'avec le regard d'un promeneur occidental, en dépit de tout son nationalisme,

il qualifiait soit de «pittoresque» soit de «paysage», Tanpınar écrit: «C'était en ruine, pauvre et pitoyable, mais il y avait néanmoins une vie et un caractère indéniables.»

J'ai essayé de retracer l'histoire de l'influence des deux amis poètes et écrivains parisiens sur les deux amis poètes et écrivains stambouliotes à l'époque de la chute de l'Empire ottoman et de la fondation de la République de Turquie, en dénouant un à un les fils qui la tissent: les thèmes comme le nationalisme, l'effondrement, l'occidentalisation,

la poésie, les vues de la ville. À travers cette trame complexe que j'ai tenté de faire apparaître au risque de voir les fils s'entremêler parfois, une idée, une vision que les Stambouliotes allaient s'approprier en la généralisant, se fait jour. Qualifier de « mélancolie des ruines » cette vision – qui prend initialement sa source dans les remparts de la ville et les quartiers déserts, reculés et pauvres des environs – et, du point de vue d'un regard extérieur (comme Tanpınar), de « pittoresques » les paysages urbains où on la ressent le plus, me semble assez approprié. La tristesse mélancolique, d'abord découverte comme une beauté émanant d'images pittoresques, coïncidait parfaitement avec celle que vivraient encore cent ans les Stambouliotes, à cause du déclin et de l'appauvrissement.

27

Le pittoresque des faubourgs

Réfléchissant à une définition du pittoresque dans le chapitre « Mémoire » de son ouvrage *Les Sept Lampes de l'architecture*, l'historien de l'art et écrivain britannique John Ruskin déclare que ce genre de beauté architecturale se distingue des formes raisonnées de l'esthétique classique, entre autres, par son aspect « fortuit ». De ce point de vue, le pittoresque, qui étymologiquement signifie « pictural », surgit dans une vue architecturale de manière inopinée, loin de la motivation esthétique et de l'homogénéité initialement voulues au moment de la conception desdits édifices. C'est pour cette raison que, selon Ruskin, le beau pittoresque provient de la fusion qui s'opère entre une œuvre architecturale et les plantes grimpantes, les herbes, les végétaux et les autres prolongements de la nature (ce peut être aussi les vagues, la mer, les rochers, et même les nuages) qui apparaissent dans son périmètre des centaines d'années après son édification. Ce dont il est question ici, c'est de la beauté aléatoire et disparate dont se pare un édifice, lorsqu'on le regarde, non dans son état premier ni tel qu'on voulait qu'il soit perçu, mais d'un tout autre point de vue, avec le recul de l'histoire et selon de nouvelles perspectives.

Lorsque je regarde la mosquée Süleymaniye, avec toutes ses lignes harmonieuses, l'élégance de la courbe descendante de son dôme, le dégagement des demi-coupoles latérales, les proportions équilibrées des murs et des fenêtres, la ligne mélodique des petits dômes soutenus par la scansion verticale des colonnes, la manière dont elle s'inscrit sur la colline et son assise sur le terrain, sa blancheur et la simplicité de ses coupoles au toit en plomb, le plaisir esthétique que j'éprouve est très différent de celui que m'inspire une

vue pittoresque. Parce que même quatre siècles après sa construction, je vois encore cet édifice dans son intégrité, tel qu'il a été conçu et avec l'apparence voulue au moment de sa fondation. En dehors de la Süleymaniye, la physionomie mais aussi la majesté du panorama d'Istanbul proviennent de la présence au cœur de la ville de très anciens et puissants monuments comme Sainte-Sophie, la mosquée du Sultan Yavuz Selim, celle de Beyazıt, ou les mosquées appelées *selatin*[41] (les mosquées des sultans) qui rayonnent encore du concept esthétique mis en œuvre lors de leur création. Mais à deux pas de là, le plaisir que l'on prendra à la vue d'une rue ou d'une petite côte plantée de figuiers, lorsque par l'effet d'un jeu de lumière elles semblent se fondre dans la mer, jaillira de ce qu'on peut appeler une beauté pittoresque.

La beauté que les faubourgs offrent aux yeux des Stambouliotes apparaît là où croissent l'herbe, la verdure, les plantes grimpantes et même les arbres qui poussent au milieu des remparts délabrés de la ville ou, comme dans mon enfance, sur les murs et les tours de Rumelihisarı ou d'Anadoluhisarı. Cette beauté surgit au hasard de la rencontre singulière du lierre et des platanes avec une fontaine brisée, un ancien *konak* à la peinture écaillée et menaçant de s'effondrer, les vestiges d'un dépôt de gaz vieux de près d'un siècle, la façade délabrée d'une mosquée et les murs de planches noircies et rongées par le temps. Dans mon enfance, au cours de n'importe quelle promenade dans les quartiers retirés de la ville, on voyait tellement de beautés pittoresques de ce genre, donnant au promeneur l'envie de s'arrêter à chaque pas comme pour contempler un tableau, qu'au bout d'un certain temps, il devenait faux de parler de caractère fortuit : dans

mon enfance, tous ces vestiges, pour la plupart aujourd'hui disparus, étaient l'âme d'Istanbul. Mais des années plus tard, j'ai dû passer par un sentier sinueux plein d'aléas et d'obstacles pour confirmer la « découverte » de ce qu'à cette époque j'avais pu définir comme l'âme de la ville, dont j'avais décidé d'affirmer que c'était beau, et que c'était une « caractéristique fondamentale » d'Istanbul.

Tout d'abord, pour pouvoir apprécier la beauté inattendue émanant des quartiers reculés ou des vestiges envahis par les arbres, la végétation et la nature, il faut être « étranger » à ce quartier, à ce lieu miséreux mais riche de décombres. Car le sentiment qu'éveillaient chez les habitants de ce quartier un mur abattu, un *tekke* en bois laissé à l'abandon après l'interdiction des confréries et des sectes religieuses, une fontaine pétrifiée, une fabrique de quatre-vingts ans désaffectée, les habitations abandonnées par les *Rum*, les Arméniens et les Juifs chassés par les pressions nationalistes, les bâtisses délabrées, les maisons toutes de guingois semblant défier les lois de la perspective (ou comme aimaient à les représenter les caricaturistes, toutes penchées les unes contre les autres), les toits, les encorbellements, les cadres de fenêtre distordus, était davantage un sentiment de pauvreté, d'impuissance et de prostration que de saine vitalité et de beauté. Les gens qui peuvent jouir de la beauté accidentelle des tableaux de la pauvreté de ces quartiers et des lieux historiques à l'abandon, ou savourer le pittoresque des ruines, sont ceux qui arrivent de l'extérieur. (Comme les

Européens du Nord venant admirer et dessiner les vestiges de Rome alors que sa population ne s'y intéressait pas.) Tandis qu'ils faisaient l'éloge de « l'Istanbul miséreux et lointain », de la survivance acharnée de la vie traditionnelle dans les rues écartées, s'inquiétaient de voir disparaître cette culture « authentique » sous l'effet de l'occidentalisation, savouraient la « beauté » de ces quartiers et se faisaient les chantres de « nos aïeux, nos ancêtres » vivant selon une morale de confrérie et les préceptes du labeur, Yahya Kemal et Tanpınar vivaient à Péra – que Yahya Kemal appelle « les quartiers sans appel à la prière » – et dans le confortable Beyoğlu – dont Tanpınar parle avec un mépris proche de la détestation. Ce n'est que dans les lieux auxquels ils étaient étrangers que ces deux écrivains nationalistes ont pu découvrir la « beauté » de la ville, ce qui nous renvoie aux propos de Walter Benjamin lorsqu'il constate que seuls les gens venant de l'extérieur d'une ville s'intéressent à ce qu'elle a de pittoresque et

d'exotique. Cette situation peut être comparée à l'attitude du grand romancier japonais Tanizaki, qui dans *L'Éloge de l'ombre*, après de longs développements sur ce que doit être une maison traditionnelle et la manière dont elle doit être conservée, déclare ensuite à sa femme que jamais il ne pourrait lui-même habiter dans une telle maison, dépourvue de tout confort occidental.

De même que la position confuse de Yahya Kemal et Tanpınar ne les empêchaient pas d'être de véritables Stambouliotes au plein sens du terme, les découvreurs des beautés pittoresques de la ville n'étaient pas seulement ceux qui venaient de l'extérieur. La particularité la plus remarquable d'Istanbul, c'est le regard que lui portent ses habitants, à travers le filtre de lunettes parfois occidentales et parfois orientales. Ainsi, la représentation de l'histoire d'Istanbul dans la presse stambouliote s'opéra d'abord par la mise en avant de

ses aspects insolites, de ses « *bizarreries** » comme les appelaient les Français et dont Richard Burton, le traducteur anglais des *Contes des Mille et Une Nuits*, ou Nerval raffolaient. L'écrivain qui observa le mieux l'histoire d'Istanbul à travers le prisme de ses bizarreries, comme s'il s'était penché sur l'histoire d'une autre civilisation, fut sans conteste Koçu. Dans mon enfance, même dans les périodes où la ville était le moins en contact avec le monde, la population d'Istanbul s'est toujours sentie, d'une façon ou d'une autre, étrangère à la ville. Selon le point de vue populaire, cette ville suscite toujours chez ses habitants l'embarras d'apparaître soit trop occidentaux, soit trop orientaux, et l'angoisse de ne pouvoir revendiquer la pleine appartenance à ces lieux.

Les images esthétiques, nationales, mélancoliques et pittoresques que Yahya Kemal et Tanpınar découvrirent dans d'autres endroits

d'Istanbul que celui où ils vivaient (le Péra occidentalisé) ont élaboré le stéréotype que, dans leur désir de se comprendre eux-mêmes
et de fonder un imaginaire collectif pour leur ville, les Stambouliotes
ont ensuite adopté puis généralisé. Cette vision des faubourgs s'est
d'abord propagée par le biais des gravures d'artistes européens très
souvent publiées au cours des années trente et quarante dans les jour-

naux conservateurs et les revues et ayant perdu toute leur finesse à
force d'être dupliquées. Ces images, dont aucune légende n'indiquait
de qui ni de quel siècle elles étaient et qui occultaient à la grande
masse des lecteurs qu'il s'agissait du rêve pittoresque d'un Occidental, étaient accompagnées des dessins en noir et blanc ou des fusains
d'artistes stambouliotes prenant pour motif un coin de faubourg ou
une petite rue. J'aimais beaucoup, dans les revues de l'époque, les
reproductions des croquis à la mine de plomb de Hoca Ali Rıza, qui
traitait le thème du quartier pauvre traditionnel dans son aspect le
plus simple et le moins exotique.

Avec ses photographies, Ara Güler fit preuve du même intérêt
que celui qu'avait porté, à la fin du XIXᵉ et au début du XXᵉ siècle, le
peintre Hoca Ali Rıza aux rues non occidentalisées ou dans lesquelles l'effort de modernisation s'était arrêté en chemin, plutôt qu'à la
grandiose silhouette d'Istanbul s'imposant d'emblée au regard des
touristes et aux jeux de lumière entre les mosquées et les eaux. Les

photographies en noir et blanc d'Ara Güler, qui montrent Istanbul, en
dépit de son mouvement de modernisation, comme un lieu où perdure
la vie traditionnelle, où cohabitent l'ancien et le nouveau sur fond de
vétusté, de pauvreté et d'humilité résignée, et où les gens ont aussi
triste mine que leur cadre de vie, ont immortalisé avec une sensibilité très poétique l'atmosphère particulière qui régnait dans la ville,
notamment dans les années cinquante et soixante, tandis que le faste
du passé et les banques, les bâtiments commerciaux et administratifs
de l'occidentalisation ottomane s'écaillaient et se désagrégeaient au
fil du temps. Les superbes photographies qu'Ara Güler a rassemblées
dans son album *Istanbul perdu* réunissent le Beyoğlu et l'Istanbul de
mon enfance, avec ses tramways, ses rues pavées, ses affiches et son
atmosphère en noir et blanc, et le pittoresque des quartiers excentrés,
en soulignant la fatigue, le poids des ans et la tristesse de la ville.

  On fit aussi aimer par le peuple l'image typique de ces quartiers
délabrés, vétustes, «pauvres mais possédant une dignité et leur per-

sonnalité», grâce à la réimpression toujours plus large des anciennes gravures, des images en noir et blanc d'Istanbul à la facture de plus en plus grossière, publiées dans les rubriques «Histoire» et «Istanbul» des journaux, notamment pendant les fêtes du ramadan. Reşat Ekrem Koçu fut le spécialiste du genre, mais les dessins qu'il publia dans son *Encyclopédie d'Istanbul*, ou dans les chroniques d'histoire populaire qu'il préparait pour les journaux, n'étaient pas la reproduction de gravures rendues anonymes mais des images réalisées sur le modèle de ces gravures et simplifiées (parce que obtenir une bonne impression d'une gravure détaillée revenait cher et était plus difficile à réaliser techniquement). Cependant, comme elles étaient parfois reprises d'un tableau en couleurs d'un peintre occidental, le nom de l'artiste ayant réalisé un dessin ou une copie à partir de ce modèle ne figurait pas sous ces vues de banlieues en noir et blanc, mal imprimées et aussi épaisses qu'une tache de boue sur un papier; il y avait seulement une note précisant: «D'après une gravure». Cet imaginaire des faubourgs, dont la pauvreté constitutive, loin d'être un motif de honte, était au contraire montrée comme quelque chose de presque honorable puisqu'elle était perçue comme la garante de l'identité traditionnelle, recueillait l'assentiment car il évoquait moins la dure réalité d'une ville pauvre qu'il ne concordait avec les aspirations à une identité nationale du lectorat bourgeois semi-occidentalisé des journaux et des revues. Tandis que cet imaginaire et l'idée du vieux quartier stambouliote devenaient représentatifs non seulement des couches déshéritées, mais de la ville dans sa globalité, à l'exception de sa grandiose façade, une littérature qui éclairait leur sens se développa de manière parallèle.

Les auteurs conservateurs désireux d'insister sur l'aspect à la fois occidentalisé, pur turc et musulman d'un quartier de banlieue, instituèrent ici un idéal ottoman que le pouvoir et la classe des pachas ne remettaient pas en cause et que validait l'attachement aux coutumes et aux traditions (il s'agit naturellement de l'humilité, de l'obéissance et de la modération) de leur famille et de leur maisonnée. Tandis que l'on atténuait et rendait moins abrupts des éléments de la culture ottomane incompatibles avec les mœurs de la classe moyenne occidentalisée et républicaine, comme le harem, la légitimité d'une seconde ou troisième épouse, les concubines ou le droit du pacha à la

bastonnade, les pachas et leurs enfants étaient également montrés plus modernes qu'ils ne l'étaient en réalité (comme dans les œuvres de Samiha Ayverdi[42]). Dans sa célèbre pièce intitulée *Un coin de rue*, en mettant en scène un petit café de quartier (sur le modèle de l'ancien quartier de Rüstempaşa), Ahmet Kutsi Tecer brosse le portrait d'une rue d'Istanbul où, pour nous faire rire (comme dans Karagöz), il fait se confronter tous les types de la ville mais où toutes les tensions sont adoucies par la conscience du « nous ». Le romancier et nouvelliste Orhan Kemal, qui avait habité un temps dans une petite rue du quartier de Cibali (sa femme travaillait dans une manufacture de tabac), montre, quant à lui, ces rues comme des lieux de pauvreté où la lutte pour la survie pousse les amis à la querelle. Moi, j'aimais les sketchs diffusés chaque soir à la radio racontant les aventures de « La famille Uğurlugiller[43] » où cet imaginaire des quartiers populaires s'incarnait sous la forme d'une grande famille moderne à l'image de la nôtre (mais une famille nombreuse sereine, contrairement à nous) pouvant par ailleurs compter parmi ses membres une vieille bonne à tout faire.

L'image des ruelles guettées par la ruine et la tristesse ou la vision d'un Istanbul désolé, lointain et pittoresque ne furent jamais associées par les écrivains stambouliotes aux créatures dangereuses, ténébreuses et malfaisantes de l'inconscient. Parce que tout ce qui était national et traditionnel devait en même temps être inoffensif et d'une candeur adaptée à nos foyers. Kemalettin Tuğcu – un auteur de livres pour enfants dont les histoires mélodramatiques avaient pour héros les gamins pauvres, orphelins et au grand cœur des quartiers déshérités d'Istanbul et que j'aimais beaucoup lire à l'âge de dix ans – nous racontait, à nous qui à l'inverse de toute la ville devenions de plus en plus pauvres, qu'avec du courage, du travail et une bonne morale (généralement toutes les valeurs nationales et morales s'enracinaient dans ce genre de quartiers), même en vivant dans les rues les plus sordides, on pouvait s'en sortir et un jour être heureux.

Ruskin émet l'idée que le beau pittoresque, parce qu'il est dû au hasard, ne pourra être préservé. D'ailleurs, ce qui confère de la beauté à un paysage, ce n'est pas la conservation d'une architecture, mais sa non-restauration et son état de délabrement. Il est indispensable que l'image plébiscitée, aimée et propagée par tous les Stambouliotes du «bel Istanbul» soit porteuse de nombreux éléments d'une triste atmosphère de décombres. Cela explique pourquoi les Stambouliotes ne parviennent absolument pas à s'enthousiasmer pour les vieilles maisons en bois restaurées et badigeonnées de frais, redevenues comme neuves une fois débarrassées de leurs noircissures de la couleur du bois pourri, ou remises en état, comme au XVIIIe siècle, lorsque la ville était riche et glorieuse. L'image de la ville que les Stambouliotes ont adoptée au cours du dernier siècle, en l'aimant ou en la détestant, est chargée des motifs de la pauvreté, de la défaite et de l'effondrement. Quand à quinze ans je faisais des dessins de la ville, et plus particulièrement lorsque je dessinais ses petites rues, les effets de cette tristesse commencèrent à peser sur moi de tout leur poids.

28

Comment je représentais Istanbul

À l'âge de quinze ans, j'ai commencé à peindre des paysages d'Istanbul avec une certaine passion. Je ne les faisais pas en raison d'une affection particulière pour la ville mais parce que je n'aimais pas peindre des natures mortes ou des corps, et que je n'y arrivais pas. Et puis, après tout, Istanbul était ce qui constituait mon environnement, tout ce que je voyais en sortant de chez moi ou en regardant par la fenêtre.

Je peignais deux sortes de tableaux de la ville.

1. Des peintures représentant les paysages du Bosphore, la silhouette de la ville et son imbrication avec la mer. Pour faire ces dessins, je m'inspirais généralement des paysages d'Istanbul que les voyageurs occidentaux, au cours des deux derniers siècles, avaient trouvés « envoûtants ». Situé à Cihangir, notre appartement offrait, à travers les immeubles, des vues sur le Bosphore, la tour de Léandre, les faubourgs de Fındıklı et d'Üsküdar. Quant à celui qui se trouvait dans le quartier de Serencebey à Beşiktaş, dans lequel nous avions emménagé par la suite, il me permettait de voir, du haut de la colline, un large paysage allant d'une extrémité du Bosphore jusqu'à la silhouette de la vieille ville, en passant par le palais de Topkapı et la pointe du Sérail. Je n'avais donc pas besoin de sortir de chez moi pour faire mes peintures. Je gardais toujours à l'esprit que ce que j'étais en train de dessiner était le célèbre « paysage d'Istanbul ». Ainsi, j'avais moins besoin de me demander si ce que je faisais était beau, puisque mon travail reposait réellement sur une image visible et belle, que tout le monde connaissait. Grâce au thème que j'avais choisi, j'étais déjà quasiment certain d'obtenir la réponse « Oui » à la question « Alors, tu trouves ça beau ? » que j'allais inlassablement, ma vie durant, me poser à moi-même ainsi qu'à mes proches, une fois mon œuvre terminée.

La confiance que me donnait en quelque sorte le thème de mes peintures me procurait une certaine aisance lorsque j'étais à l'ouvrage ; contrairement aux peintres occidentaux, je n'avais pas besoin de me forcer à ressentir quelque chose. Parmi les Occidentaux, je n'imitais aucun peintre en particulier, mais je me servais de ce que j'avais appris d'eux pour réaliser certains détails. Comme Dufy, je peignais les vagues du Bosphore à la manière d'un enfant, comme Matisse, j'étirais les nuages, et, « comme les impressionnistes », je recouvrais de taches de peinture les petits détails qui m'échappaient. Parfois, je m'aidais aussi des images qu'on pouvait trouver sur le calendrier ou sur les cartes postales. Mes peintures n'étaient pas très différentes de celles des impressionnistes turcs qui avaient peint tous les beaux paysages et monuments célèbres d'Istanbul, en imitant les impressionnistes apparus en France quarante ou cinquante ans avant eux.

Le fait d'avoir choisi les paysages d'Istanbul comme thème me soulageait énormément, puisque, s'agissant d'un sujet que tout le monde trouvait forcément « beau », il me permettait de régler en grande partie la question de « la beauté », dont j'avais besoin de persuader moi-même et les autres. Pris d'une vive et profonde envie de peindre, il m'est souvent arrivé de me retrouver face à ma toile, ma feuille et mon crayon, avec, à la main, les gouaches et les pinceaux qui allaient m'emmener dans le deuxième monde, sans savoir quoi représenter. Le problème qui se posait en fait n'était pas tant de trouver un sujet que de faire de la peinture, et je finissais par entreprendre avec zèle encore un de ces paysages de carte postale que l'on pouvait voir par la fenêtre de notre appartement. Cela ne m'ennuyait jamais de peindre la même chose pour la centième fois. Ce qui était important pour moi, c'était de m'évader de ce monde en plongeant dans les détails de mon tableau le plus rapidement possible, comme par exemple : m'efforcer d'y insérer correctement un bateau naviguant sur le Bosphore en tenant compte de la perspective et du paysage (la principale préoccupation depuis Melling de tous les artistes ayant peint le Bosphore), plonger dans les détails de la mosquée dont la silhouette se manifeste à l'arrière-plan, dessiner minutieusement les cyprès, les *vapur* ; et, peignant tranquillement les coupoles, le phare de la pointe du Sérail et les pêcheurs dans un coin, j'avais l'impression d'être parmi les choses que je dessinais.

Je me croyais partie prenante du dessin que j'étais en train de faire. Ce deuxième monde dans lequel je m'imaginais, alors que je me trouvais au plus « beau » moment de mon tableau, c'est-à-dire sur le point de le terminer avec succès, se transformait soudainement en quelque chose de réel en se manifestant sous forme d'objets, et je ressentais à ce moment une étrange gaieté qui m'étourdissait un peu. J'avais l'impression que ce que j'avais peint n'était plus un paysage connu du Bosphore et d'Istanbul (et donc apprécié par tous), mais le magnifique fruit de mon imagination. Quand j'étais sur le point d'achever mon tableau, une envie de le toucher joyeusement, de prendre dans mes bras quelque chose qui avait un rapport avec ma peinture, de mettre cette chose dans ma bouche, de la mordre, voire de la manger, me gagnait. Ce comportement d'enfant et de comédien que j'avais encore réussi à conserver se heurtait quelquefois à un obstacle, et je commençais à ressentir que des pressions extérieures m'empêchaient de me prêter au jeu et de m'oublier complètement (cela arrivait de plus en plus souvent), et j'éprouvais alors l'envie de me masturber.

On peut dire que ce premier genre de peinture se rattache à l'art « naïf », dans le sens du terme utilisé par Schiller à propos des poètes. Le sujet de mon tableau, ou, plus important encore, le fait de pouvoir peindre comme je l'entendais, avait beaucoup plus d'importance que ma façon de peindre, mon style, et les techniques que j'utilisais.

2. Cependant, ces tableaux enfantins, colorés et joyeux, qui représentaient un monde insouciant, avaient, avec le temps, commencé à me paraître également « naïfs », et cela avait diminué mon plaisir de dessiner. De même que mes jouets ne me permettaient plus de m'oublier et d'oublier mon ennui quand j'étais à la maison (je me souviens encore des petits wagons et des rails que mon père m'avait rapportés de France, de mes pistolets de cow-boy, ou encore de mes

petites voitures dont je me donnais pour mission de les garer soigneusement à l'angle du tapis), faire de la peinture naïve avec plein de couleurs ne m'aidait plus à me libérer de l'étouffante banalité de ce monde. Au lieu des paysages de la ville que tout le monde connaissait, j'avais commencé à peindre ses rues calmes et un peu excentrées, ses petites places oubliées, ses rues en pente recouvertes de pavés (avec, éventuellement, au fond, le Bosphore, la tour de Léandre, et la rive opposée si la rue en question descendait vers le Bosphore), et ses maisons en bois avec leurs fenêtres en encorbellement. Je m'inspirais de deux sources pour mes peintures à l'huile et je les faisais soit en noir et blanc sur du papier à dessin, soit, avec beaucoup de blanc et très peu de couleurs, sur du papier cartonné ou de la toile. J'étais très touché par les photos en noir et blanc des rues de quartiers pauvres que l'on rencontrait de plus en plus dans la rubrique histoire des

journaux et dans les revues, et par la poésie de ces faubourgs tristes et silencieux que j'aimais beaucoup. C'est en me pliant aux règles de la perspective que j'apprenais progressivement, et en m'amusant que je dessinais les petites mosquées, les murs en ruine, les décombres des arches byzantines, les maisons en bois avec leurs fenêtres en encorbellement, et les masures qui devenaient de plus en plus petites au fur et à mesure qu'elles s'éloignaient dans une longue rue. Utrillo, dont j'avais découvert les tableaux grâce à des reproductions, dont j'avais lu une biographie mélodramatique et romanesque, était ma deuxième source d'inspiration. Quand je voulais peindre dans le style d'Utrillo, je choisissais une vue d'une rue écartée de Beyoğlu, Tarlabaşı, ou Cihangir, parce qu'on y voyait peu de mosquées et de minarets. Dans ce but, j'avais pris des centaines de photos en me rendant dans chacune des rues de ces quartiers, dont certaines se trouvent d'ailleurs dans ce livre. Lorsque j'avais très envie de peindre, je dessinais un paysage de Beyoğlu tout en observant l'une de ces photos en noir et blanc, et j'ajoutais autour des fenêtres des appartements des persiennes comme on en trouvait à Paris, alors qu'il était pourtant très rare d'en voir à Istanbul. Dans la joie que je ressentais en achevant mes

peinturcs, j'étais moins persuadé que dans le passé que mon tableau était à la fois une représentation de la réalité et de mon imagination, ou bien que je faisais partie de ce paysage connu et cependant beau. Le besoin de me fuir ou de me surpasser que je devais ressentir pour peindre (que je satisfaisais autrefois en m'identifiant naïvement au sujet et au monde que je peignais), je le comblais désormais par un élan spirituel plus « subtil » et plus complexe, en m'identifiant à

un certain Utrillo, qui avait fait dans le passé, à Paris, des peintures semblables aux miennes. Évidemment, il n'était pas question d'une véritable identification ; de la même manière que je ne croyais qu'à moitié faire partie des paysages du Bosphore que je peignais, seule une partie de mon esprit était convaincue que j'étais Utrillo. J'avais recours à ce sentiment d'identification à des moments où je doutais de la qualité de ce que j'étais en train de faire, et lorsque je n'étais pas sûr que les autres seraient convaincus de la « beauté » et du « sens » de mon tableau, à ces moments où je manquais de confiance sans pouvoir, le plus souvent, en comprendre véritablement la raison. Mais en même temps, je ressentais une certaine gêne à m'attacher de manière excessive à cette croyance. Tandis que je peignais, il m'arrivait – exactement comme au cours de l'expérience sexuelle que j'allais bientôt connaître – de perdre contrôle et d'être joyeusement emporté dans un élan de plaisir. Ensuite, une fois le plaisir passé, comme une haute vague qui finit par se briser contre le rivage et remis de la mélancolie et de l'étourdissement qui s'ensuivaient, je me reposais un peu.

Tout en regardant l'une des photos que j'avais moi-même prises, je mettais le tableau encore humide dans un coin de la pièce, ou, s'il devait être accroché au mur, je le réglais à la hauteur des yeux, et je le regardais en me forçant à croire qu'il s'agissait de l'œuvre de quelqu'un d'autre. Si la peinture que j'avais hâtivement terminée me plaisait instantanément, je me sentais confiant et joyeux. La tristesse qui émanait du quartier pauvre et de ses rues désolées me procurait un sentiment de victoire. Mais souvent, c'était une impression de manque et d'insatisfaction qui me gagnait. Alors, je secouais la tête, changeais mon angle de vue, me rapprochais et m'éloignais du tableau, le regardais sous des angles différents, et, parfois, j'essayais désespérément d'ajouter avec mon pinceau d'autres détails, afin de me faire accepter ma peinture. Une fois que mon œuvre était achevée et que j'avais cessé de me prendre pour Utrillo ou de croire que je possédais quelque chose de lui, la désolation que je ressentais, semblable à celle que l'on ressent après avoir fait l'amour, ne provenait plus de la tristesse de l'image, mais de l'échec de mon tableau. Je n'étais finalement ni Utrillo ni une autre personne, mais seulement quelqu'un qui avait fait une peinture semblable à celles d'Utrillo.

Ce sentiment de tristesse allait s'amplifier au fil des années, mais pourtant cette détresse causée par la réalité que je ne pouvais dessiner qu'en me prenant pour quelqu'un d'autre, et qui allait me rendre la peinture si difficile, se dissipait sans prendre la forme de la honte. En même temps, j'éprouvais une certaine fierté car, à force d'imiter (un mot que je n'utilisais jamais) un peintre qui avait selon moi une façon de voir et un style particuliers, ou bien à force de croire, à l'époque, que j'étais quelqu'un d'autre, j'avais désormais réussi à avoir mon propre style et ma propre personnalité. C'est à cette période que j'ai commencé à ressentir cette situation d'autocontradiction, que les Occidentaux appellent « paradoxe », la certitude que l'on pouvait garder sa propre personnalité tout en imitant les autres, et qui allait m'intriguer dans les années à venir. Je minimisais la gêne de me sentir sous l'influence d'un autre peintre en me disant que j'étais encore un enfant, et que cela faisait partie des règles du jeu qu'était la peinture. Une autre façon plus simple de me consoler consistait à me dire que c'était l'influence de la ville d'Istanbul, que j'avais prise en photo et que je peignais, qui était la plus forte.

Lorsqu'il entrait parfois brusquement dans ma chambre, alors que j'étais plongé dans ma peinture, mon père, tout comme quand il me voyait en train de jouer avec mon zizi quand j'étais plus petit, faisait

preuve de respect pour mon enthousiasme, et il me demandait d'une manière nullement méprisante : «Alors, comment ça va, Utrillo ?» Le ton taquin de cette question me rappelait que j'avais l'âge d'un enfant qui pouvait encore chercher à imiter une autre personne. Lorsque j'eus seize ans, ma mère, qui était au courant de mon obstination à peindre, m'avait confié les clefs de l'appartement situé à Cihangir dans lequel nous avions habité autrefois et qui était rempli de vieux objets appartenant à ma grand-mère, pour que je m'en serve d'atelier. En fin de semaine, ou en sortant du Robert College, je me rendais dans cet appartement froid et vide, et, après m'être bien réchauffé en allumant le poêle, je me mettais à peindre d'un trait deux grands tableaux en m'inspirant d'une ou deux photos que j'avais prises, et ensuite je rentrais à la maison, fatigué et étrangement triste.

29

Peinture et bonheur familial

La première chose que je faisais en entrant dans l'appartement de mon grand-père à Cihangir, dont ma mère m'avait confié la clef pour que je puisse y dessiner, était d'allumer le poêle à gaz en soufflant dessus à maintes reprises. (À onze ans, alors que nous habitions encore tous ensemble dans cet appartement, le pyromane – se dit d'une personne qui aime provoquer des incendies en jouant avec le feu – qui était en moi et qui prenait un immense plaisir à allumer le poêle à gaz, tout comme tant d'autres plaisirs étranges de l'enfance, m'avait quitté sans même me dire « au revoir », et ce n'est que très longtemps après que je ne m'en étais rendu compte.) Dans cet appartement haut de plafond, ce n'est qu'après avoir mis mes habits de dessin, froissés et recouverts de peinture, et m'être bien réchauffé les mains – surtout quand cela faisait longtemps que je n'avais pas dessiné – que je me mettais à peindre, en me surpassant, des paysages d'Istanbul, et ceux-ci une fois terminés, je ressentais le besoin urgent de montrer mes œuvres à une personne au plus tard dans les deux jours qui suivaient, au risque de perdre tout mon enthousiasme. Cet appartement situé à Cihangir, dont j'avais progressivement recouvert les murs des dessins que j'y faisais au fur et à mesure que je m'y rendais, s'était transformé en une sorte de petite galerie, mais ni mon père ni ma mère, personne ne venait me dire à quel point ce que j'avais fait était magnifique. C'est en peignant dans cet appartement que je me suis en fait rendu compte que je ne voulais pas qu'on y vienne seulement pour voir mes dessins, mais que je voulais y sentir la présence, au moment même où je les faisais, de ces personnes qui allaient découvrir mes peintures par la suite, et ressentir les mouvements, entendre les pas et les bruits d'une famille heureuse. Peindre des paysages d'Istanbul dans ce triste appartement, rempli d'objets qui sentaient la poussière et le moisi, m'attristait encore plus.

Parmi mes dessins dont j'ai égaré la plupart, j'aimerais tant pouvoir retrouver ceux que j'ai faits à la maison lorsque j'avais seize ou dix-sept ans et qui, pour utiliser des termes chers à Tolstoï, racontaient le «bonheur familial». Comme on peut le remarquer en me regardant sur la photo ci-dessus, prise par un photographe professionnel que l'on avait fait venir à la maison lorsque j'avais sept ans, simuler le «bonheur familial» était parfois un exercice très difficile pour moi, c'est pourquoi ces dessins ont une importance extraordinaire à mes yeux. Il ne s'agit pas des peintures des paysages du Bosphore ou des rues écartées d'Istanbul, mais des dessins de nous-mêmes, de mes parents, des scènes domestiques de notre vie quotidienne. Ces dessins, je me précipitais pour les faire à des moments précis où je ressentais que chacun d'entre nous, même s'il n'était pas spéciale-ment heureux, était content de sa vie, ces moments où la tension entre mes parents s'était apaisée, où aucun des deux ne cherchait à vexer l'autre, où tout le monde était calme, tandis que, dans la cuisine, notre domestique cuisinait le repas du midi ou du soir, ou alors que nous nous préparions tranquillement pour une promenade ou un voyage, tandis qu'un air de musique s'échappait de la radio ou du magnéto-phone installé dans un coin du salon.

Mon père était souvent allongé sur le divan, dans le salon. En effet, c'était sur ce divan qu'il avait pris l'habitude de passer son temps à la maison, et il y lisait son journal, des revues ou des livres (à la place des œuvres littéraires qu'il lisait pendant sa jeunesse, il lisait main-tenant des ouvrages sur le bridge), ou bien il contemplait le plafond de manière pensive et soucieuse. Lorsqu'il était de bonne humeur, il quittait le divan sur lequel il était allongé, mettait en marche une cassette de musique classique, comme par exemple la première sym-phonie de Brahms, et il s'amusait à mimer le chef d'orchestre avec des mouvements du bras et de la main qui me paraissaient nerveux, entêtés et passionnés. Dans ces moments, ma mère, qui était en train de lire un journal ou de tricoter, assise dans le fauteuil juste à côté, levait la tête et adressait à mon père un sourire qui me semblait mêlé d'amour et d'affection.

Ces scènes de bonheur familial, qui se déroulaient sans être néces-sairement marquées par des gestes ou des paroles particulières atti-rant l'attention, retenaient au contraire – et c'était souvent pour cette raison – toute mon attention. C'était dans de tels moments qu'une voix, à l'intérieur de moi, gênée et joyeuse à la fois, chuchotait : « Je vais faire un dessin. » Je me précipitais alors vers ma chambre pour y chercher mon matériel (ma boîte de gouache ou bien la trousse qui contenait cent vingt pastels de couleurs différentes de la marque « Guitar » que mon père m'avait apportée d'Angleterre, et quelques feuilles de la marque Schöler aux différents formats que ma tante m'offrait à chaque anniversaire), puis je m'installais sur le secrétaire de mon père de façon à pouvoir voir mes deux parents en même temps, et je dessinais hâtivement l'intérieur de la maison.

329

Pendant tout ce temps, mes parents n'échangeaient pas un seul mot, comme s'ils comprenaient tout naturellement qu'une insurmontable envie de dessiner m'avait gagné, et on aurait dit que Dieu avait arrêté le temps pour moi pendant un court instant. (Il m'arrivait parfois de croire que, en dépit de mon désintérêt total à son égard, il m'aidait parfois en me donnant un coup de pouce quand j'en avais besoin.) C'était peut-être parce que mes parents ne se parlaient pas qu'ils m'avaient l'air d'être heureux. Je commençais à penser que la famille était l'endroit où chacun devait simuler le bonheur en faisant taire un moment ses démons intérieurs, afin de pouvoir se sentir aimé, tranquille, calme et en sécurité. Au bout d'un certain temps, quand mon père n'arrivait plus à jouer ce rôle d'homme heureux, auquel on finit par croire en pensant souvent qu'il n'y a pas d'autre solution, parce qu'il n'arrivait plus à calmer ses démons intérieurs, ses yeux quittaient les lignes de son journal pour se perdre dans les songes qu'il faisait en regardant à travers la fenêtre le Bosphore – sans se soucier le moins du monde de la beauté du paysage –, tandis que ma mère continuait à tricoter avec la même patience. La télévision, qui s'était répandue en Turquie à partir des années soixante-dix, s'était également installée chez nous, dans notre salon. Cet étrange sentiment de bonheur ou de souffrance d'exister, que mes parents arrivaient à ressentir en même temps grâce au silence énigmatique qu'ils avaient créé par leur absence de mouvement et de parole, avait laissé sa place au pouvoir de distraction de la télévision, qu'ils regardaient ensemble, quoique avec un peu de gêne. C'est alors que je n'ai plus eu envie de les dessiner. Peut-être parce que, pour moi, le bonheur consistait à pouvoir faire ressortir avec joie et de manière ludique mes démons intérieurs, alors que mes proches essayaient de faire taire les leurs.

Alors que je m'efforçais de terminer au plus vite, par des mouvements du bras et de la main de plus en plus rapides, le dessin d'une scène de bonheur familial durant laquelle mes parents restaient immobiles comme s'ils allaient être pris en photo, il leur arrivait d'échanger quelques mots. L'un d'eux disait à l'autre ce qu'il avait appris dans le journal, et l'autre, après un long silence, faisait un commentaire sur le sujet, ou bien il ne disait rien du tout. À d'autres moments, lors d'une discussion entre deux personnes, par exemple entre ma mère et moi, mon père, allongé sur son divan, et qui ne semblait pas nous écouter, disait quelque chose prouvant qu'il avait aussi un avis sur la question. Ces longs moments de silence étaient parfois interrompus par une courte phrase énoncée en voyant passer un inquiétant bateau soviétique aux radars insolites, ou, avec l'arrivée du printemps, au passage des cigognes qui migraient d'Afrique en Europe (Tiens, les cigognes passent!), que l'on pouvait voir depuis notre appartement situé à Beşiktaş dans le quartier de Serencebey car il avait une vue sur l'ensemble du Bosphore. Ces moments de silence qui se produisaient quand nous étions ensemble dans le salon indiquaient que chacun était retiré dans les profondeurs de son propre monde, ils me rendaient serein et heureux, mais en même temps, je savais que cela n'était que passager. Alors que ma main s'activait, avec une allure grandissante, pour rattraper les derniers détails de mon dessin, je me rendais compte avec effroi, grâce à cette activité, que certains détails physiques de mes parents m'avaient échappé jusqu'à ce moment. On pouvait lire sur le visage de ma mère, qui avait mis ses lunettes pour tricoter, à la fois de la gentillesse et du bonheur, alors qu'un fil se détachait de ses aiguilles et, passant sur son sein, tombait au niveau de ses pieds pour rejoindre enfin la pelote qui se trouvait dans un sac en plastique transparent. À côté de ce sac, alors qu'elle parlait avec mon père ou bien qu'elle était plongée dans ses pensées, les pieds de ma mère, que j'observais longuement pour les dessiner le mieux possible, restaient immobiles à l'intérieur de ses pantoufles. Alors, une étrange angoisse me traversait: nos bras, nos pieds, nos mains, et même nos têtes ressemblaient un peu à des objets, comme ces vases dans lesquels ma mère mettait des fleurs de marguerite ou de kokina, ces petites tables basses ou encore ces assiettes en porcelaine d'İznik qui étaient accrochées au mur. Alors que j'avais réussi, comme quand j'allais voir une pièce de théâtre, à me prêter au jeu et que nous croyions tous à la scène de bonheur que nous simulions brillamment, nous offrions tous les trois, chacun dans un coin du salon, une grande ressemblance avec les objets qui encombraient le salon-musée de ma grand-mère.

Ces moments de silence que nous partagions, tout comme les rares moments où nous jouions ensemble (à un jeu de cartes ou à un tirage de tombola le jour de l'An), me plaisaient beaucoup, et je me dépêchais de terminer de les dessiner, comme si j'avais peur de rater cet agréable instant. Ainsi, en pensant imiter les gestes de Matisse qui maniait, à mon avis, son pinceau avec une grande rapidité, ou encore en voulant copier Bonnard, qui dessinait de manière très détaillée les scènes d'intérieur, comme les tapis ou bien les rideaux qu'il décorait d'ornements sinueux et de petites virgules, il m'arrivait parfois de deviner que la nuit tombait progressivement, en sentant que l'intensité du lampadaire situé au-dessus de la tête de mon père avait augmenté. Une fois que la nuit était complètement tombée et que le Bosphore et le ciel s'étaient imprégnés d'une séduisante couleur bleu foncé, je ne voyais plus, dans les grandes fenêtres des autres maisons orientées vers le Bosphore, le reflet de son paysage où naviguait le bateau reliant Beşiktaş à Üsküdar, ni celui des fumées rejetées par d'autres bateaux ; c'était le reflet de notre appartement que j'y voyais, éclairé par la lumière orange de ce lampadaire.

J'apprécie encore beaucoup de regarder discrètement l'intérieur des maisons à travers leurs fenêtres illuminées de cette couleur orange, lorsque je me promène dans la rue ou lorsque je suis à ma fenêtre. Parfois j'y vois une femme seule, assise devant une table, lisant son destin dans les cartes qu'elle retourne, dans la même pose que ma mère qui jouait patiemment à la « patience », en fumant pendant des heures et des heures durant les longues soirées d'hiver où mon père ne rentrait pas. Parfois, en voyant à l'intérieur d'un modeste appartement de rez-de-chaussée, également éclairé par une lumière orangée, une famille en train de dîner et de discuter ensemble, je décide naïvement, en me fiant à cette apparence, qu'ils sont heureux. C'est surtout à Istanbul que les voyageurs doivent oublier qu'une ville n'est pas seulement faite de ses paysages, mais aussi des scènes qui se produisent à l'intérieur de ses maisons.

30

Les fumées des bateaux à vapeur sur le Bosphore

Le développement des bateaux à vapeur, qui avaient commencé à naviguer en Méditerranée à partir de la seconde moitié du XIXe siècle, réduisant ainsi les distances qui séparaient Istanbul des grandes villes européennes, avait permis à de nombreux voyageurs occidentaux de s'y rendre et de rédiger à la sauvette leurs impressions à propos de cette ville pendant leurs courts séjours. Ce matériel littéraire allait par la suite servir aux écrivains stambouliotes pour développer la

thématique d'Istanbul. Mais l'arrivée de ces bateaux avait également bouleversé le paysage de la ville de manière inattendue. Avec les bateaux à vapeur qui avaient petit à petit commencé à naviguer après la fondation d'une compagnie maritime, appelée d'abord la *Sirket-i Hayriye*, puis ensuite nommée lignes urbaines par les habitants, et les embarcadères qui s'étaient construits sur les rives de tous les villages du Bosphore, c'était en fait, au-delà du Bosphore, le paysage de toute la ville qui s'était transformé. (Rappelons à ce titre que le mot *vapur*, signifiant bateau à vapeur en turc, emprunté du mot français « vapeur », rend compte des deux aspects de ce changement et s'est très bien intégré dans le vocabulaire quotidien des habitants d'Istanbul.) Quand je parle de changement, je ne fais pas seulement allusion au rapide développement qu'ont connu les villages bordant le Bosphore et la Corne d'Or, devenus une partie de la ville grâce aux grandes places qui s'étaient formées au pied des embarcadères avec l'arrivée de ces bateaux. (Avant l'installation de ces quais et leur

desserte grâce à ces bateaux, de nombreux villages n'avaient même pas de liaison avec Istanbul.)

Chacun de ces bateaux qui avaient commencé à transporter les voyageurs sur le Bosphore était peu à peu devenu aussi connu dans la ville que la tour de Léandre, Sainte-Sophie, Rumelihisarı ou le pont de Galata, et ils représentaient en quelque sorte, par leur présence un peu excessive dans le quotidien des habitants, un symbole, comme un drapeau, qui leur rappelait qu'ils vivaient tous ensemble dans cette grande ville. C'est ce qui explique les nombreux livres remplis de photos de chacun des *vapur* des lignes urbaines, édités par les Stambouliotes qui y sont attachés, tout comme les Vénitiens le sont à leurs *vaporetti* (que l'on peut traduire par petits bateaux à vapeur) dont les formes et modèles sont l'objet d'une affection particulière de leur part. Gautier écrit d'ailleurs que, chez chaque barbier, on retrouve le tableau d'un bateau à vapeur accroché au mur. Je me souviens moi-même que, dans mon enfance et mon adolescence, mon père reconnaissait de loin, à leur silhouette, ces somptueux bateaux de l'époque, entrés en service récemment, et il m'énumérait, d'une façon qui me paraît encore poétique, un à un, plus ou moins spontanément, le nom de chacun d'entre eux : l'*Inşirah 53,* le *Kalender 67,* le *Tarz-i Nevin 47,* le *Kamer 59...*

Répondant à mes questions, mon père m'expliquait chacun des détails différenciant ces bateaux qui semblaient pourtant identiques. En m'aidant des explications qu'il me faisait durant une promenade en voiture le long du Bosphore, ou du haut de notre appartement à Beşiktaş qui avait une vue imprenable sur l'ensemble du trafic du Bosphore, j'avais appris à faire attention aux particularités de chaque bateau, comme la courbure de sa coque, la longueur de son conduit de fumée, le bout en forme de bec de certains, la rondeur de sa poupe, sa légère inclinaison sur le côté en avançant à contre-courant ; mais j'avais quand même beaucoup de mal à les distinguer les uns des autres. Ainsi, tout comme mon père, grâce à un regard attentif sur la forme plate de sa cheminée, j'arrivais à différencier le *Paşabahçe* – fabriqué par des Anglais à Tarente en Italie, en 1952, l'année de ma naissance – de ses deux autres frères, dont les noms se terminent aussi par le suffixe *bahçe*[44], le *Fenerbahçe* et le *Dolmabahçe.* J'avais considéré le *Paşabahçe* comme mon bateau porte-bonheur, et encore aujourd'hui, chaque fois que je l'aperçois en marchant, distrait, dans une rue d'où l'on peut voir la mer, ou encore depuis une fenêtre, c'est la même joie qui me gagne, comme si j'étais tombé sur le chiffre qui me portait chance.

La plus grande contribution de ces bateaux naviguant sur le Bosphore au panorama d'Istanbul était cette fumée qui s'échappait de leur conduit. J'aimais beaucoup ajouter sur mes dessins de paysage du Bosphore ces fumées de charbon noires, qui changeaient en fonction de l'emplacement du bateau, de son genre, du courant, et surtout, bien sûr, selon le vent.

Avant de me mettre à peindre les fumées qui sortaient des cheminées des bateaux à vapeur, à l'aide de mon pinceau abondamment imprégné de peinture, il fallait que mon dessin soit entièrement terminé,

et déjà un peu sec. La fumée qui sortait de ces conduits me semblait être, tout comme la signature que j'allais bientôt fièrement apposer dans le coin de mon dessin, un sceau grâce auquel les bateaux confirmaient l'achèvement de ce monde. Au fur et à mesure que la fumée sortait des conduits de ces bateaux et se dégageait en prenant, sous les mouvements de mon pinceau, la forme d'un nuage, j'avais l'impression qu'à Istanbul, c'était mon propre monde qui s'assombrissait ou se recouvrait. Lorsque je me promène le long des rives du Bosphore, ou bien que je voyage sur un bateau, j'aime beaucoup être obligé de passer sous l'épais nuage de fumée que rejette un autre, ou encore recevoir sur le visage, comme une petite toile d'araignée, les

gouttelettes d'une légère pluie de suie que le vent apporte en soufflant dans tous les sens, ou bien encore respirer l'odeur de carbone de cette fumée constituée de millions de particules de cette suie. Je prends également un grand plaisir en voyant la fumée que rejettent en même temps deux bateaux attachés l'un à l'autre dans les parages du pont de Galata et qui se répand sur l'ensemble de la ville.

Souvent, parvenu, plein de joie, à la phase finale de mon dessin, je me heurtais à la difficulté d'y restituer convenablement ces fumées s'échappant des cheminées avec lesquelles je voulais pourtant couronner mon œuvre (il m'arrivait parfois de gâcher tout le dessin car j'en avais trop ajouté). C'est pourquoi j'essayais de mémoriser pour mes prochaines œuvres les formes des fumées qui se dégageaient des bateaux sur le Bosphore, leurs volutes, leur éparpillement, puis leur disparition. Mais l'euphorie qui m'avait progressivement gagné se ressentait sur mes derniers coups de pinceau, et j'étais tellement focalisé sur mon dessin que je finissais toujours par oublier la forme réelle des nuages de fumée que j'avais vus.

L'image de fumée qui me plaisait le plus, que je pouvais qualifier de «parfaite», était celle de la vapeur qui, lors d'une journée très peu ventée, après s'être élevée perpendiculairement, prenait ensuite pen-

dant un moment une position parallèle à la mer, avant de s'éparpiller enfin en retraçant élégamment une ligne indiquant le chemin parcouru par le bateau sur le Bosphore. La fine fumée noire issue d'un bateau qui attendait à quai lors d'une journée sans vent avait le côté triste de celle, très fine, qui s'échappait du petit foyer d'une maison de pauvres. Les dessins en forme de courbe et de ressort que traçait la fumée d'un conduit, suite aux changements de directions du *vapur* et du vent, laissaient apparaître au-dessus du Bosphore des formes semblables à des lettres arabes, ce qui me plaisait également. Mais en même temps, la fumée dessinée par l'un des bateaux des lignes urbaines était l'élément principal qui venait souligner la tristesse du paysage et du dessin, c'est pourquoi cette forme amusante et aléatoire

me dérangeait aussi. L'image que l'on rencontre le moins est celle qui se produit lors d'une journée sans aucun vent, alors qu'un bateau se fraye tant bien que mal un chemin sur le Bosphore, la puissante fumée noire qui s'est dégagée de son conduit, restant longuement suspendue dans les airs, retrace douloureusement le trajet d'un triste voyage. Ces fumées noires et foncées qui rejoignaient, comme dans les tableaux de Turner, les nuages menaçants sombres et bas sur l'horizon constituaient également une image qui me plaisait. Outre le plaisir que je prenais à dessiner les nuages de fumées, je pensais également aux paysages des peintres impressionnistes comme Monet, Sisley et Pissarro, en m'inspirant par exemple du nuage bleuâtre de Monet dans son tableau *La Gare Saint-Lazare*, ou bien des amusants nuages en forme de boules de glace peints par Dufy qui appartient, lui, à un tout autre courant.

Flaubert est un écrivain que j'aime beaucoup parce qu'il attire l'attention sur les formes de ces fumées de bateau que j'utilisais pour terminer mon dessin, en les décrivant dans la phrase inaugurale de son roman intitulé *L'Éducation sentimentale* (mais je l'aime aussi pour d'autres raisons). La phrase qui précède est en fait une phrase de transition, et ce procédé permettant de passer à un autre sujet est une technique qui s'appelait *ara taksim* dans la musique classique ottomane et s'opérait « en solo ». En raison de la centrale de distribution d'eau que l'on avait construite sur cette plaine élevée, et sur laquelle dix années plus tard Nerval avait flâné pour contempler le paysage, les vendeurs ambulants et les cimetières, les habitants d'Istanbul avaient, longtemps après, commencé à appeler cet endroit « Taksim », ce qui signifie en même temps répartition,

distribution, et lieu de partage des eaux. Cet endroit autour duquel s'est déroulée toute ma vie s'appelle encore aujourd'hui ainsi. Mais avant même que ce lieu ne s'appelle Taksim, Flaubert, comme Nerval, s'y était rendu.

31

Flaubert à Istanbul : l'Orient, l'Occident et la syphilis

Gustave Flaubert arrive à Istanbul en octobre 1850, soit sept ans après Nerval. Il y vient accompagné de son ami photo-reporter Maxime Du Camp et de la syphilis qu'il vient de contracter à Beyrouth, et il y séjourne pendant environ cinq semaines. Il ne faut pas prendre au sérieux sa lettre écrite d'Athènes à son ami Louis Bouilhet après avoir quitté la ville lorsqu'il dit qu'« il y faudrait passer six mois ». Flaubert était en effet quelqu'un qui éprouvait de la nostalgie pour tout ce qu'il laissait derrière lui. Dans les lettres où il fait précéder la date du mot Constantinople, on s'aperçoit facilement que sa

maison à Rouen, sa chambre de travail, et sa chère maman, dont la séparation l'avait fait beaucoup pleurer, étaient ce qui lui manquait le plus depuis le début de son voyage, et qu'il souhaitait rentrer à la maison au plus vite.

Tout comme Nerval, Flaubert avait commencé son voyage en Orient en se rendant d'abord en Égypte et au Caire, puis à Jérusalem et au Liban. Comme Nerval, il y avait vu ces images violentes, effrayantes, désagréables, mystiques et exotiques de l'Orient, et c'est parce qu'il en était fatigué et lassé ainsi que de son imagination et des réalités encore plus « orientales » que celles auxquelles il s'attendait que Flaubert n'a pas pu s'intéresser véritablement à Istanbul. (Au départ, il avait prévu d'y rester trois mois.) Une autre raison qui explique son manque d'intérêt est que cette ville n'était pas l'Orient qu'il recherchait. Dans une lettre qu'il écrit d'Istanbul à son ami Louis Bouilhet, il lui confie que son voyage dans l'Ouest anatolien avait réveillé en lui le souvenir de lord Byron. Byron était quelqu'un qui s'intéressait à « l'Orient turc, l'Orient du sabre recourbé, du costume albanais, et de la fenêtre grillagée donnant sur des flots bleus ». Flaubert, lui, aime mieux « l'Orient cuit du Bédouin et du désert, les profondeurs vermeilles de l'Afrique, le crocodile, le chameau et la girafe ».

De plus, l'auteur, alors âgé de vingt-neuf ans, avait déjà enregistré dans sa mémoire de manière à les retenir toute sa vie la plupart des souvenirs de son voyage en Orient, notamment en Égypte. Il pensait désormais, comme il en fait part à sa mère et à Bouilhet, à ses futurs projets et aux œuvres qu'il allait écrire. (Pendant son voyage, parmi les livres qu'il espérait pouvoir écrire un jour, se trouvait également un roman, *Harel Bey*, racontant l'histoire d'un Occidental civilisé et d'un barbare d'Orient, qui deviennent peu à peu tellement semblables qu'ils finissent par échanger leurs rôles.) Déjà à cette époque, on retrouve dans les lettres adressées à sa mère, assez distinctement, les éléments qui allaient constituer la légende Flaubert : un homme qui ne prend au sérieux rien d'autre que son art, qui déteste le quotidien des bourgeois, le mariage et le monde des affaires. Il m'arrive parfois de songer à ces lignes, pensées et écrites cent deux années avant ma naissance dans les rues où j'allais passer toute ma vie, et qui allaient représenter le fondement de la pensée de la littérature moderniste : « Je me fous du monde, de l'avenir, du qu'en-dira-t-on, d'un établissement quelconque, et même de la renommée littéraire, qui m'a jadis fait passer tant de nuits blanches à la rêver. Voilà comme je suis ; tel est mon caractère,

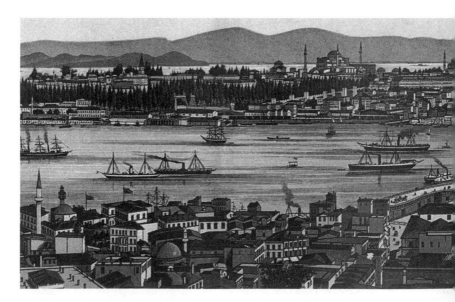

mon caractère est tel. » (Lettre de Flaubert à sa mère, Constantinople, le 15 décembre 1850.)

Pourquoi est-ce que je m'intéresse tant à ce que les voyageurs occidentaux ont dit à propos d'Istanbul, ce qu'ils y ont fait, ce à quoi ils ont pensé, ce qu'ils ont écrit à leur mère ? Un peu parce que je m'identifie parfois à eux (Nerval, Flaubert, De Amicis), et aussi parce que, tout comme j'avais besoin de m'identifier à Utrillo pour peindre les paysages de la ville, j'ai dû me former en me faisant influencer et en me confrontant à eux. Aussi parce que les voyageurs occidentaux m'ont appris plus de choses au sujet des anciens paysages d'Istanbul et de son quotidien que les écrivains stambouliotes qui ne prêtaient aucune attention à leur ville.

Chacun de nous possède en lui un texte moitié lisible moitié caché, fondé sur des préjugés ou des fantaisies, ou, comme on disait autrefois, sur une idéologie, et qui donne un sens à nos actions. Dans l'élaboration de ce texte qui donne un sens à la vie, les propos des observateurs occidentaux occupent une place importante. Pour les habitants d'Istanbul, qui comme moi ont un pied dans une culture et un pied dans un autre monde, cet « observateur occidental » n'est pas vraiment une personne, mais provient d'une fiction, de mon imagina-

tion, voire parfois même d'une confusion. C'est parce que mon esprit n'arrive pas à accepter tous ces textes traditionnels sur la vie sous la forme d'un seul et même ensemble que j'éprouve le besoin de recourir à un étranger qui pourra donner du sens à mon existence grâce à un nouveau texte, un écrit, une image, ou un film. En l'absence du regard des Occidentaux, je deviens alors mon propre Occidental.

Je ne suis nullement dérangé ni vexé de voir les Occidentaux utiliser mon passé et mon histoire comme source d'«exotisme», en faisant de cette ville d'Istanbul qu'ils n'ont pas pu coloniser le sujet de leurs écrits, de leurs dessins, de leurs tableaux et de leurs films. Avec le même enthousiasme, je trouve à mon tour également exotiques les craintes et les songes de ces voyageurs, et il m'arrive souvent de les lire, non pas seulement pour m'amuser, m'informer, ou bien voir quelle forme prend la ville sous leurs pinceaux, mais aussi pour me familiariser avec leur monde. D'autre part, leurs imaginations, leurs interrogations, la volonté d'expansion de leurs États, ou encore la curiosité pour ce qui se trouvait au-delà de leurs frontières les ont poussés à se rendre à l'endroit qui s'appelle mon «chez-moi». Ils ont consigné ce qu'ils y ont vu, et mon monde s'est infiltré dans leurs écrits et leurs images. C'est tout simplement en lisant les voyageurs occidentaux, notamment ceux qui sont arrivés au XIXe siècle, qui ont écrit, noté, comparé, et imaginé «ma» ville dans une langue beaucoup plus compréhensible que je me rends compte qu'elle n'est pas seulement et entièrement ma ville. Reconnaître cela, mon indécision et ma déception à propos de moi-même et de l'endroit auquel j'appartiens, me procure une certaine satisfaction. De la même façon que je m'identifiais aux peintres occidentaux qui, comme je le fais depuis tant d'années, ont observé la silhouette de la ville du même angle que le mien (à partir de Galata et de Cihangir, d'où j'écris ces lignes), je m'identifie, en lisant ce qu'ils ont écrit à propos d'Istanbul, à ces voyageurs occidentaux qui ont su observer les détails, compter, peser, classer, juger, et aussi le plus souvent exprimer leurs songes, leurs limites et leurs aspirations. Toute cette indécision qui résulte du regard occidental que je porte et que je subis à la fois selon que je regarde la ville de l'extérieur ou de l'intérieur me conduit à mener une réflexion instable, changeante et contradictoire, comme cela m'arrive souvent lorsque je marche, distrait, dans les rues : je ne me sens ni complètement d'ici, ni complètement d'ailleurs. C'est aussi cette impression que ressentent ses habitants vis-à-vis d'Istanbul depuis un siècle et demi.

Pour illustrer mes propos, intéressons-nous au phallus de Flaubert, qui est à l'époque sa plus grande préoccupation. Dans une lettre écrite à Louis Bouilhet le deuxième jour de son arrivée à Istanbul, notre malheureux écrivain lui fait savoir que, suite à la maladie qu'il avait contractée à Beyrouth, sept chancres (lésions de la syphilis) étaient d'abord apparus sur son phallus, et qu'ils s'étaient ensuite regroupés en un seul. «Chaque soir et matin pansais mon malheureux vi», écrit Flaubert d'Istanbul. Il pense d'abord que cette maladie lui a été transmise par une Maronite, «mais, ironise-t-il, c'est peut-être une petite Turque. Est-ce la Turque ou la chrétienne, qui des deux? problème? pensée!!! voilà un des côtés de la question d'Orient que ne soupçonne pas *La Revue des Deux-Mondes*». À cette même période, Flaubert écrivait à sa mère des lettres lui disant qu'il ne se marierait jamais. Mais ce n'était pas à cause de la maladie qu'il avait attrapée.

Alors qu'il luttait encore contre sa syphilis, qui allait bientôt causer la chute brutale de ses cheveux, et qui allait d'ailleurs finir par faire de lui un homme difficilement reconnaissable par sa mère lors de son retour, Flaubert se rendit également au bordel à Istanbul. Les drogmans – interprètes, guides – qui font visiter les mêmes endroits à tous les voyageurs occidentaux conduisent Flaubert dans un endroit de Galata si «sale» et où les femmes sont «tellement immondes» qu'il demande à en sortir. Juste à ce moment, d'après ce qu'il raconte, «*Madame**[45]*» la propriétaire suggère sa fille à son convive français. C'est une adolescente de seize ou dix-sept ans qui plaît beaucoup à Flaubert. Mais celle-ci refuse de coucher avec lui. Les autres personnes de la maison tentent alors de la convaincre – on se demande ce que l'auteur pouvait bien être en train de faire pendant ce temps – et ils finissent par se retrouver seuls tous les deux. La fille lui demande alors, en utilisant l'italien, de lui montrer son membre pour voir s'il n'est pas malade. «Or comme je possède encore à la base du gland une induration et que j'avais peur qu'elle ne s'en aperçût, j'ai fait le monsieur et j'ai sauté au bas du lit en m'écriant qu'elle me faisait injure», écrit Flaubert.

Pourtant, au début de son voyage, dans un hôpital du Caire, Flaubert avait attentivement observé les plaies de syphilis que les patients, pantalon baissé sur l'injonction du médecin, montraient à l'examinateur occidental. Il avait noté dans son cahier ce qu'il avait vu, avec le plaisir d'avoir découvert une étrangeté, une saleté, ou encore un phénomène médical propre à l'Orient – comme lorsqu'il décrit le nain dans la cour du palais de Topkapı, en observant sa physionomie et son costume. Flaubert n'était pas seulement venu en Orient pour en contempler les beaux paysages inoubliables et se créer des souvenirs, mais également pour en découvrir les maladies et les étrangetés. Cependant, il n'avait nullement envisagé de parler de la maladie qu'il allait justement contracter au cours de ce voyage, et de son étrangeté. Edward Said, dans son livre brillant, *L'Orienta-*

lisme, qui caresse hélas le sentiment nationaliste et tente d'expliquer une fois encore que «l'Orient» serait un endroit magnifique s'il n'y avait pas les Occidentaux, écrit des lignes très indulgentes à propos de Nerval et Flaubert en mentionnant la scène de l'hôpital du Caire mais il ne fait aucunement référence à celle du bordel à Istanbul, qui complète pourtant cet épisode. Peut-être parce que Istanbul n'est jamais devenu une colonie de l'Europe. Or, tout comme les voyageurs occidentaux, les nationalistes turcs (qui sont supposés s'être répandus depuis l'Amérique dans le monde entier) avaient attribué cette maladie à d'autres civilisations, et c'est pour cette raison qu'ils l'avaient appelée *frengi* (venant des Francs, de l'Europe). Dans le premier dictionnaire de langue turque imprimé à Istanbul cinquante ans après la venue de Flaubert, Şemsettin Sami, d'origine albanaise, précise que la syphilis (*frengi*) « nous est arrivée d'Europe. » Quant à Flaubert, dans le *Dictionnaire des idées reçues*, il répond quelques années plus tard à la question elle-même contagieuse « Qui a transmis cette maladie contagieuse ? » sans en faire une nouvelle plaisanterie Orient-Occident : tout le monde aurait un tant soit peu contracté cette maladie.

Dans ses lettres qu'il écrit avec beaucoup de sincérité et de précision, Flaubert, attiré par tout ce qui est étrange, effrayant, sale et bizarre, parle des « putes de cimetières », qui retrouvent les soldats la nuit dans les cimetières, des nids vides de cigognes, du froid de

la ville, des vents qui soufflent de la mer Noire et qui donne un air de Sibérie à Istanbul et des grandes foules de la ville. Tout le monde a écrit quelque chose à propos de ces cimetières, sauf les écrivains stambouliotes, mais Flaubert est celui qui a rédigé les lignes les plus sensibles. Il semble être le premier à avoir remarqué l'affaissement des pierres tombales qui s'enfoncent et se perdent dans la terre avec le temps, tout comme le souvenir de ces morts qui finissent par être oubliés.

32

Grand frère – petit frère :
querelles et bagarres

De six à seize ans, je me battais sans cesse avec mon grand frère qui me flanquait des raclées de plus en plus violentes. C'est qu'il était beaucoup plus fort que moi. À l'époque, et peut-être même aujourd'hui, le fait que deux frères qui n'ont que dix-huit mois de différence se chamaillent, se disputent et se battent était considéré à Istanbul comme quelque chose de tout à fait normal, voire de sain, et c'est pour cela qu'il n'existait chez personne une volonté suffisamment forte pour empêcher ce que je subissais. Moi-même, je ne pouvais certainement pas m'opposer à cette violence, car je savais bien que les raclées que je recevais étaient parfois un peu méritées puisque, pour nos premières bagarres, j'étais souvent celui qui les déclenchait lorsque j'étais énervé et que je me sentais méprisé. Et après tout, je considérais que ces raclées étaient en fait le résultat de mon propre échec, dû à mon impuissance et à ma maladresse. Ma mère, qui se rendait sur les lieux du sinistre, découvrant les carreaux et les verres cassés, et me voyant avec des bleus partout et même parfois en sang, ne se plaignait pas de la violence de nos querelles, ou plutôt de la raclée que j'avais reçue, mais du désordre occasionné dans la maison, de notre incapacité à partager quelque chose, ou du bruit fait au cours de la bagarre et dont les voisins s'étaient plaints.

Lorsque, après tant d'années, j'ai rappelé la violence de ces bagarres à ma mère et à mon frère, ils ont réagi comme si cela ne s'était jamais passé et ont pensé que je tentais, comme toujours, de m'inventer un passé original et mélodramatique, pour pouvoir écrire des choses sortant de l'ordinaire. Ils m'ont semblé si sincères que je leur ai donné raison, et j'ai fini par croire, encore une fois, que j'étais beaucoup plus influencé par mon imagination que par ce que j'avais réellement vécu. Par conséquent, le lecteur qui lit actuellement ces lignes doit garder dans un coin de sa tête que je n'ai toujours pas pu me libérer de l'emprise de mon imagination, tel un malheureux paranoïaque, pourtant conscient de ses troubles mais qui ne parvient pas à cesser de croire qu'il est suivi. Cependant, ce qui est important pour un peintre, ce n'est pas la réalité des objets, mais leurs formes, pour un romancier, pas la chronologie des événements, mais leur articulation, et pour un écrivain qui écrit ses souvenirs, ce qui importe, ce n'est pas la réalité du passé, mais sa symétrie.

C'est pourquoi le lecteur qui s'est rendu compte que parler de moi revenait à parler d'Istanbul, et vice versa, a déjà dû comprendre depuis longtemps que le récit des bagarres sans merci avec mon frère durant notre enfance sert en fait à préparer le terrain pour d'autres choses. De toute façon, derrière les chamailleries et les querelles avec mon frère pendant notre enfance, il n'y avait pas grand-chose d'autre que le comportement «naturel» de deux enfants qui essayaient d'exprimer leurs petits désaccords de manière instinctive et donc avec la violence qui s'y rattache. Jusqu'à nos douze et dix ans, mon frère et moi, nous nous étions créé un monde propre à nous et fermé à l'extérieur.

Nous ne fréquentions pas beaucoup d'enfants en dehors de l'école. Nous étions occupés à jouer à de nombreux jeux que nous avions nous-mêmes inventés ou que nous avions appris des autres, mais que nous nous étions appropriés en en modifiant les règles à notre convenance. Dans notre maison enveloppée d'ombres, nous jouions à nous faire peur, à cache-cache, au serpent, au capitaine pêcheur, à la marelle, au nom des villes, aux neuf pierres, aux dames, aux échecs, au ping-pong sur une table pliante (spécialement faite pour les enfants) ou sur la grande à laquelle nous mangions et à beaucoup d'autres jeux. Il nous arrivait souvent de nous battre, à la suite des bousculades des matchs de football auxquels nous jouions jusqu'à l'épuisement et dans toute la maison, en l'absence de ma mère, avec des ballons de toutes tailles fabriqués à partir de divers matériaux, comme du papier journal compressé.

Nous avons également consacré de nombreuses années aux «matchs de billes», un jeu dans lequel nous mettions en scène le monde viril du football, avec toutes ses légendes et ses incidences sociales. Nous aimions beaucoup ce jeu, que nous pratiquions avec des pions de trictrac, car il nous permettait d'imiter un match de football, d'en représenter fidèlement les règles, les tactiques de défense et d'attaque, et aussi parce qu'il reposait sur une habileté manuelle que nous avions progressivement acquise et faisait un peu appel à la réflexion et à la «tactique». Ainsi, les onze pions du jeu de trictrac (ou bien nos billes) se plaçaient sur une partie du tapis qui était le terrain, et chacun essayait de mettre le ballon dans les buts en bois de l'adversaire, que nous avions fait faire au menuisier avec des filets, tout en respectant les règles que nous avions réussi à élaborer grâce à de nombreuses bagarres. Les billes portaient les noms des joueurs célèbres de l'époque, il nous suffisait d'un coup d'œil pour reconnaître chacune d'entre elles. Mon frère, à l'instar de Halit Kıvanç, «commentateur de matchs de football en direct» de l'époque à la radio d'Istanbul, racontait notre match à des supporters imaginaires, et lorsqu'il y avait but, on entendait les supporters de l'équipe ayant marqué crier «goaaaal», puis des hurlements de toutes parts s'ensuivaient. Nous interprétions à merveille le rôle de la fédération de football, celui des joueurs, de la presse, et des supporters. Le seul qui nous faisait défaut était le rôle d'arbitre, et à la fin de ces matchs de billes, tout comme ces farouches supporters qui se mettent des coups de couteau en oubliant que le football n'est qu'un jeu, nous oubliions que nous étions en train de jouer au jeu de ce jeu, et nous nous mettions à nous battre avec passion, jusqu'à ce que l'un d'entre nous se blesse ou se fasse mal. Le plus souvent, c'était moi qui cédais sous les coups.

Le sentiment qui se manifestait dans nos bagarres d'enfance déclenchées à cause d'une défaite, d'une jalousie, du non-respect des règles, ou bien d'une moquerie excessive, était bien celui de la compétition. Mais nous y mettions à l'épreuve la ruse, la force, les connaissances et l'intelligence, plutôt que la bonne conduite, la modestie ou encore la politesse. Elle portait les couleurs du désir de dominer grâce à son intelligence et son talent, en s'acharnant à apprendre au plus vite les règles du jeu et de la vie. Il y avait dans cette compétition l'ombre de la culture façonnée petit à petit par les problèmes de mathématiques que notre oncle nous posait en nous arrêtant dans l'escalier, les querelles à la fois taquines et sérieuses des voisins qui soutenaient tous une équipe différente, les livres d'école qui racontaient en les embellissant les victoires de l'armée turque et ottomane, ou encore par les cadeaux comme l'*Encyclopédie des Découvertes et des Inventions*.

Les concours de toutes sortes, que ma mère avait l'habitude d'annoncer pour rendre le quotidien plus facile, ont incontestablement une part dans l'esprit de compétition qui nous habitait : « Le premier qui se met au lit après avoir enfilé son pyjama aura droit à un bisou » ou « Celui qui passera l'hiver sans prendre froid et sans tomber malade aura droit à un cadeau », ou bien encore « Celui qui mangera sans salir ses habits sera celui que j'aime le plus ». Mais si ma mère recourait à cette émulation, c'était pour faire de nous des petits garçons plus « vertueux », plus « sages » et plus « conciliants ».

Or, derrière nos bagarres, on retrouvait notre côté entêté, rival, avide de réussite, de domination et de victoire, à la manière d'ailleurs de certains héros auxquels nous nous identifiions. À l'école, nous essayions de nous distinguer en levant le doigt pour montrer que nous connaissions la réponse, ou encore en nous démarquant des autres « imbéciles » en devenant premiers de la classe. Peut-être que cette attitude qui consistait à vouloir battre, voire écraser les autres, nous aidait à écarter le sentiment de ruine et de tristesse qui accompagnait le destin irrémédiable d'Istanbul, et qui était présent quelque part au fond de nous. En effet, au fur et à mesure qu'il voit son destin et celui de sa ville se rejoindre, tout Stambouliote commence à ressentir une espèce de modestie, de sentimentalité, ou au mieux une tristesse déguisée en timide bonheur.

Mon aîné a toujours été plus fort que moi à l'école. Il arrivait à apprendre par cœur toutes les adresses, les chiffres et les numéros de téléphone, comme s'il s'agissait de formules mathématiques (lorsque nous partions ensemble quelque part, il regardait les numéros des immeubles et le nom des résidences alors que moi je contemplais les vitrines, le ciel, ou ce qui me paraissait curieux). Il pouvait énumérer d'un trait les règles du football, les résultats des matchs, les capitales, les marques de voitures, les champions d'athlétisme, ou encore compléter les connaissances des professeurs, concurrents quarante ans plus tard, ou développer avec enthousiasme les courtes informations citées dans le *Citation Index* (index international de recueils scientifiques). Bien évidemment, mon frère était pour beaucoup dans mon attachement à la peinture, et mon besoin de dessiner pendant des heures, puisqu'il s'agissait là d'un domaine qui ne l'intéressait pas du tout.

Parfois il m'arrivait de passer de longs moments à peindre sans pouvoir y trouver le bonheur que je recherchais, et je ressentais que ces lourds rideaux, et tous ces meubles qui assombrissaient la maison, me rendaient également un peu triste. Et, comme tout Stambouliote, j'étais en quête d'une occasion qui me permettrait d'aller rapidement vers la victoire, grâce à un jeu où je pourrais rivaliser avec quelqu'un. J'allais alors voir mon frère, en lui rappelant notre jeu préféré du moment – match de billes, échecs, ou un jeu d'intelligence – et en lui faisant comprendre qu'on pourrait y rejouer quand il le voudrait.

Mon frère levait la tête de son livre pour me dire : « Il semblerait que ça te démange à nouveau », en faisant allusion non pas aux bagarres ni aux raclées que je recevais à la fin du jeu, mais aux nombreuses défaites qu'il m'infligeait. « Le combattant vaincu n'est pas lassé de la lutte », reprenait-il, en me rappelant qu'il m'avait déjà battu la dernière fois. « Je travaille encore une heure, après. » Et il retournait à son livre.

Le bureau de mon frère était toujours très bien rangé et ordonné, tout le contraire du mien qui était dans un désordre total, tel un lendemain de tremblement de terre.

Nos bagarres d'enfance, ainsi que les jeux auxquels nous jouions, nous permettaient d'apprendre les règles de la vie en les simulant. Quelques années plus tard, lorsque cette violence, ces raclées, ou encore ces défaites ont commencé à laisser des traces dans mon psychisme, j'ai compris que c'étaient désormais les règles de la vie qui avaient commencé à jouer avec nous. Entre les nombreuses disparitions d'un père et les flots de conseils d'une mère attentionnée qui croyait pouvoir empêcher la tristesse de la ville de pénétrer notre maison en tentant de combler au mieux son absence, les deux compagnons que nous étions, mon grand frère et moi, étions en train de devenir des adolescents décidés à construire leur propre monde. Peu à peu, les lois et règles que nous avions élaborées au fil des années pour éviter les bagarres à la maison ou durant un jeu (qui allait s'asseoir le premier, à qui appartenait tel endroit du placard, tel livre, qui allait s'installer à côté de papa dans la voiture et pendant combien de temps, qui allait se lever de son lit la nuit pour fermer la porte de

notre chambre restée ouverte, ou bien pour éteindre la lumière de la cuisine et pour quelle raison, ou encore qui allait lire en premier la revue *Tarih* [46]) étaient devenues la nouvelle source de nos bagarres. Le plus souvent, se bouder, se moquer ou bien menacer l'autre en disant «Ne touche pas à ça, c'est à moi», «Tu vas le regretter», ne nous aidaient pas à régler nos différends ; alors, nous finissions par recourir à la violence et à la bagarre, en se tordant le bras et en s'échangeant des coups de poing. J'utilisais le portemanteau en bois, les pincettes de la cheminée, le manche à balai, ou toute autre chose à portée de main qui pouvait me servir d'épée pour me défendre.

Le pire était que nos bagarres ne se déclenchaient plus seulement pour des questions de fierté et d'honneur liées au jeu extrêmement important (un vrai match de football) que nous étions en train de simuler avec nos billes, mais aussi pour des raisons de fierté et d'honneur directement en rapport avec la vie. Nous connaissions trop bien les points faibles de l'autre, et, dans le cadre d'une étrange concurrence, nous aiguillonnions les points sensibles de l'autre. De plus, la violence ne se caractérisait plus par un moment de colère soudaine, mais par une stratégie planifiée et impitoyable.

Une de ces fois où j'avais réussi à le blesser de cette manière, il m'avait dit : «Ce soir, quand papa et maman seront partis au cinéma, je vais te frapper!» Durant le dîner, je leur avais demandé de ne pas aller au cinéma en les informant que j'avais reçu des menaces, mais les forces de sécurité, estimant que les tensions s'étaient apaisées et les parties calmées, étaient parties en nous laissant seuls.

Lorsque, restés seuls dans la maison, nous étions intensément occupés à nous battre de toutes nos forces, il arrivait que l'on sonnât à la porte. Alors, tels un mari et une femme surpris par leurs voisins en plein milieu d'une dispute, nous nous ressaisissions rapidement, et accueillions l'invité ou le voisin intempestif qui venait d'interrompre notre houleuse distraction avec courtoisie avec des «Asseyez-vous je vous en prie», et nous disions que notre mère ne tarderait pas à arriver, tout en échangeant entre nous des signes joyeux avec les yeux et les sourcils. Alors que nous nous retrouvions seuls, contrairement aux couples qui ne pourraient s'empêcher de reprendre leurs disputes, nous retournions, heureux et distraits, comme s'il ne s'était rien passé, à nos affaires quotidiennes. Lorsque je m'étais fait beaucoup secoué, il m'arrivait aussi parfois de finir par m'endormir en pleurant sur un tapis, triste comme un enfant imaginant sa propre mort. Au bout de quelque temps passé à travailler à son bureau, mon frère, qui était au moins aussi humain et bon que moi, peiné de me voir ainsi, venait me réveiller pour me dire de me changer et d'aller au lit. Mais je préférais aller me coucher en me jetant sur mon lit tout habillé, alors qu'il continuait à travailler à son bureau. Je découvrais en moi la présence d'un sentiment obscur situé entre la compassion vis-à-vis de moi-même et la tristesse.

J'avais fini par obtenir la correction «que j'avais cherchée», et le sentiment bien mérité de tristesse, de défaite sans appel et d'humiliation qui s'ensuivait m'affranchissait de toutes ces règles qu'il fallait connaître, des problèmes mathématiques à résoudre, des articles du traité de Karlowitz qu'il fallait apprendre par cœur, et de toutes les obligations de la vie ; je pouvais tout laisser tomber. L'humiliation que je ressentais après m'être fait battre me permettait de me sentir libre. Parfois, je cherchais, contre mon gré, à me faire battre, car cela m'aidait à devenir libre au point de ne plus me soucier de quoi que ce soit. Et mon grand frère, qui me mettait en garde en disant «Arrête de chercher», saisissait également cela. C'est justement parce qu'il était au courant de cela, qu'il possédait l'intelligence et le pouvoir, que je voulais me battre avec lui de toutes mes forces, et je me faisais battre.

Après chaque raclée, un triste sentiment venait me trouver et trottait dans ma tête pour me dire que j'étais mauvais, maladroit, coupable, ou fainéant. Une voix en moi disait : « Je suis mauvais, et alors ? » Cette affirmation me procurait une liberté qui m'ébranlait et m'ouvrait d'autres horizons. Lorsque j'étais entièrement convaincu que j'étais mauvais, je comprenais que je pouvais faire de la peinture quand je voulais, laisser tomber mes devoirs, et dormir tout habillé. En outre, une fois battu et abattu, écrasé et vaincu, les bras et les jambes recouverts de bleus, la lèvre éclatée, le nez en sang, et avec des douleurs un peu partout, j'éprouvais un étrange plaisir et, pire encore, exposer, sans pouvoir m'y opposer, mon état d'humiliation ainsi que montrer ma fierté bafouée me plaisaient beaucoup. Peut-être qu'à ce moment la réalité, la vivacité de mes rêves, de la couleur des songes que j'avais façonnés avec plaisir, du désir de faire un jour quelque chose de grand (qui m'enveloppait comme une bourrasque) m'ensorcelait. Toute cette violence, cette fierté ou ces songes avaient une puissance et une vivacité qui n'avaient absolument rien à voir avec la méchanceté ou encore la moralité. D'ailleurs, ce deuxième monde qui me réservait un bonheur intense me paraissait d'autant plus vivant et attrayant qu'il se nourrissait de la violence du moment présent. Ainsi, dans de tels moments, je découvrais aussi bien instinctivement que par hasard la tristesse de la ville que je ressentais en moi et, lorsque je m'emparais d'un crayon et d'une feuille dans ces moments, ce que je dessinais me plaisait encore plus, et le côté sombre de ce sentiment, grâce au bonheur d'oublier le reste du monde que le jeu me procurait, se dissipait tout doucement.

33

Étranger dans une école étrangère

J'ai passé mes quatre années de lycée dont une année de préparation pour apprendre l'anglais au Robert College. J'ai compris que
mon enfance était terminée, que le monde était un endroit difficile
à atteindre et bien plus compliqué que je ne me le figurais lorsque
j'étais encore un enfant, et dont l'immensité infinie faisait souffrir.
Mon enfance s'était construite autour et avec ma mère-mon père-mon
grand frère-notre maison-notre rue-notre quartier, qui constituaient
pour moi l'épicentre du monde. Pendant toute ma scolarité qui avait
précédé mon entrée au lycée, je m'étais efforcé non seulement de
faire de mon environnement personnel et géographique le centre de
ma vie, mais aussi de me convaincre qu'il me donnait la mesure du
monde. Une fois au lycée, j'ai saisi que ces endroits n'étaient ni le
centre du monde ni – plus grave encore – un repère pour apprécier
le reste du monde. La déception suscitée par la remise en question
de mon espace, de mes connaissances et de mes convictions, et la
découverte de l'immensité infinie de l'univers (à travers les livres
que je feuilletais avec plaisir pendant des heures dans les couloirs
labyrinthiques et qui sentaient l'odeur du vieux papier de la bibliothèque au plafond bas fondée par des professeurs laïcs américains) me
donnaient un sentiment de solitude et d'impuissance que je n'avais
jamais ressenti auparavant.

Le sentiment de solitude était en partie dû à l'absence de mon
grand frère. Même si je n'arrêtais pas de me chamailler avec lui, il
constituait pour moi, bien plus que mes parents, un centre de connaissances me permettant de classer, de juger, et de retenir de nombreuses
choses. Quand j'avais seize ans, il est parti en Amérique, pour étudier

à l'université Yale. Je ne me plaignais pas vraiment de cette solitude puisqu'elle me permettait de développer mon imagination et de me laisser aller, en échappant à toutes ces compétitions, aux humiliations et aux coups qu'il m'infligeait. Néanmoins, à des moments difficiles et de tristesse, sa compagnie me manquait.

Il me semblait que ces difficultés provenaient de l'éclatement de ce que j'avais considéré comme l'épicentre. Mais, en même temps, je n'arrivais pas à identifier clairement dans mon esprit de quoi il s'agissait. C'est pourquoi il y avait comme quelque chose qui m'empêchait de me consacrer pleinement à mes cours, mes devoirs, et aussi à la vie. J'étais parfois déçu de ne plus parvenir à être le premier de la classe comme j'en avais l'habitude auparavant, alors que je ne fournissais aucun effort particulier, mais en même temps je n'étais plus en état d'être suffisamment heureux ou malheureux pour quoi que ce soit. Mon enfance, que j'avais estimée heureuse, était une histoire amusante et curieuse qui ressemblait à un conte doux comme du velours. Après mes treize ou quatorze ans, elle a volé en éclats pour se briser en mille morceaux. Il m'arrivait encore de croire avec enthousiasme à chacun de ses morceaux. Je tentais de les vivre jusqu'au bout, mais, de même que je ne réussissais pas à être le premier de la classe comme je le décidais à chaque début de trimestre, de même je finissais par y renoncer au bout d'un certain temps. J'avais parfois l'impression que le monde s'éloignait de moi, à un moment où, justement, mon corps, mon esprit et mes sentiments étaient le plus désireux de s'ouvrir à lui.

Dans toute cette confusion qui occupait mon esprit, mes songes érotiques m'aidaient à me rappeler qu'il existait un univers dans lequel je pouvais trouver refuge quand je voulais. La sexualité que je me figurais n'était pas celle qui se partage avec une autre personne, c'était un rêve que je construisais moi-même. Lorsque j'avais commencé à lire et à écrire, une espèce de machine sonore s'était mise en marche dans mon cerveau, qui attribuait un son à chaque lettre. De la même manière, maintenant, une machine s'était mise à fonctionner sur toute la gamme et avec une détermination surprenante, profitant du moindre petit indice pour en faire l'objet d'une image ou d'une jouissance sexuelle. Je partais m'enfermer dans ma chambre, durant ces moments où mon imagination effectuait des opérations de copier-coller, pour obtenir d'irrésistibles images sexuelles, à partir des personnes de mon entourage ou des photos d'un journal ou d'un magazine, sans me soucier d'aucune limite morale ou religieuse.

Après coup, je me souvenais de la petite discussion que j'avais eue avec deux camarades de classe au collège, l'un obèse et l'autre bègue, qui me retrouvaient avec un sentiment de culpabilité. « Ça t'arrive de la faire ? », avait réussi à me demander le bègue avec difficulté. En effet, je la faisais déjà quand j'étais collégien, mais j'étais tellement embarrassé que j'avais murmuré quelque chose qui ne voulait dire ni oui ni non. Le bègue, qui trouvait que ce genre de chose n'était pas digne d'un gentil garçon, intelligent et sérieux comme moi, m'avait dit « Surtout ne la fais jamais ! », tout en rougissant au fur et à mesure qu'il bégayait. « La branlette, c'est une habitude horrible. Une fois que tu as commencé, tu ne peux plus t'arrêter. » Sur ce point, je me souviens du regard de mon camarade obèse, qui me paraît de plus en plus triste chaque fois que j'y songe, qui, alors qu'il me conseillait discrètement de me tenir à l'écart du monde de la branlette, portait sur le visage l'expression d'une personne habituée à une irrésistible drogue, qui avait ruiné sa vie, et dont il avait dû accepter les effets – comme l'obésité – avec résignation.

Une autre chose que je faisais avec le même sentiment de culpabilité et de solitude, dont je me souviens en pensant à ces années, une pratique que j'ai continuée à l'Université technique où j'étudiais l'architecture, était l'école buissonnière. Mais j'avais commencé cela depuis très longtemps, déjà à l'école primaire.

À l'école primaire, au tout début, j'avais commencé à sécher les cours parce que je m'ennuyais, parce que j'avais honte d'une insuffisance que personne n'avait cependant remarquée, ou encore parce que je savais qu'on allait se faire vacciner ce jour-là. Mais il m'arrivait aussi de ne pas aller à l'école pour des raisons qui n'avaient rien à voir avec elle : à cause des disputes entre mes parents, par fainéantise et irresponsabilité, ou encore parce que, après avoir été chouchouté comme un bébé à la maison en raison d'une maladie, j'avais perdu l'habitude d'aller à l'école. Un poème qu'il fallait apprendre par cœur, le harcèlement au collège d'un gaillard difficile à éviter, ou encore, au lycée et à l'université, la tristesse, l'ennui, ou bien une crise d'existentialisme étaient des prétextes suffisants pour ne pas aller en cours. Je n'allais pas à l'école aussi parce que j'aimais beaucoup rester à la maison. J'évitais l'école parce que je pouvais ainsi rester seul avec ma mère, faire ce que je voulais tout seul dans ma chambre alors que mon frère était en classe, et aussi parce que j'avais très vite compris que, de toute façon, je ne réussirais jamais à devenir un élève aussi brillant que lui. Mais, en vérité, les raisons de ma fuite de l'école sont bien plus profondes, et sont à chercher du côté de ma tristesse.

Mon père, après avoir dépensé tout l'argent qui lui était resté de son père, avait emmené ma mère avec lui à Genève, où il avait trouvé du travail, et nous étions restés avec ma grand-mère paternelle, qui n'avait pas suffisamment d'influence sur moi. C'est à ce moment-là, l'hiver qui a suivi le départ de mes parents, que j'ai commencé à fuir l'école. Lorsque İsmail, notre concierge, venait sonner chaque matin pour nous accompagner à l'école, mon frère sortait avec son sac à la main, tandis que je traînais dans la maison en grognant : je n'avais pas fini de préparer mon cartable, je venais de me rappeler que j'avais oublié quelque chose, je demandais à ma grand-mère si elle pouvait me donner un livre, j'avais mal au ventre, mes chaussures étaient mouillées, il fallait que je change ma chemise... Mon frère, qui devinait ma mauvaise foi et qui avait horreur d'être en retard, disait : «Allons-y, İsmail ! Tu viendras chercher Orhan plus tard.»

L'école que nous fréquentions, le Işik Lisesi, était à quatre minutes de la maison. Monsieur İsmail nous y accompagnait et venait nous chercher. Lorsqu'il revenait me chercher après avoir conduit mon frère, les cours étaient sur le point de commencer à l'école. Je traînais encore un peu, en faisant exprès d'accuser quelqu'un parce que quelque chose manquait ou n'était pas préparé, ou bien encore, je faisais mine de ne pas avoir entendu sonner le concierge qui attendait devant la porte, tellement j'avais mal au ventre. J'avais, à vrai dire, effectivement un peu mal au ventre à cause de tout ce cirque et ces numéros qui finissaient par me crisper, et aussi à cause du lait mousseux et bouillant et de son odeur puante que je sentais avec dégoût chaque matin en l'ingurgitant. Au bout d'un certain temps, ma grand-mère finissait par compatir :

«Écoutez, İsmail, il est maintenant tard, il y a longtemps que vous avez sonné, qu'il reste à la maison aujourd'hui», et elle se retournait vers moi, fronçant les sourcils. « Écoute-moi bien, demain tu iras à l'école, tu as compris ? Sinon, j'appelle la police. Et je le dirai à tes parents dans ma lettre. »

Quelques années plus tard, au lycée, sécher les cours me paraissait encore plus agréable puisque personne n'était au courant. Le sentiment de culpabilité donnait à chacun des pas que je faisais dans la ville une valeur d'autant plus grande que je savais que j'allais

en payer les frais. Mes promenades dans les rues, qui n'avaient pas d'autre but que d'éviter l'école, me permettaient de faire attention à ce que seul quelqu'un qui n'avait absolument rien à faire, un errant ou un clochard, pouvait relever : cette dame qui portait un chapeau au large bord, le visage brûlé du mendiant que je n'avais pas remarqué bien que je sois passé devant lui tous les jours, les barbiers et leurs apprentis qui lisaient des journaux dans leur boutique, la fille de la publicité d'une boîte de conserve sur le mur de côté du bâtiment en face, le mécanisme de l'horloge en forme de tirelire de la place de Taksim, dont on ne pouvait voir la réparation qu'à ce moment de la journée et seulement en fuyant les cours du lycée, le vide chez les

vendeurs de hamburgers, les serruriers, les antiquaires, les ébénistes qui remettaient en état les vieux fauteuils et canapés, les épiceries dans les petites rues du quartier de Beyoğlu, ou encore, dans les rues en pente de Yüksekkaldırım, les vendeurs de timbres, d'instruments de musique, de vieux livres, de tampons et de machines à écrire. Toutes ces choses, devant lesquelles j'étais pourtant passé avec ma mère ou des copains pendant mon enfance, me paraissaient alors si belles, si réelles et si curieuses que j'avais envie de les toucher. J'achetais aux vendeurs ambulants des *simit*, des moules frites, du pilav, des châtaignes, des *köfte*, du poisson avec du pain, des *kurabiye*[47], de l'*ayran*[48], du sirop, bref tout ce dont j'avais envie. Je me sentais intensément heureux en regardant, une petite bouteille de *gazoz*[49] à la main, les enfants jouer au football dans la rue (avaient-ils aussi fui l'école, ou n'y allaient-ils pas du tout?), ou en descendant tranquillement une rue en pente que je ne connaissais absolument pas. Mais, surveillant ma montre tout en songeant à ce qui se passait en cours, il m'arrivait également de ressentir des moments de culpabilité qui me plongeaient dans une grande tristesse.

En fuyant mes cours au lycée, j'ai découvert avec un grand plaisir les rues écartées des quartiers de Bebek et d'Ortaköy, les collines de Rumelihisarı, ses embarcadères et ceux d'Emirgân et İstinye, qui accueillaient encore des *vapur*, les cafés de pêcheurs qui se trouvaient à leurs alentours, et l'endroit où ils garaient leurs petits bateaux. L'école buissonnière a également été pour moi l'occasion de

savoir où menaient les *vapur*, de goûter au plaisir d'y embarquer et de découvrir les villages bordant le Bosphore et les rues écartées où l'on apercevait une vieille dame endormie à sa fenêtre, des chats heureux, et ces vieilles maisons grecques encore visibles, dont les portes ne sont pas fermées à clef le matin.

Ce sentiment de faute me fit prendre de nombreuses décisions pour me remettre dans le droit chemin : j'allais devenir un meilleur élève, faire davantage de dessin, j'allais partir faire des études de dessin aux États-Unis, j'allais cesser d'importuner mes professeurs américains qui ressemblaient plutôt à des caricatures avec leur gentillesse excessive, j'allais aussi arrêter d'énerver mes professeurs turcs, même si la seule chose qu'ils savaient faire était d'ennuyer les élèves, et j'allais éviter de me faire renvoyer des cours en arrêtant mes bêtises et en suivant davantage ce qu'ils disaient. Grâce au sentiment de culpabilité qui m'habitait, j'étais rapidement devenu un « idéaliste » acharné. Avec cet idéalisme, je jugeais aussitôt coupable n'importe quel adulte ou professeur qui mentait, qui se comportait de manière hypocrite, ou qui jouait la comédie. À cette époque, le péché le plus grave et le plus impardonnable que je reprochais aux adultes était de manquer de droiture et de sincérité, de ne pas être suffisamment francs. Ce comportement hypocrite que les adultes affichaient constamment, que ce soit dans leurs conversations entre eux, ou lorsqu'ils menaçaient les élèves, lorsqu'ils faisaient leurs courses, ou lorsqu'ils criaient des slogans politiques, faisait en fait partie de ce l'on appelait l'expérience de la vie, une chose qui, me disait-on sans cesse, me faisait défaut. Je pensais alors que cette expérience de la vie consistait, après toute cette hypocrisie et toute cette comédie que l'on arrivait à jouer presque naturellement à partir d'un certain âge, à se comporter comme une personne mûre qui n'avait absolument rien fait. Qu'il n'y ait aucun malentendu : je trichais également, j'étais hypocrite et je mentais autant que les autres, mais le sentiment de culpabilité et l'angoisse de me faire prendre secouaient tellement mon âme que, pendant un moment, j'étais désorienté et n'arrivais pas à me sentir comme quelqu'un de « normal », et cela rendait le poids de mon hypocrisie ou de mon mensonge très difficile à supporter. Je tâchais d'éviter de mentir ou d'être hypocrite, non pas parce que ma conscience me l'interdisait ou parce que ces deux choses étaient semblables, mais parce que les étranges tourmentes que cela occasionnait en moi me fatiguaient énormément.

Je remarquais que ces tourmentes qui venaient déranger mon âme devenaient de plus en plus fréquentes et n'apparaissaient pas seulement après avoir menti ou bien m'être comporté, comme les adultes, avec hypocrisie ; elles pouvaient venir me trouver à tout moment de la vie. Alors que j'étais en train de m'amuser à me bousculer avec un ami, pendant que je faisais tout seul la queue à Beyoğlu devant un cinéma pour prendre un ticket, ou en serrant la main d'une charmante jeune fille dont je faisais la connaissance, j'avais comme l'impression que, tout à coup, un œil sortait de mon corps et allait se placer quelque part en l'air, et, telle une caméra, commençait à observer attentivement tout ce que je faisais (j'étais en train de donner de l'argent pour ma place de cinéma à la dame assise dans sa cabine, ou encore en train de chercher désespérément quelque chose à dire à la jeune fille dont je venais de serrer la main) et toutes ces simples phrases hypocrites que je disais bêtement (un ticket dans les places du milieu pour *Bons Baisers de Russie* s'il vous plaît, est-ce la première fois que vous venez à ce genre de fêtes?). Je me croyais tout à coup être devenu l'acteur et le réalisateur d'un film, à la fois jouant une scène de ma vie et l'observant d'un regard moqueur. Il m'était impossible de rester longtemps comme si tout se passait «normalement» durant ces moments, et, très vite, en raison de la honte, l'angoisse, l'horreur et la peur de rester à l'écart, une tourmente m'envahissait entièrement. J'avais l'impression que mon âme se rapetissait en se renfermant douloureusement sur elle-même comme une feuille de papier qui devient de plus en plus petite au fur et à mesure qu'on la plie, alors que tous mes organes internes se mettaient à trembler profondément durant cette crise.

Dans ces situations, le seul remède qui pouvait me faire du bien était de me retrouver seul en allant m'enfermer dans ma chambre. Une fois seul, je pensais encore et encore à cet instant que mon âme n'avait pas pu supporter et qui m'avait ébranlé, je rejouais cette scène, et je me répétais ces phrases banales que j'avais eu honte de dire. Prendre une feuille et y écrire quelques mots, dessiner ou barbouiller quelque chose me faisaient du bien, je retrouvais ainsi rapidement mon état «normal», et je pouvais alors retourner parmi les hommes.

Quelquefois aussi, alors que mon comportement n'affichait aucune fausseté ni une quelconque simulation, je trouvais brusquement que j'étais en train d'agir avec artifice. Lorsque je voyais mon reflet dans les vitrines, ou bien, en sortant de notre distraction du samedi qu'était le cinéma, lorsque je m'arrêtais dans une de ces nouvelles échoppes de sandwichs-hamburgers qui s'ouvraient les unes après les autres dans Beyoğlu, ma propre image qui surgissait dans le miroir en face de moi alors que j'étais assis dans un coin en train de manger mon sandwich aux saucisses et de boire mon *ayran* me paraissait trop réelle, trop crue, et trop insoutenable. Ce moment était tellement pénible à supporter que j'aurais voulu mourir, mais je continuais à me regarder dans ce miroir en continuant à manger mon sandwich avec un appétit douloureux. Au bout d'un certain temps, je trouvais que je ressemblais à l'ogre qui mange son fils dans le tableau de Goya. L'image dans le miroir me rappelait toutes les mauvaises choses que j'avais faites, mes péchés, et à quel point j'étais un sale type. Je ressentais cela non seulement parce que ce miroir avait le même cadre que les grandes glaces suspendues dans les maisons closes et les salons de rencontre des bas-fonds de Beyoğlu, mais aussi parce que l'ampoule nue au-dessus de ma tête, la saleté du mur, l'état du comptoir où j'étais assis, la couleur de l'intérieur de l'échoppe, tout l'environnent était délabré, commun et laid. J'avais l'impression que ce qui s'ouvrait devant moi n'était pas le parcours d'une vie semée de bonheur et de victoires, mais une période longue et ennuyeuse à vivre, sans s'attarder outre mesure sur aucun détail et c'était comme si j'étais en train de tuer ce moment qui ne méritait aucune attention particulière.

Les gens en Europe et aux États-Unis menaient certainement une vie vraiment agréable et heureuse, comme dans le film hollywoodien que je venais de regarder, mais tout le reste du monde, la majorité des personnes dont je faisais partie, devait vivre dans des endroits délabrés, d'une extrême banalité, dont la peinture avait été mal faite, des endroits usés et bon marché, et je commençais donc doucement à me faire à l'idée qu'une vie décolorée, qui n'avait rien d'important ni de particulier m'attendait. Pour mener une vie à l'occidentale à Istanbul, il fallait côtoyer les riches, mais ce milieu me paraissait hypocrite et inhumain. C'est pourquoi je commençais à préférer les rues malfamées et les paysages tristes de la ville. Les vendredis et samedis soir, que je passais seul, je me rendais au cinéma et dans ces endroits et j'y flânais longuement.

Je m'étais fait quelques amis horribles ; je ne les mêlais pas à cette face cachée de la ville que j'essayais de découvrir en dessinant et en lisant des livres que je ne partageais avec personne. J'étais entré dans un « groupe » d'amis dont les pères étaient des industriels, des fabricants de textiles, ou encore des exploitants de mines. Ces amis, qui prenaient la Mercedes de leur père pour venir au Robert College, rentraient chez eux en passant par les avenues de Şişli et de Bebek et ralentissaient pour accoster les belles filles qu'ils y voyaient. Ils les invitaient dans leur voiture, espérant pouvoir vivre une expérience sexuelle. Ils étaient plus âgés que moi, mais pas plus intelligents. En fin de semaine, ils s'adonnaient également à cette technique de drague en tournant dans toutes les rues de Maçka, Nişantaşi, Taksim et Harbiye. Ils souhaitaient faire la connaissance de ces filles qui, comme eux, fréquentaient des lycées étrangers, partaient chaque hiver pendant une dizaine de jours à Uludağ pour faire du ski, et qui passaient leurs vacances d'été à Suadiye ou à Erenköy. Parfois, je participais à cette chasse en me joignant à eux. J'étais surpris de voir comment certaines filles, saisissant d'un regard que nous étions inoffensifs comme elles, montaient sans la moindre crainte. Je me souviens qu'une fois deux filles étaient montées dans la voiture dans laquelle je me trouvais également, comme si s'asseoir dans une automobile de luxe qui passait par là était quelque chose de tout à fait banal. Nous avions commencé à discuter de tout et de n'importe quoi, puis nous nous étions séparés après avoir bu tous ensemble de la limonade et du Coca dans un bar. En dehors de ces amis qui habitaient comme moi à Nişantaşı, et que je retrouvais souvent pour jouer au poker, j'avais d'autres amis que je rencontrais de temps en temps pour jouer aux échecs, au ping-pong, ou pour discuter de peinture et d'art, mais je m'arrangeais pour que ces deux groupes d'amis ne se rencontrent jamais et ne fassent pas connaissance.

J'adoptais une personnalité, un humour, un ton et une morale différents selon les amis avec lesquels je me trouvais. Cette adaptation en fonction de mon environnement que j'opérais, tel un caméléon, n'était pas le résultat d'une ruse ou d'un cynisme de ma part. En fait, les différents traits que prenait ma personnalité apparaissaient au fur et à mesure que l'on avançait dans la discussion et dépendaient de l'intérêt que je portais au sujet. Je pense que mon aisance à devenir gentil avec les gentils, mauvais avec les mauvais, et bizarre avec mes amis bizarres, m'a permis d'éviter de devenir quelqu'un de cynique et de moqueur, comme le sont devenus la plupart de mes amis après leurs vingt ans. Mon cœur adhérait à chaque chose qui m'intéressait, il me suivait avec sincérité.

Mais cela ne m'empêchait pas d'avoir parfois des fous rires qui pouvaient durer des heures ! Quelquefois, je passais des heures à faire des farces et des blagues, à me moquer de quelqu'un ou de quelque chose, tout en étouffant de rire. Cela arrivait surtout lors d'un cours ennuyeux au Robert College, lorsque je me relâchais. Les blagues et les bêtises que je chuchotais finissaient par s'entendre dans toute la classe, et je ressentais une certaine joie de voir que j'étais un conteur d'histoires plus intéressant que le professeur avec ses « importunités » sans compter que les professeurs turcs ennuyeux étaient parfois la cible de mes moqueries. Nous ressentions que, comparés aux Américains, nos professeurs turcs, un peu inquiets d'enseigner dans une école américaine, insinuant que certains élèves les « espionnaient » pour le compte des Américains, et dont certains aimaient balancer des propos nationalistes, étaient moins enthousiastes, plus fatigués, plus vieux et plus usés, et qu'ils n'attendaient plus grand-chose de nous, d'eux-mêmes et de la vie. Contrairement aux professeurs américains qui étaient bien intentionnés et qui essayaient de se montrer aimables, nous détestions presque tous ces adeptes de la bureaucratie, car la première idée qui leur venait à l'esprit était de nous faire apprendre quelque chose par cœur ou de nous punir.

Les professeurs américains, plus jeunes que les turcs, manifestaient, avec une gentillesse et une naïveté un peu excessives, tant de zèle pour apprendre à ces élèves, qui leur paraissaient si gentils et si innocents, la merveilleuse civilisation occidentale que ce prosélytisme pour l'éducation semblait presque revêtir chez eux un caractère religieux, et la classe restait parfois perplexe, ne sachant pas s'il fallait compatir ou sourire. Certains d'entre eux étaient arrivés en Turquie en se portant volontaires pour aller enseigner dans les pays pauvres et lointains du tiers-monde. Ces professeurs, gauchistes et nés dans les années quarante, nous faisaient lire des œuvres de Brecht, nous commentaient l'œuvre de Shakespeare avec leur vision gauchiste.

Lorsqu'on lisait un texte littéraire, le professeur essayait de nous montrer que toutes les mauvaises choses reposaient en fait sur les « méchantes » sociétés qui étaient occupées à détourner les gens bien du droit chemin. Nous avions un professeur qui n'arrêtait pas de dire en commentant ces textes : « *You are pushed* » pour montrer que la société « rejetait » à l'extérieur les personnes vertueuses qui refusaient de se plier à ses règles, et certains élèves, pour se moquer, répétaient : « *Yes, sir, you are pushed.* » Ainsi, ils pouvaient insulter le professeur qui ne savait pas que le dernier mot se prononçait comme une injure en turc [50] et qui faisait rire toute la classe sous cape, sans s'en rendre compte, mais cela était aussi pour eux l'occasion d'exprimer la colère secrète qu'ils entretenaient vis-à-vis des professeurs américains. Cette timide hostilité envers l'Amérique, que l'on retrouvait aussi bien du côté nationaliste que du côté gauchiste de l'époque, semait en particulier le trouble dans la tête de ces brillants élèves boursiers qui venaient d'Anatolie. Ces enfants, qui avaient passé de difficiles épreuves pour pouvoir entrer dans cette prestigieuse école américaine, étaient issus de milieux modestes de la province et étaient réellement intelligents et travailleurs. Ils étaient fascinés par l'idée de la liberté et par la culture américaine, et surtout ils rêvaient de partir en Amérique pour y étudier dans une université et, pourquoi pas, pour s'y installer. Mais en même temps, ils ressentaient par moments vis-à-vis des Américains une colère qu'ils n'arrivaient pas à maîtriser, en partie à cause de la guerre du Vietnam. Quant aux élèves issus des classes aisées et moyennes d'Istanbul, comme par exemple mes amis dont les parents étaient riches, ils n'avaient pas ce genre de soucis : pour eux, étudier au Robert College était seulement une première étape avant de travailler dans les grandes sociétés qu'ils dirigeraient ou posséderaient plus tard, ou avant de prendre la tête d'une filiale d'une multinationale qu'ils ouvriraient en Turquie.

Quant à moi, je ne savais pas ce que je voulais devenir, mais je répondais rapidement à ceux qui m'interrogeaient à ce sujet que j'allais rester à Istanbul faire des études d'architecture. Je n'avais pas décidé de devenir architecte tout seul, la décision avait fait l'unanimité au sein de toute ma famille. Puisque j'étais quelqu'un de raisonnable comme mon grand-père, mon père et mon oncle, je devais aller à l'Université technique et devenir ingénieur, mais puisque j'aimais

tant faire du dessin, alors il était plus judicieux que j'y fasse des études d'architecture. Je ne savais plus qui en premier avait eu ce raisonnement logique, mais je me l'étais approprié et je m'étais très vite, dès le lycée, fait à l'idée de devenir architecte. Je n'imaginais pas une seconde me séparer d'Istanbul. Non pas parce que j'adorais cette ville, que j'y étais attaché avec toute ma raison et une grande passion, ou quoi que ce soit, mais parce que j'étais quelqu'un de trop fainéant pour changer de maison, de quartier et d'entourage, et parce que, intrinsèquement, j'avais beaucoup de mal à me séparer de mes habitudes et des endroits où je vivais. J'avais déjà découvert à cette période que je pouvais vivre sans me lasser pendant des siècles en mettant les mêmes habits et en mangeant la même chose tous les jours, tout en continuant à faire des songes sauvages.

À cette époque, le dimanche matin, lors de mes promenades en voiture avec mon père, nous discutions des thèmes essentiels comme mon avenir, le sens de la vie, et ce qu'il devait être. Tous les dimanches matin, mon père, qui était directeur d'Aygaz, me faisait monter dans sa voiture (une Ford Taurus, modèle 1966), prétextant qu'il allait contrôler les stations de dépôt et de remplissage qu'il faisait construire à proximité de Büyükçekmece et à Ambarlı, se promener le long du Bosphore, acheter quelque chose ou rendre visite à grand-mère. Ensuite, il allumait la radio et appuyait sur l'accélérateur.

Nous étions à la fin des années soixante et au début des années soixante-dix et, en ce dimanche matin, nous roulions dans les avenues et les rues désertes d'Istanbul et passions dans des quartiers où nous n'avions jamais pénétré auparavant, tout en écoutant à la radio de la «musique légère occidentale» (des choses comme les Beatles, Sylvie Vartan, Tom Jones). Pendant ce temps, mon père m'expliquait que la meilleure chose dans la vie était de se comporter comme on en avait envie, que l'argent n'était pas une fin en soi, mais un moyen qu'il fallait utiliser si cela permettait de se faire plaisir, il me parlait des poèmes qu'il avait lui-même écrits et de ceux de Valéry qu'il avait traduits en turc dans son hôtel à Paris quand il nous avait quittés, et me racontait joyeusement comment il s'était fait voler quelques années plus tard, pendant un voyage en Amérique, sa valise remplie justement de ces poèmes et de ces traductions. L'ordre des histoires

que me racontait mon père, comme celles où il me parlait des nombreuses fois où il avait aperçu dans les années cinquante Jean-Paul Sartre sur les trottoirs parisiens, de la construction de l'Immeuble Pamuk à Nişantaşi, ou encore de l'une de ses premières faillites, et son passage immédiat d'un sujet à un autre se construisaient en fait selon une symétrie par rapport à la disposition des rues et étaient rythmés par la musique que nous écoutions. Je savais, avant même qu'il ne commence, que je ne pourrais jamais oublier l'histoire qu'il allait me raconter tout en attirant mon attention sur la beauté du paysage ou sur les jolies femmes qui marchaient sur le trottoir, et en me glissant sagement et sans emphase quelques conseils à propos de la vie, tandis que je l'écoutais tranquillement en regardant ces images

grises d'Istanbul en hiver défiler sur le pare-brise de la voiture. Je regardais les véhicules qui traversaient le pont de Galata, les rues étroites des quartiers populaires formées par des maisons en bois encore debout, cette foule qui allait voir un match de football, ou le petit conduit de fumée d'un remorqueur qui avançait sur le Bosphore en tractant des barques chargées de charbon. Pendant ce temps, j'écoutais attentivement les sages conseils de mon père, qui cherchait à me faire comprendre par exemple qu'il fallait suivre son instinct, qu'il fallait accorder de l'importance à ses interrogations, et que, à vrai dire, la vie passait très très vite et qu'il fallait donc savoir ce qu'on voulait faire, et que, écrire, dessiner ou peindre permettait d'avoir une emprise sur ce monde. J'avais l'impression qu'une symbiose s'opérait entre ce que je voyais et ce que j'écoutais. Au bout d'un certain temps, la musique que j'entendais, les images d'Istanbul qui défilaient à travers les vitres, ces trottoirs et ces rues pavées dans lesquelles mon père avait engagé la voiture tout de suite après m'avoir demandé en souriant « On passe par là ? », tout cela créait dans mon

esprit une atmosphère qui me faisait croire que l'on ne pourrait jamais trouver de réponses aux questions essentielles que l'on se posait dans la vie, mais qu'il était quand même bien de se les poser, que le but et le bonheur de l'existence se trouvaient dans des endroits que l'on ne pouvait ou ne voulait pas regarder. Mais je remarquais également une autre chose qui avait une importance aussi grande que ces peines : en pensant justement à toutes ces peines, ou en marchant sur les traces du bonheur ou de la profondeur de la vie, on voit, à travers la vitre de la voiture, de la maison ou du bateau dans lequel on se trouve, des images qui accompagnent notre pensée. Cela est très important, car avec le temps, la vie, comme un air de musique, un tableau ou bien un conte, connaîtra des hauts et des bas, tandis que les images de la ville qui défilent devant nos yeux, même des années plus tard, garderont cette même fraîcheur et resteront en nous, comme le souvenir d'un rêve.

34

Être triste, c'est se détester et détester la ville

La ville prend parfois un tout autre visage. Les vives couleurs de ses rues qui nous la rendent familière s'effacent subitement, et je comprends alors que toute cette foule qui me paraissait si mystérieuse ne faisait en fait rien d'autre que de marcher désespérément sur les trottoirs depuis des siècles. Les parcs se transforment en champs boueux et tristes, les places hérissées de poteaux électriques et de panneaux publicitaires se couvrent de blocs de béton anonymes et la ville, comme mon âme, devient un espace vide, désespérément vide. L'insalubrité de ses petites rues et l'odeur nauséabonde des poubelles restées ouvertes qui se répand partout, les perpétuels trous sur les trottoirs, les montées, les descentes, tout ce désordre, cette confusion, cette cohue qui font qu'Istanbul est Istanbul, me donnent l'impression qu'il y a quelque chose d'insuffisant, de mauvais, d'incomplet dans mon âme et dans ma vie, davantage encore que dans la ville. C'est comme si Istanbul devenait la punition que je mérite. En même temps, je suis un élément qui la pollue. Alors que sa tristesse déteint délicatement sur ma personne, et vice versa, je comprends que pour tous les deux, ma ville et moi, la période est révolue : comme elle, je suis un mort, un cadavre qui respire encore, un misérable condamné à la défaite et à la saleté comme les rues et les trottoirs me le font sentir. Dans de tels moments, même la vue du Bosphore qui tremblote comme un mouchoir entre ces immeubles en béton, récents et laids, dont le poids écrase mon âme, ne peut me donner de l'espoir. Alors, je sens que le pire est en train d'arriver, je pressens que le véritable sentiment de tristesse, insupportable et destructeur, qui émane de ces rues lointaines et invisibles s'approche de moi. Je m'empresse donc, à l'instar du Stambouliote expérimenté qui détecte, à l'odeur des algues et de la mer qui recouvre progressivement la ville, l'approche d'une tempête de vent du sud, de rentrer chez moi le plus vite possible, comme tous ceux qui préfèrent se trouver chez eux pendant un cataclysme, une hécatombe, un tremblement de terre, ou bien une tempête de vent du sud.

Cependant, alors que je vois les ténèbres de la tristesse et du malheur s'approcher de moi, le petit coin sombre de ma maison dans lequel je trouve refuge semble peu à peu s'éloigner. Pendant ce temps, les rues tristes et laides, les trottoirs bosselés et usés, les hommes qui semblent avoir fait secrètement le serment de soudain tous se ressembler et – parce qu'ils ont saisi ma détresse intérieure –, de ne pas m'accepter parmi eux, commencent à se multiplier à l'infini de manière inquiétante.

Je n'aime pas les après-midi d'automne, car le soleil qui y apparaît subitement dans tout son éclat illumine de manière impitoyable le côté pauvre, désordonné et médiocre de la ville. L'avenue Halaskârgazi, bordée des deux côtés de ces immeubles aux fenêtres énormes, et dont certains étaient recouverts de mosaïques, construits dans les années soixante et soixante-dix dans le «style international», qui s'étend de Taksim à Mecidiyeköy, en passant par Harbiye et Şişli (ma mère, qui avait passé son enfance dans ces lieux, jadis recouverts de mûriers, en parlait avec nostalgie et émerveillement), je ne l'aime pas. Certains rues écartées des quartiers de Şişli, (Pangaltı), de Nişantaşı (Topağacı), et Taksim (Talimhane) me donnent envie de les fuir au plus vite ; loin de toute verdure, sans vue sur le Bosphore, ces montées et ces descentes, et ces chemins creux entre les immeubles difformes bâtis sur des petits morceaux de terrains divisés suite à une querelle familiale ou à une quête de fortune personnelle me paraissent passablement étouffants et usés, et j'ai l'impression que toutes ces dames malintentionnées et ces vieux messieurs moustachus qui me regardent passer de leur fenêtre me haïssent, et que, en plus, ils n'ont pas complètement tort. Je déteste également ces rues écartées, de surcroît paralysées par les taxis et les camionnettes qui œuvrent pour eux, du quartier allant de Nişantaşı à Şişli où se trouvent les vendeurs de vêtements, celles situées entre Galata et

Tepebaşı où l'on trouve des vendeurs de luminaires et de lustres, ou encore ces rues autour de Süleymaniye envahies par des fabricants d'ustensiles, dont les coups de marteau et les presses produisent un bruit insoutenable, me rappelant les vendeurs de pièces détachées autour de Talimhane à Taksim. (À ce propos, cela me rappelle également que mon père et mon oncle, qui, à l'époque, ne manquaient pas d'idées évasives, s'amusant à dépenser la fortune laissée par mon grand-père en se lançant dans une multitude d'affaires qui n'avaient rien à voir les unes avec les autres, avaient, par exemple, également ouvert une boutique de ce genre dans cet endroit ; mais au lieu de vendre des pièces détachées, ils s'étaient davantage appliqués à faire boire au personnel, qui finissait par en avoir les larmes aux yeux, du jus de tomates fortement pimentées, en guise de préparation à l'ouverture de la première usine turque de boîtes de conserve.) Dans ces moments durant lesquels je sens monter en moi une haine vis-à-vis de la ville et de moi-même, la vue des lettres de toutes formes et de toutes couleurs que tous ces grands messieurs ont fait inscrire sur leurs enseignes pour crier à toute la foule de la ville leurs propres noms, leur activité, leur métier et leur réussite éveille en moi une colère davantage dirigée contre moi-même que contre les propriétaires de ces enseignes. Tous ces noms de professeurs, de docteurs, de chirurgiens, d'experts-comptables, d'avocats inscrits au barreau, de souriants vendeurs de *döner*, d'épiciers, de boutiques alimentaires de la mer Noire, de banques, de compagnies d'assurances, de détergents et de journaux, et, sur les murs, ces affiches faisant la publicité d'un film, d'une marque de cigarettes, de jeans ou de boisson gazeuse colorée, ou du loto sport, du *milli piyango*[51], ces annonces de franchise au-dessus des points de vente d'eau de source ou de bouteilles de gaz butane, tout cela crée une confusion et une tristesse dans mon esprit, et m'indique que je dois me retirer dans ma petite chambre, mon petit coin sombre.

Mais c'est trop tard. Avant que je puisse m'évader de l'horreur de ces rues et retrouver la fraîcheur propre à l'intérieur d'un immeuble, une machine à lire se met automatiquement en marche dans mon cerveau, actionnée par la claustrophobie et le caractère « familier » et étouffant de la ville, dus à la cacophonie de toutes ces affiches et ces panneaux publicitaires et des lettres qui y figurent.

AKBANK SABAH VENTE DÖNER MEUBLES LA GARANTIE BUVEZ CHA-
QUE JOUR MON SAVON BIJOUTERIE C'EST LE MOMENT D'ÜLKER PAYER
EN PLUSIEURS FOIS NURIBAYAR AVOCAT

Finalement, je réussis à m'extirper de la foule effrayante de la
ville, de son agitation perpétuelle et de ce soleil de début d'après-
midi qui en révèle toutes les laideurs, mais la machine à lire qui se
trouve dans ma tête se remet à énumérer au hasard tout ce qu'elle a
vu dans la rue, comme une triste chanson dont on se souvient dans
des moments de chagrin et de lassitude.

PROMOTIONS PRINTEMPS CHEZ SELAMI CABINE TÉLÉPHONIQUE PU-
BLIQUE STAR NOTAIRE DE BEYOĞLU PÂTES PIYALE MARCHÉ D'ANKARA
SALON COIFFURE SHOW RÉSIDENCE SANTÉ RADIOS ET SES TRANSIS-
TORS

Allongé dans mon coin, je me dis que ce qui me rend triste à ce
point, c'est le vieillissement et la pollution de la ville, et sa foule. À
Istanbul, tout ce qui est resté à moitié achevé faute de succès donne
à la ville un air incomplet. À travers tous ces noms de boutiques,
de revues, de sociétés visibles sur ses murs et qui sont pour la plupart copiés sur l'anglais ou le français, la ville affiche davantage son
occidentalisation qu'elle ne la vit. Elle ne vit pas non plus selon la
tradition reflétée par l'abondance des mosquées et des minarets, les
appels répétés à la prière et l'histoire. Tout n'est qu'à moitié, tout est
incomplet, tout est imparfait.

RASOIRS ALLEZ-Y PAUSE DÉJEUNER VENDEUR PHILIPS AGRÉÉ MÉDE-
CIN ENTREPÔT LES TAPIS LA PORTE VERRERIE AVOCAT FAHIR

Penser que je suis triste en raison de cet état de la ville me conduit
vers un songe naïf à son égard. Durant cet instant, je la situe dans un
âge d'or et lui attribue une innocence et une véracité qui la montrent
« entièrement elle-même » et lui donnent « une très belle unité ». Mais
je constate avec désolation que ce que je vois et ressens maintenant
n'a rien à voir avec cet Istanbul de la fin du XVIIIe et du début du
XIXe siècle, peint par Melling et décrit par des voyageurs occidentaux

comme Nerval, Gautier, ou encore De Amicis. De plus, le raisonnement que j'opère dans la maison me rappelle que je n'aime pas cette ville à cause de son innocence, mais à cause de sa confusion et de l'entassement de toutes ses constructions restées inachevées et tombées en ruine. Mais en même temps, décidé à me libérer de mes propres défauts et imperfections, ce même raisonnement me demande de me libérer de la tristesse que m'impose la ville. Pendant ce temps, le vacarme des rues continue de trotter dans ma tête.

RUE VOTRE ARGENT VOTRE AVENIR ASSURANCE SOLEIL VEUILLEZ SONNER MONTRES NOVA PIÈCES DÉTACHÉES ARTIN CHAUSSETTES VOGBALIVIZON

Il se peut que je sois en train de culpabiliser en pensant que je n'appartiens pas entièrement à cette ville. Alors que, égayés par la liqueur et la bière bues après le déjeuner, nous rions tous, rassemblés en famille dans l'appartement de ma grand-mère paternelle pendant les jours de fête, ou alors que nous traînons dans la ville un jour pluvieux d'hiver, avec l'un de mes riches amis du Robert College, à bord de la voiture de son père, ou encore alors que je me promène dans la rue durant ces après-midi de printemps, je ressens progressivement une impression, ou plutôt, au-delà d'une impression, un instinct animal qui me fait croire que je suis en fait sans valeur, que je n'appartiens à nulle part, que je suis donc dans l'erreur, et que par conséquent, m'étant éloigné des hommes, je dois aller me cacher. Je ressens une très grande culpabilité en raison de cette fuite que j'entreprends pour me retrouver seul. Coupable de fuir le sentiment de la communauté formée par les habitants de la ville, l'atmosphère de fraternité et de solidarité, et de fuir Dieu, qui voit et pardonne tout.

Durant mes premières années de lycée, je considérais la solitude comme un fait passager, je n'avais pas encore assez de maturité pour m'apercevoir qu'elle faisait en fait partie de mon destin. (L'espoir est un état d'enfance, c'est la résistance de l'imagination.) Je rêvais qu'un jour j'allais avoir un bon camarade avec lequel je pourrais aller au cinéma (ainsi je n'avais pas besoin de m'inquiéter d'y aller et d'attendre tout seul la prochaine projection). J'espérais trouver un jour des personnes avec lesquelles je pourrais discuter avec passion et sincérité des livres que je lisais et des peintures que je faisais. J'espérais avoir un jour une belle amoureuse avec laquelle je pourrais faire en cachette des choses interdites et délicieuses, et partager le plaisir de jouer avec mon phallus et d'autres parties de mon corps, choses que je faisais seul depuis toujours. J'étais sans doute assez âgé pour cela, mais mon désir était tellement fort et j'en avais tellement honte que je sentais que mon âme n'était pas encore prête pour voir mes désirs se réaliser.

À l'époque, je pensais que l'impuissance, c'était de sentir que l'on n'appartient pas à l'endroit, la maison, la famille, et surtout à la ville dans laquelle on vit. Je finissais toujours par rompre avec cet esprit de communauté propre au match de football, ce «grand frère», ces «nous», ou encore avec ce sentiment d'unité, dont étaient pourtant fortement imprégnés tous les habitants de la ville. Je ressentais cette rupture au fond de mon âme, je paniquais devant la solitude qui menaçait, et, effrayé de voir la noirceur qui me gagnait envahir ma vie, je décidai de devenir comme tout le monde. C'est ainsi que, pendant la période où j'avais dix-sept ou dix-huit ans, j'ai réussi à apparaître comme un individu fortement impliqué dans la communauté, qui faisait rire tout le monde, qui plaisantait à chaque occasion, et qui s'entendait amicalement, voire passionnément avec n'importe qui. Tout comme quelqu'un qui siffle dans le noir pour conjurer la folie qui s'approche tout doucement, en plaisantant et en racontant d'innombrables blagues, je faisais rire toute la classe en imitant le professeur quand il avait le dos tourné. On parlait et reparlait de toutes mes plaisanteries et farces, devenues légendaires, lors de nos réunions familiales. Lorsque je poussais ce jeu trop loin, j'avais l'impression d'être un diplomate s'épuisant à cacher la noirceur des choses qu'il représentait. Lorsque, une fois le jeu terminé, je me retirais dans ma chambre, la seule chose qui me venait à l'esprit pour me libérer de la comédie et de la misère de ce monde, et de ma propre hypocrisie, était de me masturber.

Alors que tous les autres arrivaient facilement et spontanément à nouer des relations et des amitiés (peu importe qu'elles soient saines, ou violentes, joyeuses ou affectueuses), pourquoi était-ce si difficile pour moi, et pourquoi avais-je l'impression de devoir simuler? Pourquoi devais-je m'accrocher et faire des efforts pour réussir à affronter la vie de tous les jours, et finir par me détester en « appuyant sur la touche pause », alors que les autres agissaient sans se poser trop de – voire aucune – questions ? Parfois, pris d'une joie « maniaque », je me prêtais au rôle que je jouais à tel point que j'en oubliais l'angoisse, et je savourais le plaisir de voir que, grâce à cette comédie, j'étais le plus amusant. Cependant, alors même que je pensais m'être finalement débarrassé des souffrances dues à mon hypocrisie et à ma fausseté, un vent de tristesse venait me bouleverser et dissiper toute ma joie. J'éprouvais alors le besoin de me retirer dans un coin, dans ma chambre, dans mes idées noires. Au début, en me voyant me battre avec tant d'ardeur pour rester avec la communauté et éviter la rupture, je me détestais. Puis je me reprenais, et le regard plein de mépris que je portais toujours dans de telles circonstances commençait à se diriger vers mon entourage et sur toutes ces personnes comme mon père, ma mère, mon grand frère et d'autres – que j'avais du mal à considérer à ce moment comme ma famille –, sur mes camarades de classe et d'autres connaissances, et sur toute la ville.

Je soupçonnais que ce qui me mettait dans cet état pitoyable et ambigu c'était Istanbul lui-même. Évidemment, je ne pouvais pas accuser les mosquées, les murailles et les petites places de la ville

que j'aimais tant, ni le Bosphore ou ses bateaux, ni ces nuits, ces lumières et ces foules que je connaissais si bien. Cependant, il y avait quelque chose de particulier qui réunissait les gens, qui leur rendait la communication, le commerce, la production plus faciles ; c'est à cela que je n'avais pas réussi à m'adapter. J'avais de plus en plus de mal à me conformer, en restant « moi-même », à « notre monde » dans lequel chacun connaissait l'autre et ses limites, où tous cherchaient à se ressembler ; ce monde si attaché à la modestie, et respectueux de ses coutumes, de ses ancêtres, de ses aînés, de son histoire et de ses légendes. En public, en famille, avec mes amis, ou à l'école, je n'arrivais pas à être « moi-même ». Lorsque les personnes parmi lesquelles je me trouvais attendaient de moi que j'endosse le rôle d'acteur et non celui de spectateur, comme à l'occasion d'un anniversaire par exemple, je commençais, au bout d'un certain temps, à observer mes actions de l'extérieur, comme s'il s'agissait d'un rêve. Ainsi, tout en discutant et plaisantant, en tapotant amicalement un dos pour donner l'impression de partager une amitié sincère et réelle, en demandant « Alors, comment ça va ? », et en insinuant que toutes les amitiés, les relations, et toutes les rencontres entre collègues devaient être aussi « sincères », je gardais dans un coin de ma tête que j'étais en train de tromper tout le monde, tout en m'observant discrètement à distance.

Après avoir regagné ma chambre et y être resté seul pendant un moment (ma mère avait commencé à me demander « Pourquoi t'es-tu mis à fermer ta porte à clef ? »), je comprenais que l'hypocrisie et le vice ne résidaient pas seulement en moi, mais aussi dans l'« idéologie de la ville » – les relations créant cet esprit de communauté, l'emploi du « nous ». Mais cela ne pouvait être perçu que de l'extérieur.

N'oubliez pas cependant que toutes ces idées sont exprimées par un écrivain âgé de cinquante ans qui tente, après tant d'années, de se souvenir de ce que son âme a enduré et d'en faire un récit sensé et agréable. Lorsque j'avais entre seize et dix-huit ans, ce n'est pas seulement moi que je trouvais passablement étouffant mais également l'environnement et la culture, les commentaires officiels et officieux à propos des événements politiques, les unes des journaux, la volonté de la ville et de ses habitants de se présenter autrement qu'ils n'étaient, ou plutôt leur refus total de se comprendre, et les slogans des panneaux publicitaires qui retentissaient douloureusement dans

ma tête. Je méprisais cette superficialité qui enveloppait la ville et moi-même. Peut-être que mon problème résidait dans le fait que, à quinze ans, je n'avais toujours pas réussi à répondre aux attentes de ce «deuxième monde», qui offrait à mon enfance toute la palette du bonheur et une véritable profondeur. Je voulais alors faire de la peinture, et vivre comme ces peintres français que je découvrais dans les livres, mais je ne pouvais pas recréer leur univers à Istanbul, et Istanbul n'avait rien de commun avec leur monde. Même les pires paysages des impressionnistes turcs représentant des mosquées, le Bosphore, des grandes maisons en bois et des rues enneigées me plaisaient. Non pas parce que c'étaient des tableaux, mais parce que ce qui était dessiné, c'était Istanbul. Mes peintures ou celles des autres n'étaient pas belles parce qu'elles ressemblaient à Istanbul, et même si elles étaient belles, elles ne ressemblaient pas suffisamment à Istanbul, selon moi. Je devais peut-être cesser de voir la ville comme un dessin ou un paysage.

Entre seize et dix-huit ans, partisan convaincu de l'occidentalisation, je souhaitais voir la ville et moi-même s'européaniser, mais en même temps j'avais envie de continuer à appartenir à mon Istanbul bien-aimé, celui de mon instinct, de mes habitudes et de mes souvenirs. La perte de la faculté de nourrir simultanément ces deux idées d'enfance (un enfant dispose sans problème de la capacité d'imaginer au même moment qu'il deviendra soit un vagabond soit un grand

scientifique) faisait progressivement de moi, au fur et à mesure que le temps avançait, une personne triste. On peut dire aussi que j'avais de la peine pour ma ville et pour moi-même, en constatant qu'Istanbul n'était pas suffisamment moderne, qu'il avait encore besoin de beaucoup de temps pour surmonter la pauvreté et la misère, et s'affranchir de ce sentiment de défaite qui lui pesait. Eh bien voilà, avec l'âge, cette tristesse, que toute la ville s'était appropriée avec fierté et résignation, commençait à s'infiltrer également dans mon âme. Mais s'agissait-il de la même tristesse, ou bien de la « tristesse » de devoir capituler devant cette tristesse de la ville ?

Peut-être que, en fait, la vraie raison n'était ni la misère de la ville, ni le poids destructeur de ce sentiment de tristesse qu'elle portait. Le besoin que je ressentais par moments, et qui devenait de plus en plus fréquent, d'être seul et d'aller me cacher dans un coin, tel un animal gémissant avant sa mort, venait non pas de l'extérieur, mais de l'intérieur de moi-même. Dans ce cas, qu'était cette chose dont la perte me rendait si triste ? De qui ou de quoi m'étais-je séparé pour avoir tant de peine ?

35

Premier amour

Puisqu'il s'agit d'un livre de souvenirs, il convient de cacher son nom et si, comme les poètes du divan, je donne des indices sur ma mystérieuse bien-aimée dans l'histoire d'amour que je vais maintenant conter, je dois faire comprendre que son nom aussi peut être trompeur. Le prénom qu'elle portait signifiait «*rose noire*» en persan, mais il me semblait que personne n'en connaissait la signification, ni sur les quais d'où elle sautait joyeusement dans la mer, ni dans les classes de l'école française qu'elle fréquentait. En effet, ses longs cheveux brillants n'étaient pas noirs mais châtains et un peu moins foncés que ses yeux marron. Un jour où je voulais, non sans prétention, l'informer sur le sens de son prénom, elle m'avait répondu, en fronçant les sourcils et en allongeant un peu ses lèvres couleur cerise, comme elle le faisait quand elle devait subitement prendre un air très sérieux, qu'elle en connaissait évidemment la signification, et m'avait raconté que sa mère avait tenu à le lui donner en hommage à sa grand-mère albanaise.

Quant à «cette dame», c'est-à-dire sa mère, elle avait dû s'être mariée très jeune, puisque ma propre mère m'avait raconté que, lorsqu'elle nous emmenait certains matins d'hiver, mon frère et moi (alors âgés de cinq et trois ans), au parc de Maçka à Nişantaşı, il lui arrivait de la rencontrer et qu'elle ressemblait à l'époque à une «jeune fille», qui berçait son bébé – *elle* – endormi dans une très grande poussette. Ma mère avait ajouté que la grand-mère albanaise avait fait des choses condamnables pendant l'occupation d'Istanbul, et que, issue du harem d'un pacha, elle s'était opposée à Atatürk; elle sous-entendait par là qu'il y avait matière à la critiquer, mais à l'époque, les histoires à propos des résidences ottomanes incendiées et des anciennes familles d'Istanbul ne m'intéressaient pas du tout, et ces détails m'ont échappé. Quant à mon père, il m'avait dit, sans manifester la moindre hostilité, que le père de la petite Rose Noire était rapidement devenu riche après la Seconde Guerre mondiale, grâce aux concessions des sociétés américaines et hollandaises qu'il s'était vu attribuer, et aussi grâce à des personnalités influentes du gouvernement qu'il connaissait.

Huit ans après nos rencontres, alors enfants, dans ce parc, j'avais commencé à l'apercevoir, sur son vélo, à Bayramoğlu, un quartier situé à l'est d'Istanbul. Dans les années soixante et soixante-dix, y habiter était devenu une mode chez les riches. Nous y avions également acheté une maison. Comme c'était encore peu peuplé, lorsqu'il faisait beau, j'allais souvent me baigner dans la mer, je pêchais des maquereaux et des sansonnets avec mon arondelle, je jouais au football et, à partir de seize ans, je dansais avec des filles pendant les soirées d'été. Plus tard, après le lycée, pendant les années où j'étais étudiant en architecture, je passais mon temps à la maison à dessiner et à lire au rez-de-chaussée. Mes compagnons issus de familles riches, qui qualifiaient quiconque lisant autre chose que ses manuels scolaires d'«intellectuel», et donc de douteux et de «complexé», et que je souhaitais éviter, y étaient certes plus ou moins pour quelque chose. Ces amis d'enfance, qui utilisaient le mot «complexé» pour désigner une personne souffrant de troubles dus à des motifs économiques ou psychologiques, avaient, me semble-t-il, commencé à me bouder également. Parce que j'étais gêné du qualificatif d'intellectuel qu'ils m'avaient très rapidement attribué, en estimant que j'avais le profil «d'une personne s'exerçant à devenir l'ennemi des riches», j'avais expliqué que je lisais ces livres – Woolf, Freud, Sartre, Mann, Faulkner – uniquement pour le plaisir; ils m'avaient alors demandé pourquoi j'en avais souligné certaines lignes.

Cependant, c'était grâce à cette mauvaise réputation que j'avais réussi à attirer l'attention de Rose Noire, à la fin d'un été. Or, durant tout cet été, et les étés des années passées où je sortais plus souvent avec mes amis, nous n'avions pas fait attention l'un à l'autre. Dans les discothèques de l'avenue de Bagdad à Istanbul (à une demi-heure de route de chez nous) où nous partions danser en faisant la course (et parfois des collisions) avec les Mercedes, Mustang et BMW de mes amis en plein milieu de la nuit ; en nous rendant avec des petits bateaux rapides sur un rocher désert où nous nous amusions à tirer sur des bouteilles de vin et de boisson gazeuse avec nos fusils de chasse, tout en essayant de calmer les filles qui hurlaient de peur, ou encore lors d'une partie de poker ou de Monopoly en écoutant Bob Dylan et les Beatles, à aucun moment nous ne nous étions intéressés l'un à l'autre.

C'est à la fin de l'été, alors que cette foule jeune et bruyante s'était progressivement dispersée – tout comme ce vent du sud, qui détruisait chaque année au mois de septembre un ou deux canots et mettait en danger les régates, avait fini par s'apaiser en laissant sa place à la pluie qu'il avait apportée –, que Rosc Noire, âgée alors de dix-sept ans, avait commencé à venir dans mon « atelier » du rez-de-chaussée où je faisais de la peinture en me prenant un peu trop au sérieux. Il n'y avait rien d'extraordinaire à cela, puisque tous mes amis m'y rendaient visite, et, après avoir fait quelques dessins, avec mes gouaches et mes pinceaux, y feuilletaient mes livres avec suspicion. Et puis, qu'il s'agisse d'un garçon ou d'une fille, d'un riche ou d'un pauvre, comme n'importe quel Turc de son âge, elle aussi avait besoin de papoter avec quelqu'un pour faire passer le temps et les journées.

Au début, je me souviens que nous parlions des rumeurs, des histoires d'amour et de jalousie qui s'étaient déroulées cet été et que je n'avais pas bien pu suivre. Elle m'aidait à ouvrir un tube de gouache, ou à préparer le thé car j'avais les mains sales, puis elle retournait dans son coin, et, après avoir retiré ses chaussures, elle s'allongeait sur le divan en pliant l'un de ses bras derrière la tête pour en faire son coussin. Un jour, tandis qu'elle était assise dans son coin, j'ai fait un portrait d'elle au crayon noir sans la prévenir. J'ai remarqué que cela lui avait plu, alors, je l'ai refait lorsqu'elle est revenue. Une autre fois, lorsque je lui ai dit que j'allais la dessiner, elle m'a demandé « Comment je dois me tenir ? », à la manière d'une actrice aspirant à devenir une star, contente de se montrer pour la première fois devant les caméras mais ne sachant pas comment il fallait tenir ses mains ou ses bras.

Elle avait un nez long et fin, une petite bouche qu'un léger sourire entrouvrait lorsque je la regardais attentivement pour bien la dessiner, un large front ; elle était grande et avait de longues jambes bronzées, mais je ne voyais que ses beaux petits pieds sous la longue robe de sa grand-mère qu'elle mettait quand elle venait me voir. Lorsque je regardais, en la dessinant, le contour de ses petits seins ou le bas de son long cou qui était d'une blancheur extraordinaire, on pouvait voir sur son visage qu'elle avait un peu honte.

Au début, nous discutions beaucoup ; c'était elle surtout qui parlait. Décelant un signe de tristesse dans ses yeux et sur ses lèvres, je lui avais dit : « Ne regarde pas avec tant de tristesse ! » Elle m'avait alors regardé droit dans les yeux et, avec une franchise inattendue, elle m'avait parlé des disputes entre ses parents, des interminables querelles entre ses quatre petits frères, des punitions que leur donnait son père (interdiction de sortir, interdiction de participer à des régates, une ou deux claques) et de tout ce qu'il lui arrivait de faire pour les défendre, pour consoler sa mère qui était très triste de savoir que son père courait après d'autres femmes ; et elle m'avait dit qu'elle savait que mon père faisait également des choses semblables, car nos mères, qui se fréquentaient à l'occasion des parties de bridge, se confiaient l'une à l'autre.

Mais peu à peu, nous nous étions enfoncés dans le silence. Comme d'habitude, elle venait, s'asseyait dans son coin, et posait pour le portrait fortement influencé par le style de Bonnard que je dessinais, parfois elle prenait un livre puis rejoignait le divan avant de l'ouvrir et de le lire en se tenant dans des positions différentes. Plus tard, que ce soit pour la dessiner ou non, elle avait commencé à venir, lorsque je travaillais dans mon atelier, totalement à l'improviste, et après avoir rapidement échangé quelques mots avec moi, elle partait s'allonger sur le divan et elle lisait. Tout en lisant, elle avait pris l'habitude de jeter de temps en temps quelques coups d'œil dans ma direction pendant que je la dessinais. Je me souviens que, alors que j'avais commencé à travailler et à l'attendre dès le matin, elle arrivait et rejoignait son coin pour s'y allonger, avec un visage un peu gêné, comme si elle cherchait à s'excuser de m'avoir fait attendre.

Un des sujets de nos conversations qui se faisaient de plus en plus rares était l'avenir : selon elle, j'étais quelqu'un de très doué et de travailleur qui allait devenir plus tard un peintre – ou avait-elle dit un peintre turc ? – connu dans le monde entier, et elle allait faire partie de cette foule qui viendrait à Paris pour assister à l'inauguration de mes expositions, avec ses amis français, et elle allait se vanter en leur disant que nous étions des amis « d'enfance ».

Une fois, alors que le soir tombait, nous sommes sortis de mon atelier plongé dans la pénombre, et nous avons longuement marché ensemble pour la première fois, sous prétexte d'aller contempler le paysage que la pluie avait fait briller et pour observer l'arc-en-ciel qu'elle avait laissé de l'autre côté de la presqu'île. Je me souviens que nous n'avions pas parlé du tout, et que nous étions un peu inquiets à l'idée de croiser une connaissance ou nos mères dans ce quartier que la fin de l'été avait rendu à moitié désert. Ce n'était pas cela, cependant, qui faisait de notre promenade un « échec », ni la disparition de l'arc-en-ciel avant notre arrivée, mais la tension sous-jacente qu'il y avait entre nous deux. Je remarquais pour la première fois à quel point sa taille était élancée et sa démarche élégante.

Nous avions décidé de sortir ensemble quelque part à l'occasion de notre dernier samedi soir. Et nous nous sommes retrouvés, sans dire le moindre mot aux autres copains curieux et sans importance qui habitaient encore dans le quartier. J'avais emprunté la voiture de mon père, j'étais tendu. Elle avait revêtu une jupe très courte, s'était maquillée, et avait mis un parfum dont l'odeur s'était agréablement répandue à l'intérieur de la voiture. Mais avant même d'avoir rejoint l'endroit où nous allions nous amuser, nous avons ressenti entre nous la présence de ce spectre qui avait fait « échouer » notre promenade. Une fois dans cette discothèque à moitié vide et très bruyante, nous avons tenté, en vain, de reproduire les conversations et les longs silences tranquilles vécus dans mon atelier et dont nous réalisions maintenant la profondeur.

Nous avons quand même dansé alors que passait un morceau de musique au rythme lent. Au début, je l'ai serrée dans mes bras, comme je voyais les autres le faire, mais par la suite, je me suis mis à la tenir comme j'en avais envie, et j'ai remarqué que ses cheveux sentaient l'amande. J'aimais beaucoup les petits mouvements qu'elle faisait avec sa bouche quand elle mangeait quelque chose, et la forme que prenait son visage, qui faisait penser à un écureuil, quand elle était inquiète.

Avant de la déposer chez elle, j'ai profité du silence dans la voiture pour lui demander : « On va dessiner ? » Elle a accepté sans manifester un enthousiasme particulier, mais, en passant par notre jardin sombre qui conduisait à mon atelier, alors que je la tenais par la main, elle a vu que la lumière était allumée – y avait-il donc quelqu'un à l'intérieur ? – et elle a fini par renoncer.

Durant les trois jours qui ont suivi, elle est venue à l'atelier. Elle s'est assise sur le divan, elle a survolé les pages du livre qu'elle tenait dans ses mains, elle a observé les vagues mousseuses de la mer, et elle est repartie sans trop s'attarder.

À Istanbul, pendant le mois d'octobre, je n'ai pas du tout pensé à l'appeler. Parmi les livres que je lisais avec passion, les peintures que je faisais avec rage, les amis adeptes de politiques radicales, et parmi les marxistes, les nationalistes et les policiers qui s'entretuaient dans les couloirs de l'université, j'avais honte de tout ce qui appartenait à ce quartier riche dont l'entrée était surveillée et protégée par des gardiens et des barricades, et de tous mes amis de l'été.

Mais un soir de novembre – il faisait très froid et les radiateurs avaient commencé à chauffer –, j'ai téléphoné chez elle. C'est sa mère qui a répondu ; alors, sans dire un mot, j'ai raccroché, puis j'ai continué à me comporter comme s'il ne s'était rien passé. Le lendemain, je me suis demandé pourquoi j'avais passé ce stupide coup de fil. Je n'avais pas encore découvert que j'étais amoureux, ni la puissance de mon attachement, qui allait se manifester dans toutes mes futures aventures amoureuses.

Une semaine plus tard, encore pendant une fin de journée déjà assombrie et froide, j'ai de nouveau appelé chez elle. C'est elle qui a répondu. J'ai prononcé, d'une manière qui m'a paru spontanée, des phrases que j'avais pourtant préparées et retenues dans un coin de ma tête en avance : il y avait un portrait que j'avais commencé à peindre en la regardant, eh bien, je voulais le terminer, et c'est pourquoi je voulais savoir si elle pouvait venir poser pour moi un après-midi.

«Avec les mêmes vêtements ?» a-t-elle demandé. Je n'y avais pas pensé du tout. «Avec les mêmes vêtements», ai-je répondu.

Un mercredi, comme tous les autres jeunes coquins qui attendaient la sortie des filles devant le lycée en se tenant à l'écart de la foule constituée des parents, des cuisiniers et du personnel de nettoyage en se cachant derrière les arbres ou au niveau du seuil des portes, je l'attendais devant la sortie de l'école Notre-Dame-de-Sion. Parmi ces centaines d'élèves en chemise blanche, il m'a semblé, en la voyant sortir de cette école catholique française, qu'elle était devenue plus petite. Ses cheveux étaient attachés, elle tenait dans ses mains des manuels scolaires ainsi qu'un sac en plastique contenant la tenue d'été avec laquelle elle allait poser pour mon dessin.

En apprenant que nous n'allions pas chez moi, où ma mère nous aurait servi du thé et des gâteaux, mais dans mon appartement-atelier à Cihangir, rempli d'anciens meubles et d'objets, que ma mère m'avait autorisé à utiliser pour y faire de la peinture, elle est devenue inquiète. Mais en s'installant comme dans notre résidence d'été sur le long divan tandis que j'allumais le poêle, voyant que j'étais « sérieux », elle s'est sentie soulagée ; puis elle s'est changée dans la pièce ainsi réchauffée en me demandant de ne pas regarder, et elle est allée s'allonger sur le divan avec sa longue robe d'été.

Ainsi, la relation entre le jeune peintre de dix-neuf ans et son modèle encore plus jeune avait recommencé, sans prendre la tournure d'une histoire d'amour, et harmonieusement guidée par les notes d'une étrange musique que nous ne connaissions pas nous-mêmes. Elle venait dans l'appartement à Cihangir une fois toutes les deux semaines au début, puis une fois par semaine par la suite. J'ai alors commencé à faire d'autres portraits d'elle dans des poses semblables aux précédentes (celle d'une jeune fille allongée sur le divan). Nous nous parlions maintenant encore moins que lors des derniers jours de l'été. Pour ma part, je ne voulais pas discuter de mes problèmes avec mon beau modèle déjà triste, de peur de nuire à la pureté du deuxième monde qui venait de s'ouvrir dans ma vie de tous les jours, animée par mes études d'architecture, mes livres, et des projets tels que celui de devenir peintre. Non pas parce qu'elle n'aurait pas pu comprendre, mais parce que je voulais maintenir ces deux mondes séparés, et qu'ils ne se mélangent pas. Je souhaitais en fait quitter l'univers de mes amis d'été et de mes camarades du lycée qui s'apprêtaient à prendre la tête des usines que possédaient leurs pères, mais – je n'arrivais plus à me le cacher – voir Rose Noire, même une fois par semaine, me rendait extrêmement heureux.

Certains jours de pluie, les voitures américaines qui montaient la côte de Tavuk Uçmaz à Cihangir faisaient glisser et patiner leurs roues sur les pavés mouillés de la route (tout comme à l'époque où j'avais été hébergé dans ce même appartement par ma tante), et nous écoutions ces bruits. Pendant que je faisais mon tableau, durant ces moments de silence qui devenaient de plus en plus longs, et dont je ne me plaignais nullement, il arrivait parfois que nos regards se croisassent. Dans de tels moments, parce qu'elle était encore une enfant capable de se réjouir de cette situation, elle souriait; mais, se rappelant qu'elle était en train de poser, elle faisait reprendre à ses lèvres leur forme initiale, tout en continuant à garder ses grands yeux marron dans les miens, longuement et en silence. Vers la fin de ces très longs moments de silence insolites, alors que je continuais à regarder dans ses yeux avec la plus grande attention, je me rendais compte que l'expression que prenait mon visage en la contemplant et l'intensité de mon regard la rendaient heureuse, car je constatais, sur le coin de ses lèvres, l'esquisse d'un sourire qu'elle pouvait, cette fois, difficilement retenir. Un jour, en réponse à ce sourire joyeux et profond, je lui en ai également adressé un, complice, tandis que mon pinceau se promenait de manière indécise sur la toile. Alors mon beau modèle, d'un air cherchant à s'excuser, a ressenti le besoin d'expliquer pourquoi elle riait – et pourquoi elle avait changé sa pose : « J'aime beaucoup quand tu me regardes comme cela. »

En fait, en disant cela, elle n'expliquait pas seulement pourquoi elle riait pendant qu'elle était en train de poser, mais aussi pourquoi elle venait passer chaque semaine un après-midi à Cihangir dans cet appartement plein de poussière. Quelques semaines plus tard, en voyant ce même sourire s'esquisser sur le coin de ses lèvres, j'ai posé ma palette et mon pinceau et je suis allé la rejoindre ; assis sur le coin du divan, je me suis enhardi à l'embrasser, comme j'avais commencé à me l'imaginer durant ces dernières semaines.

La tempête qui avait fini par éclater nous avait également entraînés dans sa course, naturelle et déchaînée. Le ciel et la chambre s'étaient brusquement assombris, et nous étions plus à l'aise. À partir du divan sur lequel nous étions couchés, on pouvait voir les lumières du Bosphore et les phares des *vapur* qui se réfléchissaient dans l'eau noire et suivre sur les murs de la pièce leur curieuse promenade.

Nous avons continué à nous rencontrer comme d'habitude. J'étais désormais très heureux avec mon modèle, mais pourquoi est-ce que je me gardais donc d'exprimer à ma bien-aimée toutes ces agréables paroles d'amour, ces crises de jalousie, ces inquiétudes et étourderies, et toute autre réaction et tout excès de ce genre que j'allais pourtant généreusement partager par la suite avec d'autres dans de telles situations? Ce n'est pas parce que je n'en avais pas envie. Mais peut-être parce que, comme je le pensais avec un peu de honte et de puérilité dans un coin isolé de ma tête, j'avais compris que, si je voulais l'épouser, je ne devais pas devenir un peintre, mais un industriel.

Après une suite de neuf magnifiques mercredis passés à faire de la peinture et l'amour, toujours en silence, un événement beaucoup plus ordinaire que ces préoccupations survint dans la vie du peintre heureux et de son modèle. Ma mère, qui ne pouvait pas se passer de surveiller ses enfants de temps à autre, avait trouvé un prétexte pour se rendre dans mon atelier à Cihangir, utilisé également comme entrepôt pour nos anciens meubles et objets. Elle y avait vu les tableaux du peintre, et, derrière le style de Bonnard qui y prédominait pourtant, elle avait réussi à identifier son beau modèle. Constater que ma mère avait pu répondre sans hésiter à la question «Tu trouves que ça me ressemble?» que me posait, non sans me vexer, mon modèle aux cheveux châtains chaque fois que je faisais un portrait d'elle (je répondais que cela n'était pas grave) était peut-être quelque chose qui aurait dû nous réjouir, mais lorsqu'elle a téléphoné à la mère de mon beau modèle pour lui annoncer qu'elle était ravie de voir que nous nous entendions si bien, nous avons pris peur. En effet, la mère de Rose Noire croyait que le mercredi après-midi, sa fille se rendait au consulat français pour ses cours de théâtre. Ne parlons pas de la colère du père.

Nous avons tout de suite arrêté les rencontres du mercredi. Puis quelques jours plus tard, nous avons recommencé à nous rencontrer, certains après-midi où ses cours se terminaient assez tôt, et, par la suite, certains matins où elle séchait les cours pour moi. Nous ne nous rendions plus du tout dans l'appartement à Cihangir où ma mère continuait ses visites surprises, parce que nous n'avions plus assez de temps pour faire, en silence, de la peinture, et aussi parce que, de toute façon, j'avais laissé un ami, qui prétendait avec insistance être recherché par un tas de policiers pour des raisons politiques, s'y cacher. Nous nous promenions dans les rues d'Istanbul, en évitant les endroits où nous risquions de croiser des connaissances communes – que l'on appelait «les autres» – comme Nişantaşı, Beyoğlu et Taksim. Après s'être rejoints à Taksim, à quatre minutes de mon université située à Taşkışla, et de son lycée français pour filles, nous montions dans un bus et partions dans les coins éloignés de la ville.

Au début je l'emmenais, place de Beyazıt, au café de Çınaraltı qui avait su conserver son atmosphère du passé (et dont le garçon avait tranquillement continué à servir lorsqu'une émeute politique avait éclaté devant l'entrée principale de l'université d'Istanbul), à la Bibliothèque nationale de Beyazit, que je lui montrais fièrement en disant «qu'il y avait un exemplaire de chaque livre publié en Turquie ici»; nous allions au marché des Bijoutiers plongé dans l'ombre, nous entrions dans les boutiques des vieux libraires qui s'approchaient de plus en plus de leur poêle à gaz ou électrique au fur et à mesure que le temps refroidissait. Je lui montrais dans le quartier des Vezneciler les résidences en bois dont la peinture s'était écaillée, les ruines byzantines, les rues plantées de figuiers, et la boutique de Vefa où mon oncle nous emmenait tous avec sa voiture pour y boire du *boza* et dans laquelle se trouvait un tableau d'Atatürk en train de boire du *boza*. Parmi toutes les choses que je lui avais montrées sur l'autre rive de la Corne d'Or, dans les quartiers tristes et pauvres de la vieille ville, ce qui avait le plus retenu l'attention de mon beau modèle, cette fille riche qui habitait à Nişantaşı et qui vivait «à l'européenne», qui connaissait tous les nouveaux magasins de mode et tous les bons restaurants de Bebek et de Taksim, c'était un verre de *boza* que l'on avait gardé depuis trente-cinq ans sans le laver une seule fois. Mais je ne pouvais pas trop lui en vouloir pour cela. En effet, j'étais très content de ma compagne de route qui, comme moi, aimait marcher rapidement et en mettant les mains dans ses poches, et qui manifestait un intérêt semblable au mien lorsque, deux ou trois ans plus tôt, je découvrais ces endroits tout seul. En l'observant, je ressentais une espèce d'attachement envers mon modèle qui se traduisait par une curieuse douleur au ventre (qui était en fait, comme j'allais le découvrir par la suite, la souffrance de l'amour).

Tout comme moi, en voyant pour la première fois, dans les quartiers miséreux et déshérités de Süleymaniye et de Zeyrek, le délabrement des maisons en bois âgées de plusieurs siècles, qui semblaient prêtes à s'effondrer à la moindre secousse, elle avait eu très peur. Elle avait été ravie de voir qu'il n'y avait personne au musée de la Peinture et de la Sculpture, où nous nous rendions en cinq minutes à partir de son école, en prenant le bus à l'arrêt d'en face. Dans ces quartiers populaires, en passant devant ces fontaines qui ne coulaient plus, ou devant ces cafés où des vieillards à la barbe blanche et qui portaient un fez sur la tête regardaient sans rien faire vers la rue, ou encore devant ces fenêtres où s'étaient installées des dames qui scrutaient chaque inconnu qui passait comme si c'était un marchand d'esclaves, et en entendant les commentaires des habitants du quartier pendant notre passage (comme : Qui est-ce ? – Ils sont frère et sœur – Regarde, ils se sont trompé de chemin), elle ressentait, comme moi, un peu de tristesse et de honte à la fois. En voyant tous ces enfants qui traînaient derrière nous et qui voulaient nous vendre des souvenirs ou bien tout simplement parler avec nous (Ils disaient : *Turist, turist, what is your name ?*), elle ne s'énervait jamais en se demandant, comme moi, pourquoi ils nous prenaient pour des étrangers, mais nous évitions quand même les endroits comme le Marché couvert et Nuruosmaniye. Lorsque l'attirance sexuelle qui existait entre nous deux atteignait un degré irrésistible – elle ne voulait toujours pas que nous allions faire un dessin à Cihangir – nous montions rapidement sur un *vapur* (l'*Inşirah 54*) à Beşiktaş (où nous nous promenions souvent) et partions vers le musée de la Peinture et de la Sculpture. Durant ce trajet, nous observions le Bosphore, les bois qui avaient perdu tout leur feuillage avec l'arrivée de l'automne, la mer qui tremblotait de peur au pied des *yalı* sous le vent du nord, les courants d'eaux qui changeaient de couleur au gré des nuages poussés par la brise, et les petits bosquets de sapins autour des *yalı*. Après tant d'années, lorsque je me suis demandé pourquoi nous ne nous tenions jamais la main durant toutes ces promenades, j'ai trouvé de nombreuses raisons qui dévoilaient en fait mon blocage : 1. Nous, les petits amoureux peureux que nous étions, ne sortions pas à Istanbul pour annoncer notre amour mais pour le cacher. 2. Se promener main dans la main était l'attitude des amoureux qui étaient heureux, qui le savaient, et qui cherchaient à le montrer, alors que pour ma part, même si nous étions heureux, j'avais peur, en adoptant cette attitude, de devenir superficiel. 3. Un tel geste de bonheur aurait signifié que nous nous promenions comme deux touristes, « en nous amusant et sans vraiment donner notre cœur» dans ces quartiers pauvres, conservateurs et excentrés de la ville, remplis de décombres. 4. De toute façon, la tristesse des quartiers populaires de la ville, de l'Istanbul misérable, de l'Istanbul en ruine nous avait déjà atteints.

Quand je sentais que cette tristesse m'avait entièrement gagné, j'avais envie de me rendre en courant à l'appartement à Cihangir, pour y faire un dessin d'après les images d'Istanbul que je venais de voir, sans même savoir à quoi il ressemblerait. Mon beau modèle, qui refusait de se joindre à moi, avait un tout autre remède contre cette tristesse, qui m'avait stupéfié la première fois qu'elle m'en avait fait part.

Elle m'avait dit lors d'une rencontre à Taksim : « Je n'ai pas du tout le moral aujourd'hui. Peut-on aller boire un thé à l'hôtel Hilton s'il te plaît ? Tous ces quartiers pauvres vont me démoraliser encore plus aujourd'hui. En plus, nous n'avons pas le temps. »

Après une multitude de faux-fuyants – j'avais une parka militaire semblable à celles portées à l'époque par les étudiants de gauche, j'étais mal rasé, et puis, même si on me laissait entrer à l'hôtel Hilton, je n'étais pas sûr d'avoir assez d'argent pour payer le thé – nous sommes finalement partis à l'hôtel. À l'entrée, une connaissance, un ami d'enfance de mon père qui se croyait en Europe en venant boire ici son thé tous les après-midi, m'a reconnu, et après avoir serré un peu pompeusement la main de ma triste bien-aimée, il m'a soufflé à l'oreille que cette demoiselle était absolument ravissante, mais nous avions tous les deux la tête ailleurs.

« Mon père veut que j'arrête l'école et il envisage de m'envoyer en Suisse », dit ma belle, tandis que deux larmes sorties de chacun de ses grands yeux descendaient rapidement en direction de la tasse de thé qu'elle tenait dans sa main.

« Pourquoi ? »

On nous avait remarqués. Ai-je demandé qui était ce « nous » ? Le père furieux et jaloux de ma Rose Noire avait-il pris autant au sérieux les amoureux qu'elle avait eus avant moi ? Pourquoi était-ce si grave avec moi ? Je ne me souviens même pas si j'ai posé ou non ces questions. En effet, quelque chose, une sorte d'égoïsme et de peur, avait retenu mon courage, et m'avait impitoyablement renfermé sur moi-même. J'avais peur de la perdre alors que je ne réalisais pas encore la terrible souffrance qui m'attendait, et, même temps, je lui en voulais de ne plus poser pour mes dessins en s'allongeant sur le divan et de ne plus faire l'amour avec moi à cause de ses peurs.

J'ai répondu : « Nous pourrions en parler mieux à Cihangir jeudi. Nuri est parti, l'appartement est désormais vide. »

Mais, lors de notre rencontre suivante, nous nous sommes, de nouveau, rendus au musée de la Peinture et de la Sculpture. Nous avions pris l'habitude d'y aller car il s'agissait d'un lieu où nous pouvions nous rendre très rapidement en *dolmuş* à partir de son école, et qui avait des pièces remplies de tableaux mais totalement vides dans lesquelles on pouvait s'embrasser. De surcroît, cet endroit nous protégeait de la tristesse de la ville et du temps qui devenait de plus en plus froid. Mais au bout d'un moment, le musée et ses tableaux, mauvais pour la plupart, avaient commencé à devenir une source de tristesse encore plus puissante. En outre, nous avions cessé de nous embrasser même dans cet endroit, à cause des surveillants qui nous connaissaient et qui nous suivaient désormais dans chacune des salles, et aussi en raison des tensions grandissantes qui avaient commencé à se manifester entre mon beau modèle et moi.

Cependant, dans ce musée, nous nous étions créé très rapidement des habitudes dont il était devenu difficile de se séparer, même dans les jours moroses qui allaient suivre. Devant les deux vieillards à l'entrée qui nous regardaient, comme tous les autres surveillants des rares musées qui se trouvent à Istanbul, avec un air méprisant, comme pour nous demander « Qu'est-ce que vous venez faire ici ? », nous continuions à présenter notre carte d'étudiant alors qu'ils ne nous la demandaient plus, et, avec un faux enjouement, chaque fois, nous leur demandions comment ils allaient. Puis en entrant dans les salles où le musée exposait le petit tableau de Bonnard et celui de Matisse qu'il possédait, nous nous soufflions avec humilité l'un à l'autre et en même temps le nom de ces peintres ; nous passions rapidement devant les tableaux académiques, ennuyeux et dénués d'imagination des peintres turcs, tout en énumérant à la hâte le nom des artistes européens qu'ils avaient voulu imiter : Cézanne, Léger, Picasso. Ce qui nous décevait le plus, ce n'était pas de constater une influence occidentale dans les œuvres de ces peintres – pour la plupart issus du milieu militaire et envoyés en Europe –, mais de ne rien pouvoir y déceler de l'atmosphère, de la trame et de l'esprit de notre ville, où nous nous promenions amoureusement dans le froid.

Pourtant, nous ne nous rendions pas dans ces pièces du palais de Dolmabahçe qui constituaient l'appartement du dauphin seulement parce qu'elles étaient vides et qu'elles nous convenaient – réaliser que nous étions en train de nous embrasser deux pièces à côté de celle dans laquelle Atatürk était mort nous effrayait également – ni pour découvrir, à côté de la fatigante misère de la ville, la splendeur de la dernière période de l'Empire ottoman, c'est-à-dire ces plafonds élevés, ces magnifiques ornements en métal autour des balcons, ni pour ces très hautes fenêtres qui laissaient apparaître un paysage du Bosphore encore plus beau que ceux dessinés sur les tableaux accrochés juste à côté de ces fenêtres ; nous venions aussi dans ce musée parce qu'il s'y trouvait un tableau qui nous plaisait beaucoup.

Il s'agissait du tableau de Halil Paşa intitulé *La Femme couchée*. Lors de notre première rencontre après l'épisode à la réception de l'hôtel Hilton, nous sommes tout de suite allés au musée nous installer devant le tableau : une jeune femme, allongée sur un divan bleu, après avoir retiré ses chaussures, tout comme le faisait mon modèle – curieux, et surpris en voyant ce tableau pour la première fois –,

regardait tristement le peintre (son mari?), et l'une de ses mains lui servait de coussin, comme le faisait souvent ma bien-aimée. Ce qui nous attachait à cette œuvre, en dehors de l'étrange ressemblance de la relation que le peintre et moi-même entretenions avec nos modèles, c'était qu'il se trouvait dans une petite pièce isolée et qui était au début très propice à nos échanges de baisers. Chaque fois que le grincement du parquet nous signalait l'approche de l'un des vieux surveillants curieux du musée, nous cessions aussitôt de nous embrasser et nous mettions à parler au sujet du tableau que nous observions très sérieusement; c'est pourquoi nous avions fini par en connaître tous les détails. Plus tard, j'avais ajouté à ces discussions les informations que j'avais apprises à propos de Halil Paşa, suite à des recherches dans des encyclopédies.

J'ai dit: «Je pense que la fille doit avoir les pieds gelés, car il fait de plus en plus froid.»

Ma chérie, qui me paraissait ressembler encore plus au modèle de Halil Paşa chaque fois que je regardais son tableau, m'a dit:

«J'ai d'autres mauvaises nouvelles. Cette fois, ma mère souhaite me présenter à un prétendant.

– Et tu vas y aller?

– Cela me paraît drôle. C'est un type qui a étudié en Amérique et qui est le fils des je-ne-sais-plus-trop-qui, a-t-elle répondu, en chuchotant avec moquerie le nom de cette riche famille.

– Ton père est dix fois plus riche qu'eux.

– Tu ne comprends donc pas? Ils veulent m'arracher de toi.

– Tu vas servir le café à ces personnes qui vont venir te demander en mariage à tes parents?

– Ce n'est pas un souci. Je ne veux pas qu'il y ait une dispute à la maison.

– Allons à Cihangir. Je veux faire un autre dessin de toi comme *La Femme couchée*. Je veux t'embrasser jusqu'à l'épuisement», ai-je dit.

Plutôt que de répondre à ma dernière question, ma belle, qui avait progressivement découvert mes obsessions et qui en avait peur, a entrepris de répondre à la question que nous nous posions véritablement tous les deux: «Mon père semble avoir fait une fixation sur le fait que tu souhaites devenir peintre. Toi, tu vas devenir un peintre alcoolique et pauvre, et moi, ton modèle nu... C'est cela qui le préoccupe.»

Elle a tenté de sourire, sans succès. En entendant le parquet grincer fortement quoique très lentement, nous avons compris que le surveillant approchait et comme d'habitude – nous n'étions pourtant pas en train de nous embrasser – nous avons changé de sujet et nous nous sommes mis à regarder *La Femme couchée*. J'aurais pourtant voulu lui dire : «Est-ce que ton père est obligé de savoir ce que fait chaque jeune homme qui *sort* (ce mot commençait tout juste à être employé) avec sa fille et quand il pense se marier avec elle?» (Mais moi aussi, tout comme certains de mes amis qui tombaient amoureux de toutes les filles avec lesquelles ils dansaient, j'avais déjà commencé à songer à me marier avec elle.) Et d'ajouter : «Dis à ton père que je fais des études en architecture.» (Mais cela aurait été une tentative de riposter à son père, et cela aurait aussi signifié accepter de devenir un peintre seulement en fin de semaine.) Chaque fois que j'obtenais une réponse négative en proposant d'aller à Cihangir – cela faisait maintenant plusieurs semaines – je perdais pendant un moment la faculté de réagir avec sang-froid et raison, et j'avais envie de demander, poussé par la volonté de générer une dispute : «Qu'y a-t-il de mal à devenir peintre?» Mais le vide qu'il y avait dans le «premier musée de la Peinture et de la Sculpture de Turquie», qui se trouvait dans le plus bel endroit d'Istanbul, dans le somptueux appartement du prétendant au trône, la misère déplorable des tableaux accrochés sur ses murs étaient en fait une réponse suffisante à cette question. Je venais tout juste de lire que Halil Paşa, qui était un militaire, n'avait pu vendre aucun de ses tableaux et qu'il avait passé sa vieillesse avec sa triste femme qui lui servait de modèle en mangeant pour pas cher dans les clubs de l'armée.

Lors de notre rencontre ultérieure, souhaitant sincèrement l'amuser, je lui ai montré, pour la faire rire, les tableaux solennels *Goethe au harem* et *Beethoven au harem* du prince Abdülmecit. Puis je lui ai demandé : «On va à Cihangir?» Je m'étais pourtant promis de ne plus lui demander cela. Lorsqu'elle m'a pris la main, nous avons arrêté de parler pendant un long moment. «Faut-il que je t'enlève?» ai-je demandé, comme dans les films qui passaient pendant notre jeunesse.

La rencontre suivante n'a pu avoir lieu que très difficilement car on avait limité son accès au téléphone. Alors que, toujours au musée, devant *La Femme couchée*, des larmes coulaient des yeux de mon beau modèle triste, elle m'a raconté que son père frappait ses fils avec une très grande violence, et qu'en même temps il aimait, presque maladivement, excessivement sa fille, qu'il était jaloux de tout ce qui approchait d'elle, et qu'elle avait peur de lui. Elle aimait également beaucoup son père. Mais elle savait maintenant qu'elle m'aimait encore plus, et nous nous sommes embrassés avec une violence et un désespoir que nous n'avions jamais ressentis jusque-là, durant ces sept secondes avant que le vieux surveillant dont le bruit des pas signalait qu'il avançait dans le couloir atteigne le seuil de la pièce dans laquelle nous étions. En nous embrassant, nous tenions chacun le visage de l'autre comme s'il s'agissait d'un objet en porcelaine qui risquait de se briser.

Puis nous nous sommes retournés vers la femme de Halil Paşa, qui, à l'intérieur de son cadre splendide, nous avait tristement observés pendant tout cet instant. «Enlève-moi», m'a dit ma belle, lorsque le surveillant est apparu au niveau de la porte.

«Entendu.»

J'avais versé ce que j'avais économisé pendant des années sur l'argent de poche que me donnait ma grand-mère sur un compte bancaire ; suite à des disputes entre papa et maman, je possédais un quart d'une boutique dans l'avenue de Roumélie, et quelques actions que je m'étais vu attribuer, mais je ne savais même pas où se trouvaient les titres de propriété. L'argent qu'allait me donner un éditeur que connaissait Nuri, qui ne fuyait plus la police, pour la traduction en turc en deux semaines d'un vieux roman de Graham Greene, me permettrait, d'après mes calculs, de payer l'équivalent de deux loyers d'un appartement à Cihangir semblable à mon atelier et dans lequel je vivrais avec mon beau modèle. Si je l'enlevais vraiment, ma mère, qui me demandait pourquoi j'étais si triste ces derniers jours, nous autoriserait-elle à rester dans notre appartement?

J'ai passé une semaine à penser à toutes ces choses avec une détermination plus forte encore que celle d'un enfant qui souhaiterait plus tard devenir pompier. Puis je l'ai attendue dans le froid pendant une heure et demie à Taksim, où était prévue notre prochaine rencontre ;

elle n'est pas venue. Vers le soir, j'ai senti que j'allais délirer si je ne me confiais pas à quelqu'un, et j'ai téléphoné à mes amis de lycée du Robert College que je n'avais pas appelés depuis longtemps. Au bar de Beyoğlu, où mon état triste et désespéré les amusait, en voyant que j'étais complètement saoul, ils m'ont souri et m'ont dit que, avant même de penser à me marier avec une fille mineure sans l'accord de son père, je ne devais pas oublier que je risquais déjà la prison pour le seul fait de vivre avec elle. En réponse aux bêtises que je racontais sous l'effet de l'alcool, ils m'ont gentiment demandé comment je pourrais alors devenir peintre si je devais arrêter l'école pour elle, et travailler pour gagner de l'argent. Puis, ils m'ont amicalement posé dans la main la clef d'un appartement dans lequel je pouvais aller avec « la fille couchée » quand je le voudrais.

Après avoir guetté deux fois, de loin, la porte de Notre-Dame-de-Sion par laquelle les élèves sortaient en masse, j'ai réussi à enlever ma bien-aimée, un après-midi enneigé à la sortie de son lycée. J'ai réussi à la convaincre d'aller dans « l'appartement » dans lequel je m'étais rendu auparavant et auquel j'avais essayé de donner une apparence un peu plus « normale », en lui jurant à plusieurs reprises que personne ne le fréquentait. Mais cet appartement dont mon ami du lycée m'avait gentiment confié la clef, et que son père utilisait en fait comme garçonnière (je l'ai appris par la suite), était un endroit si horrible que ma Rose Noire m'avait très vite fait sentir qu'il ne servait à rien d'essayer d'y faire un dessin ou de se tenir, pour se sentir plus à l'aise, comme si on posait pour un dessin. Sur le grand lit de cet appartement dont l'un des murs soutenait, juste en dessous d'un calendrier offert par une banque, une étagère sur laquelle s'alignaient, entre deux bouteilles de whisky Johnny Walker, les cinquante-deux tomes de l'*Encyclopedia Britannica*, avec ma chérie, nous avons fait l'amour à trois reprises, tout en luttant contre une tristesse qui devenait chaque fois de plus en plus profonde. Je sentais qu'elle m'aimait beaucoup plus que je ne le croyais, et ses tremblements pendant l'amour et les larmes sur son visage augmentaient la souffrance accumulée dans mon cœur et la puissance de cette douleur qui m'envahissait me rendait incapable de faire quoi que ce soit. À chaque rencontre, elle me parlait avec tant d'inquiétude et d'insistance des projets de son père qui envisageait de l'emmener en Suisse pendant les vacances de février en prétextant aller au ski mais qui, en fait, allait l'inscrire dans une prestigieuse école où de très riches Arabes et des Américains cinglés envoyaient leurs enfants, que je la croyais. Alors, pour qu'elle soit moins triste, je disais à ma belle, à la manière des hommes virils qui jouaient dans les films turcs, que «je l'enlèverais», et, en voyant ainsi le regard heureux qui se dessinait sur son visage, je croyais aussi à ce que je disais.

Au début du mois de février, à l'occasion de notre dernière rencontre avant les vacances, nous avons tenu à inviter mon ami qui m'avait prêté la clef de son appartement, afin de le remercier, et aussi pour dissiper l'imminente catastrophe qui trottait dans nos têtes. D'autres amis du lycée qui voyaient mon amoureuse pour la première fois s'étaient également joints à nous. Ce soir-là, j'ai réalisé à quel point j'avais bien fait d'écouter l'instinct qui me demandait de toujours veiller à ne pas laisser se connaître ou se mélanger mes fréquentations et mes amis qui correspondaient à différentes parties de ma personnalité. La soirée avait, dès le début, très mal commencé entre Rose Noire et mes amis du lycée. N'ayant pas le moral suffisant pour supporter (contrairement à ces jours heureux où elle n'arrêtait pas de plonger joyeusement dans la mer du haut des embarcadères dans le quartier où elle passait ses vacances) les piques que me lançaient mes amis dans le but de se rapprocher d'elle, ma belle prenait ma défense en les arrêtant immédiatement. Et comme elle n'avait pas tenu à s'attarder – en répondant rapidement, pour montrer qu'elle n'y attachait pas beaucoup d'importance – sur les questions qu'ils lui posaient, curieux d'en savoir plus sur sa richesse, sur ses parents, ce qu'ils faisaient, où ils habitaient, nous avons passé le restant de la nuit dans un restaurant à Bebek, à regarder le Bosphore, boire et parler de football, et de marques. Le seul divertissement s'est produit sur la route du retour, à Asiyan, au niveau le plus étroit du Bosphore, où nous avons arrêté la voiture pour regarder un *konak* en bois qui brûlait de l'autre côté de la rive.

À Kandilli, près de l'extrémité du Bosphore, voyant que l'un des plus beaux *yalı* du Bosphore était également en feu, je suis descendu de la voiture. Je tenais la main de ma belle qui était lassée de voir mes amis prendre un certain plaisir à contempler cet incendie. Nous nous sommes éloignés des voitures et de cette foule qui regardait brûler l'une des dernières résidences ottomanes tout en buvant le thé, et nous avons marché le long d'Anadolu Hisarı. Je lui ai parlé de toutes les promenades que j'avais faites dans ces rues en passant de l'autre côté de la rive en *vapur*, quand je séchais mes cours du lycée.

Alors que, dans le noir et le froid, je ressentais jusque dans mes os la puissance obscure de l'eau qui s'écoulait majestueusement dans le Bosphore, devant un petit cimetière, mon beau modèle m'avait soufflé qu'elle m'aimait beaucoup, et, en lui disant que je ferais tout pour elle, je l'ai serrée de toutes mes forces dans mes bras. Pendant que nous nous embrassions, en ouvrant par moments les yeux, je voyais sur son visage de velours la lumière orangée de l'incendie qui se produisait de l'autre côté de la rive.

En rentrant, assis derrière, nous avions gardé le silence en nous tenant la main. En descendant de la voiture, elle a couru en faisant des tout petits pas en direction de son immeuble ; c'était la dernière fois que je la voyais. Elle n'est pas venue à notre prochain rendez-vous.

Trois semaines plus tard, lorsque les vacances se sont terminées et que les cours du second semestre ont repris, j'ai commencé à l'attendre en cachette en fin d'après-midi devant la sortie du lycée Notre-Dame-de-Sion, où je guettais chacune des filles qui sortaient. Bien que, au bout de dix jours, j'avais fini par me dire que ce que je faisais ne servait à rien, qu'il ne fallait plus que j'y aille, mes jambes m'emmenaient automatiquement devant la sortie de son lycée, et j'attendais chaque fois jusqu'à ce que la dernière personne sortît. Un jour, parmi cette foule, le plus grand et le plus aimable de ses petits frères est apparu devant moi, m'a dit que sa sœur m'envoyait son bonjour de Suisse, et m'a tendu une lettre. Elle écrivait dans sa missive, que j'avais ouverte chez un pâtissier, et que je lisais en fumant, qu'elle était très heureuse dans sa nouvelle école, mais que je lui manquais beaucoup, et Istanbul aussi.

À mon tour, je lui ai écrit neuf longues lettres. J'en ai mis sept dans des enveloppes, et j'en ai posté cinq. Elle ne m'a jamais répondu.

36

Les vapur *de la Corne d'Or*

En février 1972, alors que j'étais en deuxième année à la Faculté d'architecture, j'ai commencé à aller de moins en moins en cours. Dans ce relâchement, quelle était la part de la perte de mon beau modèle, de la solitude croissante et de la tristesse dans lesquelles je versais ? Il m'est parfois arrivé de ne pas sortir du tout de la maison à Beşiktaş et de lire toute la journée. Il m'est aussi parfois arrivé de

prendre avec moi un livre bien épais (*Les Djinns, Guerre et Paix, Les Buddenbrok*), pour continuer à le lire en cours. Après la disparition de ma Rose Noire, l'enthousiasme que j'éprouvais à aller dessiner dans mon « atelier » continua à décroître de façon étrange. Je n'éprouvais plus suffisamment le sentiment de jeu et de victoire que je ressentais, enfant, à tirer des traits ou à passer de la peinture sur le papier, sur la toile. Comme je commençais à perdre, sans en saisir totalement la raison, le plaisir du dessin qui s'était révélé être un heureux divertissement d'enfance, et que je n'arrivais pas à déterminer ce que j'allais faire à la place, une puissante vague de malaise envahissait insidieusement toute mon âme. Vivre sans dessiner transformait petit à petit en prison le monde réel, ce que les autres dénommaient « la vie », que j'étais obligé d'abandonner de temps en temps. Si ce sentiment venait à trop me submerger – et que je me mettais aussi à fumer davantage –, je peinais à respirer et je me mettais à suffoquer au sein de la vie ordinaire comme un asthmatique. Et à de tels moments il m'est arrivé de fuir les cours et l'université, même si je n'en retirais aucun plaisir, et que j'avais même l'impression que ça me desservait.

Pourtant par moments je passais à mon atelier, et, m'obligeant de toutes mes forces à oublier mon modèle au parfum d'amande ou, tout au contraire, m'obligeant avec la même intensité à me le rappeler, je dessinais ; mais il y avait quelque chose qui manquait dans mes dessins. Mon enfance était terminée depuis longtemps, aussi se pouvait-il que je m'illusionnasse en souhaitant que le dessin continuât à me procurer le même plaisir enfantin. J'abandonnais à mi-chemin mon dessin, lorsque je comprenais ce qu'il allait donner, et que je trouvais ça insatisfaisant. Ces questionnements à propos de chaque nouveau dessin me firent sentir que, si je voulais retrouver le bonheur de l'enfance, il me fallait désormais réfléchir par avance à mes dessins. Or je ne savais même pas comment je développerais cette idée sur la peinture. Peut-être que, comme j'avais jusque-là toujours été heureux en dessinant, je ne pouvais pas comprendre qu'il me fallait désormais souffrir à cause du dessin, et que je ne développerais mon talent qu'au prix de cette souffrance.

Et voir que tous ces malaises étaient contagieux m'effrayait. J'avais réalisé des années après que « l'art de l'architecture aussi », ce n'était pour moi que quelque chose s'apparentant à faire du dessin. En outre, mis à part la construction de maisons avec des morceaux de sucre ou de bois, je n'avais pas eu une relation d'enfance heureuse avec l'architecture. Les professeurs de l'Université technique eux-mêmes, en grande majorité très ordinaires et dotés d'un esprit d'ingénieur, ne prenaient avec l'architecture aucun plaisir ludique ou créatif. J'ai de la sorte commencé à considérer les cours d'architecture, non pas comme ce à quoi je devais en priorité me consacrer, mais comme des lieux où je perdais mon temps et où je manquais une autre «vraie» vie à vivre absolument. Et lorsque je cédais à ce sentiment, les sujets traités en classe, la sonnerie que j'attendais avec impatience, les propos du professeur, les échanges de plaisanteries à la pause cigarette devenaient dérisoires; et tous se transformaient devant mes yeux en fantômes de leurs ancêtres marqués du sceau de leur destin de mortels; et moi-même, étant donné que je ne parvenais pas à sortir de ce monde sans but, trompeur et étouffant, je me méprisais et peinais à respirer. Pour quitter cet univers oppressant où, de même que dans certains de mes rêves, comme le temps passait vite, je ne parvenais jamais à atteindre ce qu'il fallait, j'écrivais de petites choses sur mes cahiers et dessinais de petites choses dans les marges : caricatures des professeurs, dessins au fusain des camarades de classe, vus de dos, qui écoutaient le cours, imitations, parodies, pastiches et «poèmes» à rimes sommaires en rapport avec ce qui était traité dans les cours ou avec ce qui s'y passait... Malgré tous ces efforts pour écrire et dessiner, et malgré mon succès à constituer un petit public de lecteurs qui guettaient impatiemment tout ce que je faisais pendant les cours d'architecture, et souriaient à mes productions tout comme je m'y attendais, le sentiment que le temps filait et que ma vie s'était jusqu'alors écoulée totalement en vain se faisait parfois si intense qu'une heure après mon entrée dans le bâtiment de la Faculté d'architecture à Taşkışla – où j'étais pourtant venu pour la journée entière –, comme si je voulais sauver mon âme, je me jetais au-dehors en courant (sans faire attention aux traits entre les dalles du sol) et me perdais au hasard des rues d'Istanbul.

C'est durant ces jours-là que j'ai visité, avant qu'ils fussent détruits, les petites rues entre Taksim et Tepebaşı et les quartiers de Péra construits par des maîtres arméniens à la fin du XIXᵉ siècle, qui m'apparaissaient comme de lointaines contrées étrangères quand j'avais six ans et que nous passions par là jadis avec ma mère, quand nous rentrions à la maison en *dolmuş*, de Galatasaray. Parfois je montais à Taksim depuis la Faculté d'architecture, je sautais dans n'importe quel autobus et, au gré de mon plaisir, j'allais mon chemin, porté par mes seuls pas : ainsi, sans but précis, ai-je visité les rues étroites

et pauvres de Kasımpaşa, les anciennes maisons de Balat qui m'ont fait l'impression d'un artificiel décor de théâtre lors de mes premières incursions, les anciens quartiers grecs et juifs ayant revêtu une étrange texture suite aux nouvelles vagues migratoires d'indigents, les rues secondaires d'Üsküdar qui, avec les maisons en bois conservées jusqu'aux années quatre-vingt, mélangeaient au dernier degré identité musulmane et vie intellectuelle, les anciennes et effrayantes

rues de Kocamustafapaşa, dénaturées sous les coups répétés de la rénovation-béton, qui me donnaient chaque fois l'impression d'être suspectes, la fantastique cour de la mosquée Fatih qui m'apparaissait toujours stupéfiante, Balıklı et ses abords, Kurtuluş, les quartiers de Feriköy qui se dégradaient à force de se paupériser, et qui font toujours penser à qui les traverse que les classes moyennes ont sans cesse habité par là, depuis des milliers d'années (en fait cinquante ans) changeant et rechangeant de religion, race et langue sous la pression de l'État – et s'appauvrissant davantage au fur et à mesure que l'on dévale les ruelles (tout comme à Cihangir, Tarlabaşı ou bien Nişantaşı). Ces quartiers dans lesquels j'allais pour la première fois simplement pour fuir l'Université, les cours et – comme je me mis petit à petit à m'en rendre compte – la perspective de devenir comme tout le monde détenteur d'un travail, d'un bureau et d'une table, s'imprégnèrent en mon esprit de manière ineffaçable des couleurs du mal, de la colère et de la tristesse. À la recherche de quelque chose dans ces lieux, prenant plaisir à ma propre errance oisive et pressentant quelque part en moi que je ferais un jour quelque chose avec cette ville dont j'apprenais les moindres murs et les moindres rues, ces excursions laissèrent en moi de telles traces sentimentales que, quand par la suite je suis retourné dans ces rues avec des raisons et avec des sentiments bien plus triviaux, pour des questions de travail ou pour des invitations, je n'ai pas immédiatement saisi que ces lieux étaient ces espaces secrets profondément associés à des souvenirs tristes ; mais, au pied d'une ancienne fontaine de quartier, d'un mur effondré d'une église byzantine chaque année plus dégradée (Pantocrator ou Saints-Serge-et-Bacchus) ou en bas d'une ruelle en pente, à la vue du paysage de la Corne d'Or coincé entre le mur d'une mosquée et un immonde immeuble BTB[52], j'entrais en réminiscence, je saisissais mon état souffrant et nostalgique des premières fois où je vins dans ces lieux et à quel point le paysage contemplé exactement du même endroit m'apparaissait bouleversé. Ce n'était pas que je me rappelais mal le paysage, c'était simplement que je le regardais dans une tout autre disposition d'esprit. Contempler les panoramas de la ville, en marchant dans la rue ou en se promenant en bateau, c'est faire fusionner ce qu'on voit avec les sentiments que procure Istanbul ; mais observer en se promenant les perspectives d'une rue ce n'est

pas seulement ça, c'est en même temps pouvoir faire coïncider l'état
d'esprit dans lequel vous vous trouvez avec les vues que vous offre la
ville. Pour réaliser cela avec talent et sincérité, il faut faire fusionner
dans sa tête les vues de la ville avec les sentiments les plus profondé-

ment sincères, avec la souffrance, la tristesse, la peine et, de temps et temps aussi, avec le bonheur et la joie, l'optimisme de vivre.

Si l'on parvient à apprendre à regarder une cité de cette façon et à vivre un long moment dans la même ville – de telle sorte que l'on ait tout loisir de faire fusionner les paysages avec nos sentiments les plus authentiquement profonds –, au bout d'un certain temps, ses rues, ses vues, ses paysages – tout comme certaines chansons nous rappellent instantanément certaines passions, certaines amours, certaines désillusions – se transforment en principes qui nous rappellent dans le détail certains sentiments et certains états d'âme. Ainsi, il se peut qu'Istanbul me fasse figure d'un lieu aussi triste parce que la première fois que j'ai vu nombre de ses quartiers, de ses rues secondaires ou bien de ses paysages tellement singuliers apparaissant depuis une colline, c'était durant des jours où j'avais perdu mon amour au parfum d'amande et où je fuguais de l'Université.

Les premiers jours où je réalisais que je n'aurais désormais plus de modèle pour dessiner et après lequel courir, au cours de l'une de mes fugues de l'Université passablement ennuyeuse et de mes excursions oisives, j'ai éprouvé certains sentiments coïncidant avec cette obsession du temps qui allait par la suite hanter mes rêves de symboles très communs et stéréotypés (transformation de la pleine lune en cadran de montre). Un milieu de journée de mars 1972, je suis monté dans le *dolmuş* à Taksim, pour en descendre à l'endroit où je voulais, ce qui était alors encore possible (et tout comme je le faisais avec la Rose Noire), sur le pont de Galata. Au-dessus de la ville, le ciel était pesant, obscur, d'un gris violacé. C'était comme si la neige pouvait tomber à tout moment et les trottoirs du pont étaient déserts. Je vis les escaliers en bois sur les flancs du pont de la Corne d'Or, puis je descendis.

Là, je remarquai un petit *vapur* des lignes urbaines qui s'apprêtait à partir. Le capitaine, le machiniste, le préposé aux amarres, tous, regroupés à l'endroit où il était attaché à l'embarcadère, semblaient, à la manière de l'équipage d'un gros bateau de mer, accueillir les rares voyageurs qui montaient et discutaient entre eux, en consommant force thés et cigarettes. Et moi aussi, en montant à bord, soucieux de me conformer à l'ambiance, je les ai salués et là, à l'intérieur, je me suis senti comme si j'étais depuis très longtemps familier de ces personnes fatiguées qui attendaient le moment du départ, avec leur manteau terne, leur calotte, leur filet à la main, leur foulard, et comme si chaque jour j'allais en leur compagnie au travail, et que j'en revenais, avec cette embarcation, par la Corne d'Or. Alors que le bateau se mettait en marche sans bruit, je fus violemment saisi par ce sentiment de communauté et d'appartenance au cœur de la ville, sans pareil, au point que j'ai alors ressenti quelque chose de plus : alors que là-haut, sur le pont où je venais de voir les cornes des trolleybus et les publicités des banques, sur les principales artères de la ville, on était bien un milieu de journée du mois de mars de l'année 1972, nous autres, en bas, nous étions au sein d'un temps beaucoup plus

ancien, beaucoup plus dilaté et grave. En descendant les marches qui desservaient l'embarcadère de la Corne d'Or, c'était comme si j'avais reculé de trente ans, vers des jours où Istanbul était davantage coupé du monde, plus pauvre et triste.

Derrière les vitres tremblantes du salon arrière au premier étage du petit bateau, ont commencé à défiler, tout doucement, les embarcadères de la Corne d'Or, les collines du vieil Istanbul recouvertes de

constructions en bois et les cimetières hérissés de cyprès : le grouille-
ment des petites fabriques, des ateliers, des cheminées, les dépôts de
tabac, les églises byzantines à l'état de ruine, les plus majestueuses
mosquées ottomanes mêlées aux bicoques et aux étroites ruelles au
bord de l'eau, les raidillons, les collines obscures, les arsenaux, les
cadavres rouillés de bateaux, les quartiers pauvres… L'église du Pantocrator à Zeyrek, les vastes dépôts de tabac à Cibali, jusqu'à l'ombre
lointaine de la mosquée Fatih, en arrière-plan, tout cela – à cause des
vitres troubles et tremblantes du bateau –, au milieu de la journée,
m'apparaissait comme en pleine nuit, à la manière des paysages d'Istanbul entrevus dans de vieux films usés.

Comme on s'approchait de l'un des débarcadères de la Corne d'Or,
le bruit des machines du bateau qui m'évoquait celui de la machine
à coudre de ma mère se taisait, et, comme les fenêtres ne tremblaient
plus, les eaux stagnantes de la Corne d'Or, les femmes mûres qui
montaient dans le bateau près de l'embarcadère de Fener, paniers
en main, avec leurs poulets et leurs coqs, les rues étroites du vieux
quartier *rum* en arrière, les ateliers, les dépôts, les barils, les vieux

pneus, les voitures à chevaux qui sillonnaient encore la ville, tout cela apparaissait avec des traits clairement distincts, en noir et blanc, comme sur des cartes postales vieilles de cent ans.

Le bateau redémarrait et prenait la direction de l'autre rive de la Corne d'Or, recouverte de cimetières, les vitres recommençaient à trembler et, sous l'effet de la fumée densément noire crachée par la cheminée du navire, le paysage semblait plus triste, à la manière de certains dessins. Parfois le ciel devenait complètement sombre, et sur ces entrefaites, tout comme un film qui prend feu d'un côté, une froide lumière de neige pointait.

La pauvreté côtoyant la grande histoire, les quartiers repliés sur eux-mêmes malgré leur sensibilité évidente aux influences extérieu-

res, la perpétuation de la vie communautaire, à la manière d'un secret, en arrière de la beauté monumentale et naturelle extravertie : sont-ce là les secrets d'Istanbul pour se préserver des relations fragmentées et fragiles de la vie quotidienne ? Cependant, toute parole relative aux qualités générales, à l'esprit ou bien à la singularité d'une ville se transforme en discours indirect sur notre propre vie, et même plus sur notre propre état mental. Il n'est pas d'autre centre de la ville que nous-mêmes.

Quelle était la signification de mon identification aux Stambouliotes, poussée à un tel point d'intensité, quand j'allais à Eyüp dans le vieux *vapur*, après avoir fui de l'Université, en mars 1972 ? Peut-être que je voulais me persuader qu'à côté de la tristesse de la ville, l'histoire d'amour qui me brisait le cœur et la disparition du plaisir de dessiner – auquel j'avais cru que j'allais consacrer toute ma vie – étaient finalement sans importance. Autrement dit, par la contemplation d'Istanbul, bien plus vaincu, écrasé et triste que moi-même, je voulais oublier ma propre souffrance. Pourtant, je ne me saisissais pas de la tristesse de la ville comme d'un prétexte pour considérer la mienne, à la manière des héros des films mélodramatiques turcs, blessés dès

le début par la tristesse et donc programmés pour perdre « en amour et dans la vie ». Parce que, en raison de ma situation propre, je ne voulais partager ma peine avec personne. Ma situation propre : ma famille et mon entourage proche n'étaient absolument pas du genre à prendre au sérieux la carrière de poète-dessinateur. Quant aux poètes-dessinateurs de la ville, ils avaient les yeux rivés sur l'Occident, au point de ne plus être à même de voir la ville : ils trépignaient pour accéder à l'âge moderne des trolleybus sur le pont et des publicités pour banques. Pour ma part, je n'étais pas préparé à la tristesse, prix à payer pour voir la ville ; peut-être même que, grâce à l'enfant joueur et heureux qui sommeillait en moi, j'étais la personne d'Istanbul la plus éloignée de la tristesse ; aussi je ne voulais pas m'habituer à ce sentiment et, au fur et à mesure que j'en sentais en moi la présence, je ne l'admettais pas, je courais inquiet et souhaitais me réfugier dans la seule « beauté » d'Istanbul. Comment donc la beauté d'une ville, la richesse de son histoire ou bien ses mystères pourraient-ils être des remèdes à nos souffrances intérieures ? Peut-être aussi que la ville où nous vivons, tout comme notre famille, nous l'aimons parce que nous

n'avons pas d'autre solution ! Mais il nous faut inventer les lieux et les raisons à venir de notre amour pour elle.

Je sentais aussi que, si j'étais à ce point lié à Istanbul, c'était parce que, malgré toute ma confusion d'esprit et toute ma tristesse, à l'intérieur du *vapur* de la Corne d'Or qui se rapprochait de Hasköy, la ville mettait à ma disposition un savoir et une consolation tellement plus consistants que ce que j'apprenais en cours. Par les fenêtres tremblantes du *vapur* apparaissait sa silhouette composée de mosquées et d'églises, les vieilles maisons en ruine, les quartiers à moitié désertés de Fener, vidés au terme des pressions incessantes de l'État, et parallèlement, le palais de Topkapı, avec un aspect maintenant encore plus mystérieux, car baigné par les nuages obscurs, la Süleymaniye et les collines d'Istanbul. Cet entrelacement singulier de ruines et d'histoire, de vie et de ruines, d'histoire et de vie, les vestiges de l'ancien tissu urbain constitué de bois et de pierres, le plaisir de me rendre dans des quartiers éloignés, tout ça formait pour moi comme un « monde parallèle » presque tout prêt et disponible, à même de prendre la place du plaisir de dessiner dont le tarissement progressif m'inquiétait. Je voulais vivre au cœur de cette confusion hasardeuse et poétique. De la même manière que, quand je m'ennuyais durant mon enfance pendant les leçons dans la maison de ma grand-mère, je m'enfuyais vers ce monde parallèle, imaginaire, quand je m'ennuyais aussi à étudier l'architecture, je me perdais dans Istanbul. En d'autres termes, acceptant sans tarder ces tristesses et peines inévitables, prix de la vie à Istanbul, j'aspirais à la tranquillité.

Dans les lieux où je me rendais durant mes excursions, je mangeais toujours quelque chose, et ne manquais jamais de revenir au monde normal du présent, c'est-à-dire à la maison, en rapportant un objet : un jeton de téléphone à la tranche déformée trouvé durant mes balades ; je le montrerais en souriant à mes camarades (« C'est à la fois un chausse-pied et un décapsuleur d'eau gazeuse ») ; le coin d'un morceau de brique tombé d'un mur millénaire, des billets de la Russie tsariste qu'on trouvait à l'époque en abondance chez tous les chiffonniers d'Istanbul, le sceau d'une société qui avait fait faillite trente ans auparavant, les poids de la balance d'un vendeur ambulant, des livres anciens achetés à bon prix chez les bouquinistes où, la plupart du temps, mes pas me conduisaient d'eux-mêmes à la fin de mes visites… Et j'éprouvais ainsi cette dimension objective et concrète de la ville, non seulement en mettant de côté des objets qui en provenaient – des pierres, des billets, des livres –, mais aussi en collectionnant tout ce que je considérais comme « important » et intéressant, soit toute sorte d'informations, de programmes et de descriptifs relatifs à la ville, qu'il s'agît de livre, de revue ou de prospectus. J'ai d'ailleurs vite pressenti que je ne garderais pas indéfiniment ces choses que j'accumulais et qu'après avoir un peu joué avec elles, après m'en être diverti, je finirais par les oublier. C'est pourquoi j'ai eu l'intuition que je ne serais absolument jamais comme ces fouineurs obsessionnels et jusqu'au-boutistes ou comme ces collectionneurs d'informations semblables à Koçu. Cependant, quand j'ai commencé à faire ce genre d'acquisition, je me suis dit à part moi que ces informations seraient un jour le matériau d'un grand projet – un grand dessin ou bien une série de dessins, ou bien un roman comme ceux que je lisais à l'époque, les Tolstoï, Dostoïevski et autres Mann, ou alors une grande chose dont je ne savais même pas ce que ce serait. Dans les moments où j'éprouvais la poésie du tissu urbain d'Istanbul composé de toute sorte de bizarreries et de vieilles choses, de grandeurs impériales et de décombres d'histoire, le tout mêlé à une tristesse irrépressible, je venais à penser que le mystère si singulier de ce tissu urbain et celui de la ville n'apparaissaient qu'à moi exclusivement : je m'appropriais la tristesse à la fois comme une entité étrangère à ma propre vie heureuse de privilégié et comme une disposition et un destin que la ville m'avait fatalement transmis. Et je me disais à part moi, avec fierté : « Personne n'a vu comme moi ce que j'ai vu à travers les fenêtres du bateau de la Corne d'Or ! »

Quand j'étais sous l'influence de cette vision poétique, j'accueillais avec enthousiasme tout objet ou toute information ayant trait à la ville, comme si j'étais en présence d'un fragment très important d'une poésie, d'un dessin, d'une œuvre d'art en cours d'élaboration, ou bien d'un musée. En outre, toute chose, toute information que j'abordais avec cette sensibilité me semblait être destinée à devenir une œuvre d'art. Évoquons avec cet enthousiasme une autre information ordinaire, le bateau aux fenêtres branlantes.

Son nom était *Kocataş*. Avec son frère jumeau *Sarıyer*, il avait été construit en 1937 dans les arsenaux de Hasköy, sur la Corne d'Or. Sur ces deux bateaux avaient été montés les deux moteurs modèle 1913 retirés du yacht – dénommé *Nimetullah* – du khédive d'Égypte Abbas Hilmi Paşa. Le fait que les fenêtres du bateau tremblaient à ce point était-il un signe que les moteurs avaient été mal fixés ? Comme j'aimais ce genre de détails, je me sentais Stambouliote, et ce sentiment rendait ma tristesse et mes peurs face à la vie plus profondément authentiques. Le petit bateau *Kocataş* fut mis en retraite en 1984, douze ans après m'avoir déposé à Eyüp.

Au terme de mes excursions sans but et de mes « égarements », un objet que j'apportais avec moi, quelques livres anciens, une carte de visite, une vieille carte postale ou bien une source d'information relative à la vie que j'entourais de soins comme s'il s'agissait d'une vieille chose de valeur me conféraient, comme une preuve, l'impression que mes excursions étaient « réelles » ; j'en venais à penser que mes rêveries sur la ville allaient se réaliser par la médiation de ces objets et de ces informations de récupérateur. Tout comme le héros de Coleridge qui trouvait dans sa main en se réveillant la rose qu'il avait vue en rêve, ces choses et ces livres me faisaient éprouver qu'Istanbul n'était pas comme ce monde parallèle source de bonheur que j'ai parcouru au cours de mon enfance, mais bien une réalité proche de ce rêve.

Mon problème avec Eyüp, où le bateau *Kocataş* m'avait laissé, ce n'était pas que ce petit village magnifique au bout de la Corne d'Or me parût réel, c'était plutôt qu'il m'apparût perpétuellement comme imaginaire. Eyüp, considéré comme replié sur lui-même, « oriental », mystérieux, religieux, pittoresque, comme un rêve mystique, était si magnifique que j'avais l'impression que c'était comme un rêve d'Orient qu'un autre avait appliqué à Istanbul, ou comme une sorte de Disneyland turco-orientalo-musulman ouvert en permanence à Istanbul. La cause de cette particularité, était-ce qu'Eyüp étant hors les murs le faubourg avait ainsi été soustrait à l'influence byzantine et au désordre des strates superposées d'Istanbul ? Ou alors ce bel entremêlement des cimetières, des arbres et des bâtiments ? Ou la venue précoce du soir ici précipité par les hauteurs alentour ? Ou alors est-ce parce que tout ici, et notamment les dimensions architecturales, avait été maintenu dans des tailles réduites par une modestie d'ordre religieux et mystique, qu'Eyüp avait été tenu éloigné du gigantisme, du désordre, de la puissance et de l'énergie d'Istanbul – indissociables de la saleté, de la rouille, de la fumée, des décombres effondrés et fissurés, des ruines et de la crasse ? Le côté qui satisfaisait tous ceux qui venaient là avec des rêves « romantiques » d'Orient devait beaucoup au fait qu'Eyüp était éloigné du centre – de la bureaucratie, des institutions d'État et de leur siège –, centre en perpétuelle occidentalisation ou bien en continuelle position d'emprunt à l'Occident et en renouvellement incessant. En raison même de ce côté extraordinaire rêve d'Orient, que Pierre Loti, chasseur d'authenticité, avait aimé jusqu'à y prendre maison et s'y installer, Eyüp ne m'a jamais attiré. C'est pourquoi l'arrivée à Eyüp sonna la fin de la tristesse que j'avais éprouvée avec bonheur ce jour-là au cœur du paysage de la Corne d'Or, tissé de ruines et d'histoire. Et je réalisais progressivement que j'aimais Istanbul à cause des ruines, de la tristesse, et des richesses d'autrefois désormais perdues. Puis je me suis éloigné de là pour me rendre à pied dans d'autres lieux, acquérir d'autres objets, voir d'autres ruines sources de bonheur.

37

Une discussion avec ma mère :
patience, circonspection, art

De longues années durant, le soir, assise seule dans le salon, ma mère a attendu mon père. Il allait à son club de bridge, puis ailleurs encore, et ne rentrait que tard dans la nuit, la plupart du temps après que ma mère, lasse de l'attendre, fut allée se coucher. Après avoir mangé en tête à tête avec moi (mon père avait téléphoné pour dire qu'il était occupé, qu'il ne viendrait pas et qu'on ne l'attende pas pour dîner), ma mère recouvrait la table d'une nappe couleur crème et se tirait les cartes. Elle sortait une à une les lames de deux paquets de cinquante-deux cartes et essayait de constituer des suites, en fonction de leur couleur, de leur valeur, en alternant les rouges et les noires, et moins qu'un art divinatoire ou le plaisir de s'inventer une histoire pour que les messages des cartes concordent avec sa propre vie, il y avait dans la logique de ce jeu un aspect qui mettait à l'épreuve la patience du joueur. C'est la raison pour laquelle, lorsque, au milieu de ce jeu qu'on appelle «jeu de *patience**», sortant de ma chambre et passant au salon, je m'enquérais de savoir si les cartes avaient parlé ou non, ma mère me répondait chaque fois :

«Je ne le fais pas pour lire l'avenir, mon chéri, mais pour passer le temps. Quelle heure est-il? Je refais une partie et je vais me coucher.»

Ce disant, elle jetait un coup d'œil distrait sur un vieux film ou un débat sur les fêtes de ramadan d'antan (il n'existait d'ailleurs qu'une seule chaîne diffusant la vision de l'État), qu'elle suivait comme ça, de loin, à la télévision en noir et blanc qui connaissait ses premiers jours en Turquie, et me disait : «Je ne regarde pas, tu peux éteindre si tu veux.»

Mais cette fois, c'était moi qui regardais un moment les rues de mon enfance apparaissant en noir et blanc sur l'écran, ou un match de football. Je le faisais moins pour me divertir des images de la télévision que pour sortir un peu de ma chambre où, la porte close, je restais seul, enfermé avec mes questions, mes colères et mes doutes, et pour discuter un peu et me disputer avec ma mère, comme nous le faisions chaque soir à cette époque.

Certaines de nos discussions tournaient à de très violentes querelles. Après, je m'en voulais de ces disputes, et retournant m'enfermer dans ma chambre, je lisais jusqu'au matin. D'autres fois, après m'être disputé avec ma mère, je sortais dans la nuit froide d'Istanbul, et dans les environs de Taksim, dans Beyoğlu, je marchais seul, sans but, en tirant sur ma cigarette, j'arpentais les petites rues sombres et mal famées jusqu'à être totalement transi, et ne rentrais que lorsque toute la ville et ma mère étaient endormies. J'instaurais peu à peu l'habitude dont je ne me départirais plus pendant vingt ans, celle de me coucher vers quatre heures du matin et de me lever à midi.

Les discussions et les disputes que nous avions à cette période avec ma mère ne portaient que sur un seul sujet, que nos paroles nous y mènent directement ou pas : pendant l'hiver 1972, au milieu de ma deuxième année d'architecture, j'avais soudain commencé à ne plus aller en cours. En dehors de quelques heures indispensables pour que mon inscription ne soit pas annulée et que je ne sois pas renvoyé de l'école, je ne mettais plus les pieds à la Faculté d'architecture de Taşkışla.

« Même si plus tard je ne suis pas architecte, j'aurai au moins un diplôme universitaire », me disais-je parfois, par manque de courage, et comme j'étais influencé par mes amis et mon père qui me répétaient exactement ces mêmes propos, ma situation, tout au moins aux yeux de ma mère, devenait floue et incertaine. Pourtant, j'étais désormais intimement persuadé que je ne deviendrais pas architecte. Mais le pire était de constater que mon plaisir de dessiner était mort, en laissant en moi un vide encore plus douloureux. Comme je savais que ce n'était pas en lisant des livres, des romans jusqu'au matin, ou en marchant la nuit dans les rues de Taksim-Beyoğlu et dans Beşiktaş que je parviendrais à assouvir mon désir de m'échapper dans un autre monde, mon indécision se transformait de temps en temps en précipitation, je me levais alors d'un seul coup de mon bureau et essayais de faire accepter cet état de fait à ma mère. Comme je ne savais pas pourquoi je faisais cela et encore moins de quoi j'essayais de la convaincre, nos conversations tournaient rapidement au dialogue de sourds.

« J'étais comme toi quand j'étais jeune », me disait ma mère, peut-être pour me faire enrager, comme je le penserai plus tard. « Comme toi, je fuyais la vie. Pendant que tes tantes s'amusaient, au milieu des intellectuels à l'Université, ou dans les fêtes et les bals, moi, je restais comme toi à la maison, et pendant des heures, je regardais stupidement les vieux numéros de l'*Illustration** de ton grand-père. » Elle tirait une bouffée de sa cigarette et cherchait à voir l'impact de ses paroles sur mon visage. « J'étais timide, j'avais peur de la vie. »

Pendant qu'elle me parlait ainsi, mon esprit restait focalisé sur ce « comme toi », et sentant monter une énorme colère, je tâchais de me contenir et de me répéter que ma mère me disait tout cela « pour mon bien », ou pour quelque chose qu'elle imaginait tel. Mais derrière ses paroles, il y avait une vision des choses plus profonde, qui me blessait parce que ma mère aussi y adhérait, et c'est sans doute à cause de cela que j'avais envie de batailler et de me quereller.

Je détournais les yeux de la télévision pour les poser sur les lumières des bateaux des lignes urbaines, qui montaient et descendaient lentement le Bosphore, et réfléchissais à ce sujet qui me rendait furieux.

Cette vision que ma mère défendait à demi-mot, les bourgeois d'Istanbul à l'esprit paresseux et les chroniqueurs qui pensaient comme eux l'exprimaient très souvent, à leurs heures de pessimisme et de morosité, en ces termes : « De toute façon, ici, il n'y aura jamais rien de bon. »

Ce pessimisme était lié à cette tristesse mortelle de la ville qui écrasait et brisait toute volonté. Mais cette tristesse étant fondée sur une défaite et la pauvreté, pour quelle raison les riches Stambouliotes ne manquant de rien reprenaient-ils autant cette vision à leur compte ? Peut-être parce que leur richesse relevait du hasard. Peut-être pour se décharger sur une culture pessimiste et triste de leur incapacité à avoir su créer des choses similaires aux brillantes productions de la civilisation occidentale, qu'ils cherchaient à imiter pour camoufler le hasard sur lequel reposait leur richesse, et de tout le poids de cet échec dont ils étaient auteurs et acteurs.

Dans le pessimisme de ma mère, qui toute sa vie avait beaucoup puisé dans le langage de cette circonspecte et cassante classe moyenne, il y avait tout de même un aspect qui se justifiait. Avant leur mariage et tout de suite après la naissance de mon frère aîné et la mienne, mon père avait commencé à la blesser sans égard. J'ai toujours senti que la situation financière difficile de mon père, qui n'y avait pas pensé un seul instant en se mariant avec elle, et l'appauvrissement de la famille avaient constamment mis ma mère dans une posture défensive face à la vie. Quand nous étions petits mon frère et moi, en marchant ensemble avec ma mère dans les marchés, les centres animés et dans Beyoğlu, en allant au cinéma ou dans les parcs, je voyais tout de suite à l'expression qui s'affichait sur le visage de ma mère, dès qu'elle sentait le regard des hommes posé sur elle, une réserve et une prudence qui la protégeaient, elle et la famille, contre l'extérieur. Ou lorsque, avec mon frère, nous commencions à nous disputer et à faire du bruit dans la rue, autant que la colère et la lassitude, je voyais chez elle un réflexe de défense.

Cette propension à la précaution et à la réserve que j'ai souvent senties chez ma mère nous soufflait : « Soyez normaux, soyez comme tout le monde, ne vous faites surtout pas remarquer. » Cette vision, très empreinte de la morale traditionnelle et des principes d'éducation mystique qui prônaient de rester humble, de se contenter de peu, et qui avaient imprimé leur sceau à toute la culture, n'était nullement de nature à comprendre que quelqu'un arrête l'école parce qu'il s'était entiché d'on ne sait quoi et cesse d'aller en cours. Je ne devais pas m'accorder autant d'importance ni prendre trop au sérieux mes obsessions morales et intellectuelles, et quitte à être passionné, c'est à être travailleur, honnête et bon, et à ressembler à tout le monde que je devais consacrer ma passion. La peinture, l'art, la création, ce sont les Européens qui peuvent prendre de telles choses trop au sérieux, semblait dire ma mère. Mais nous, qui vivions à Istanbul dans la seconde moitié du XXe siècle, nous appartenions à une culture dépossédée de sa richesse d'autrefois, appauvrie, en perte de puissance, et dont la volonté et l'élan s'étaient affaiblis. Je ne devais jamais m'ôter de l'esprit qu'« Ici, il n'y aura jamais rien de bon », sinon, je n'aurais qu'à m'en prendre à moi-même.

À d'autres moments, pour approfondir le même sujet, ma mère me disait que c'était elle qui avait choisi le nom qu'elle m'avait donné parmi ceux des sultans ottomans, car de tous, c'était Orhan qu'elle préférait. La raison en était que le sultan Orhan ne s'était jamais lancé dans des entreprises démesurées, s'était gardé de toute ostentation et avait mené une vie simple et sans excès, et que les livres d'histoire parlaient du deuxième sultan ottoman avec respect mais sans trop s'y arrêter. Ma mère tenait absolument à ce que je comprisse moi aussi la signification et l'importance de ce choix, qu'elle m'expliquait le sourire aux lèvres.

C'est la raison pour laquelle, chaque fois que je sortais de ma chambre et commençais à me quereller avec ma mère ces fameux soirs où elle attendait le retour de mon père, je savais qu'elle tenait autant à l'histoire de cette vie simple et ordinaire qu'elle prévoyait pour moi qu'à l'existence incohérente, triste et sans envergure que me proposait Istanbul. Je me demandais parfois pour quelle raison il fallait absolument que j'aille me disputer avec elle, et ne trouvant pas de réponse véritablement satisfaisante, je pressentais alors qu'un cheminement bien plus complexe, et dont le sens m'échappait, se dissimulait dans mon âme.

« Avant aussi tu fuyais l'école, dit ma mère, en alignant rapidement ses cartes. Tu te plaignais : "Je suis malade, j'ai mal au ventre, j'ai de la fièvre." Lorsque nous étions à Cihangir, à un moment, c'était devenu une véritable manie. Un matin où tu t'es mis à entonner le même refrain "Je suis malade, je n'irai pas à l'école", je t'ai crié : "Ça suffit maintenant ! Malade ou pas malade, tu sors tout de suite et tu files à l'école. Je ne veux plus te voir à la maison." »

Arrivée à ce point de cette histoire qu'elle me racontait une fois sur deux, sans doute parce qu'elle savait très bien qu'elle me tapait sur les nerfs, ma mère, comme chaque fois, se mit d'abord à rire, se tut un instant, aspira une bouffée de sa cigarette, et sans même me regarder, mais avec son air de contentement habituel, elle ajouta : « Après cela, pas un seul matin tu ne t'es avisé de me redire : "Je suis malade, je n'irai pas à l'école."

– Eh bien, je le dis maintenant ! m'écriai-je soudain avec fureur. Je n'irai plus à la Faculté d'architecture.

– Et qu'est-ce que tu vas faire ? Est-ce que tu vas rester comme moi toute la journée à la maison ? »

Tout doucement, montait en moi le désir de provoquer une dispute avec ma mère, de claquer la porte, de marcher sans fin dans l'obscurité de la nuit, dans les ruelles de Beyoğlu, seul, en fumant des cigarettes, comme moitié ivre et moitié fou, persuadé de haïr tout et tout le monde. À cette période de ma vie, pendant ces marches qui

parfois duraient des heures, tandis que je m'acheminais là où me portaient mes jambes, je regardais les vitrines, les restaurants, les cafés plongés dans une semi-pénombre, les ponts, les devantures de cinéma, les affiches, les inscriptions, la crasse, la boue, les gouttes de pluie tombant dans les flaques noires sur les trottoirs, les néons, les phares des voitures, les poubelles renversées par les meutes de chiens ; et lorsque je me retrouvais dans la rue la plus étroite et la plus triste du quartier le plus éloigné, l'envie subite de rentrer en courant à la maison et d'écrire quelque chose pour fixer ces images, cette âme obscure, ce désordre chaotique, cet aspect mystérieux et fatigué de la ville s'emparait de moi. C'était quelque chose de comparable à l'envie irrépressible de dessiner qui me prenait à une période, lorsque je sentais en moi le frémissement d'un sentiment fait de bonheur, de joie et d'ardeur, mais je ne savais pas ce que je ferais exactement.

«C'est l'ascenseur qui arrive?» demanda ma mère.

Nous avons tous deux écouté avec attention, mais rien qui ressemblât au bruit d'un ascenseur: mon père n'arrivait pas. J'observais un moment ma mère tandis qu'elle s'abîmait dans la lecture des cartes avec une patience que je ne lui avais jamais vue et qui m'étonna.

Dans ses mains, dans ses bras, il y avait quelque chose que j'avais toujours connu au quotidien quand j'étais enfant, quelque chose qui m'attachait à elle et me faisait énormément souffrir s'il n'en sortait pas d'affection, mais à présent, je ne parvenais pas à saisir ce qu'il y avait dans ses gestes et ses mouvements. Je sentis que mes sentiments ballottaient entre un amour et une colère tout aussi extrêmes à son égard. Quatre mois plus tôt, après de longues filatures, ma mère avait retrouvé l'immeuble où mon père retrouvait sa maîtresse quelque part à Mecidiyeköy; elle s'était débrouillée pour que le gardien lui donne la clef et, pénétrant dans l'appartement vide, elle avait découvert ce

429

que plus tard elle me raconterait avec sang-froid. Un pyjama identique à celui que mon père portait à la maison était posé sur l'oreiller, et exactement comme chez nous, les livres que mon père lisait à cette période, des livres de bridge, s'empilaient les uns sur les autres sur la commode à la tête du lit.

Pendant longtemps ma mère n'avait rien dit à personne de ce qu'elle avait vu, et des mois plus tard, un soir où elle étalait ses cartes pour faire une patience, fumait et regardait la télévision d'un œil distrait, alors que j'étais sorti de ma chambre et parlais avec elle, elle m'a soudain tout raconté. Chaque fois que je me remémorais cette histoire – que ma mère avait abrégée en comprenant que cela ne me plaisait pas du tout de l'entendre –, l'existence de cette seconde maison où mon père se rendait quotidiennement et où il vécut un moment éveillait en moi un sentiment métaphysique qui me glaçait le sang. C'était comme si mon père avait réussi ce que je ne parvenais pas à faire et avait trouvé son double, son jumeau dans la ville, et parfois j'avais l'impression que ce n'était pas sa maîtresse, mais son double que chaque jour il allait retrouver, et cette illusion me montrait qu'il y avait un grand manque dans mon âme et dans ma vie.

«De toute façon, il faut que tu termines l'Université, dit ma mère en étalant ses cartes, comme tu ne vas pas gagner ta vie avec la peinture, il faudra bien que tu travailles. Nous non plus, nous ne sommes plus aussi riches qu'avant.

– Ce n'est pas vrai», répondis-je, parce que dans un coin de ma tête, j'avais depuis longtemps calculé que même si je ne faisais rien dans la vie, les biens de mon père et de ma mère me suffiraient.

«Tu penses peut-être que tu vas réussir à gagner ta vie avec la peinture?»

La manière qu'elle avait de s'acharner nerveusement sur le mégot de sa cigarette dans le cendrier, le ton légèrement moqueur et méprisant de sa voix, et sa façon de jouer d'un air détaché avec son jeu de cartes en parlant d'un sujet aussi important pour moi m'indiquaient que nous nous acheminions tout droit et à coup sûr vers une de ces grandes disputes mère-fils dont nous avions le secret.

«Ici, ce n'est pas Paris, c'est Istanbul, dit ma mère presque avec joie. Même si tu étais le meilleur peintre du monde, personne ne s'attacherait à toi. Tu resteras tout seul. Personne ne comprendra que tu aies tout lâché pour faire l'artiste alors que tu avais un bel avenir devant toi. Si nous étions dans une société suffisamment riche pour accorder de la valeur à la peinture et à l'art, passe encore. Mais même en Europe tout le monde sait bien que Van Gogh et Gauguin étaient un peu fêlés. »

Ma mère avait certainement dû entendre parler des légendes de la littérature existentialiste dont mon père s'était abreuvé dans les années cinquante. J'essayai d'ironiser en faisant référence au vieux dictionnaire encyclopédique aux pages jaunies que ma mère avait souvent consulté pour vérifier la véracité de ce genre de connaissances :

« Est-ce qu'il est écrit dans ton *Petit Larousse* que tous les artistes sont fous ?

– Ça, je n'en sais rien, mon garçon. Si l'on est un artiste très doué et qu'on travaille beaucoup, et si l'on a une bonne étoile, on peut sans doute parvenir à devenir célèbre en Europe. Mais en Turquie, tu passeras forcément pour un fou. Ne va pas interpréter de travers et surtout ne te vexe pas. Si je te dis tout cela, c'est seulement pour que, plus tard, tu ne t'en mordes pas les doigts. »

Ce qui me rendait fou, c'était de la voir me lancer chacun de ces mots qui me blessaient comme une lame sans y prêter plus d'attention et en continuant d'abattre les cartes de son jeu de patience.

« Et qu'est-ce qui pourrait me vexer ? répondis-je, peut-être désireux d'être blessé par un mot plus dur encore.

– Je ne veux pas que les autres pensent que tu as des problèmes psychologiques, dit ma mère, c'est pour cela que je me garde bien de dire à mes amies que tu ne vas plus en cours. Elles ne comprendraient pas que quelqu'un comme toi abandonne l'Université pour devenir peintre. Elles penseraient que tu es détraqué et iraient faire des ragots.

– Tu n'as qu'à tout leur dire, répondis-je, si j'ai envie de tout laisser tomber, c'est justement pour ne pas être aussi idiot.

– Non, tu ne feras pas une telle bêtise, dit ma mère, même quand tu étais petit, tu as fini par reprendre ton cartable et le chemin de l'école.

– J'ai compris que je ne veux plus être architecte.

– Étudie encore pendant deux ans, obtiens ton diplôme, et après tu verras bien si tu veux être architecte ou peintre.

431

– Non.

– Tu sais ce que dit Nurcihan de ta lubie d'abandonner l'architecture, dit ma mère, avec une intention palpable de faire mal. Elle dit que c'est parce que nos disputes avec ton père t'ont perturbé que tu es aussi emporté, et que c'est à cause des histoires de coucheries de ton père que tu ne vas plus à l'école.

– Je me fiche de ce que pensent de moi tes amies à cervelle d'oiseau de la bonne société!» hurlai-je à moitié fou de colère. J'avais beau savoir que ma mère prenait plaisir à prononcer les paroles qu'il fallait pour me faire sortir de mes gonds, le plus étonnant c'est que chaque fois je me laissais prendre et, à la fin du jeu où je m'étais moi-même engagé, je tombais dans le piège et sombrais dans une véritable fureur.

«Tu as beaucoup de fierté, mon fils, poursuivit ma mère. Mais ça me plaît plutôt. Parce que le plus important dans la vie, ce n'est pas l'art ou je ne sais quoi, mais la fierté. C'est parce beaucoup de gens sont fiers et orgueilleux qu'ils deviennent des artistes en Europe. Parce que là-bas, on ne traite pas les artistes comme des plombiers ou des petits artisans, mais comme des gens particuliers. Mais toi, ici, pourras-tu préserver cette même fierté tout en étant peintre? Pour obtenir la reconnaissance et vendre tes œuvres à des gens qui n'entendent rien à l'art, tu seras obligé de flagorner l'État, les riches, et pire encore des journalistes ignares. Est-ce que tu es capable de faire cela?»

Des tréfonds de ma colère, de ma fureur, je sentis un élan de vitalité étourdissant me pousser hors de moi-même. Je ressentais un désir forcené, dont la profondeur m'étonne encore, de sortir d'ici et de courir dans les rues. En même temps, je savais très bien que je continuerais à me prendre encore quelques minutes le bec avec ma mère, avec une étrange envie de destruction, de révolte, de faire souffrir et de souffrir, et qu'après avoir prononcé les mots les plus violents je claquerais la porte et m'élancerais dans la nuit sombre et sale, et courrais le réseau entrelacé des ruelles. Mes jambes m'emmèneraient vers les petites rues, étroites et tristes, couvertes de pavés, aux trottoirs défoncés, aux réverbères à la lueur vacillante et avec le bonheur pervers d'appartenir à ces lieux délabrés et miséreux, avec les rêves et le désir fou de faire un jour quelque chose de grand, j'irais regarder ces images, ces visions imaginaires, ces rêves que je

traverserais en marchant indéfiniment et qui défileraient devant mes yeux comme par jeu, avec le bonheur d'être misérable mais passionnément ambitieux.

« Flaubert aussi a habité toute sa vie avec sa mère ! poursuivit ma mère en disposant les cartes de son jeu, avec un air mi-affectueux, mi-dédaigneux qui avait le don de raviver ma colère. Mais je n'ai aucune envie de te voir t'accrocher à ton rocher et passer toute ta vie avec moi dans le même appartement. Là-bas, c'est la France. Dès qu'on dit "grand artiste", le monde s'arrête de tourner. Mais ici, l'artiste qui abandonne ses études et passe sa vie avec sa mère finit à coup sûr à l'asile ou sombre dans l'alcoolisme. Tu seras malheureux si tu t'efforces d'être uniquement artiste. Mais si tu as un métier, un travail qui te donne confiance et assure tes revenus, crois-moi, tu auras beaucoup plus de plaisir à peindre et à dessiner. »

Pourquoi, dans les moments de déprime et de colère, prenais-je plaisir à imaginer que j'allais marcher dans les rues de la ville au milieu de la nuit ? Pourquoi n'était-ce pas les vues d'Istanbul en plein jour et éclatantes de soleil qu'appréciaient tant les touristes, mais les petites rues plongées dans un opaque clair-obscur, les crépuscules, les froides nuits d'hiver, les silhouettes humaines fugitives sous la lumière pâle des réverbères, et ces paysages de rues pavées que tout le monde était en train d'oublier, l'aspect déserté et désolé que j'aimais ?

« Si tu ne deviens pas architecte, si tu ne te lances pas dans autre chose pour gagner ta vie, tu seras malheureux et complexé, comme ces artistes turcs miséreux et dépendants du bon vouloir des riches et des puissants, tu comprends mon fils ? Tu sais parfaitement que personne dans ce pays ne vit de ses tableaux. Tu ne feras que vivoter, tu seras dédaigné, méprisé et tu passeras toute ta vie à subir ces complexes, ce mal-être et ces vexations. Cela est-il bien digne d'une personne aussi intelligente, belle et pleine de vie que toi ? »

Une fois à Beşiktaş, pensais-je à part moi, au lieu de prendre le *dolmuş*, je longerai le mur du palais de Dolmabahçe jusqu'au stade. J'aimais marcher la nuit sous les platanes le long du vieux mur du palais, épais, haut d'au moins une vingtaine de mètres, aux pierres noircies et couvertes de mousse. Si, à Dolmabahçe, je sens cette énergie qui m'assaille quand je suis en colère, et qui bat violemment dans mon front comme une veine, je monterai la côte, et en dix minutes je serai à Taksim, me dis-je.

« Quand tu étais petit, même dans nos jours les plus difficiles, tu étais tout le temps souriant, joyeux, gentil, optimiste, tu étais vraiment adorable. N'importe qui souriait en te voyant. Pas seulement parce que tu étais gentil, mais parce que tu n'avais pas une once de méchanceté ; tu ne t'ennuyais jamais, même dans les pires moments, tu savais toujours inventer quelque chose et trouver le bonheur de t'amuser tout seul, tu étais optimiste. Même si je n'étais pas ta mère, je n'accepterais pas que quelqu'un comme toi devienne un artiste malheureux, torturé et obligé de manger dans la main des riches. C'est pour cela que je ne veux pas que tu te vexes mais que tu m'écoutes attentivement. »

En arrivant à Taksim, je jetterai un regard sur le panorama sombre mais troué de lumières de Galata, ensuite je me dirigerai vers Beyoğlu, je flânerai cinq ou dix minutes devant l'étal de livres au début de l'avenue İstiklal, ensuite, en buvant une bière à la vodka dans un bar bourdonnant du son de la télévision et du brouhaha des clients, en fumant des cigarettes comme tous ceux qui sont à l'intérieur (en regardant s'il n'y a pas dans les parages un poète, un écrivain ou un artiste célèbres), quand je sentirai que le fait que je sois jeune (avec un visage de gamin), curieux et seul, attire l'attention de cette foule d'hommes moustachus, je sortirai et me fondrai dans la nuit. Après avoir un peu marché dans l'artère principale, dans les rues adjacentes de Beyoğlu, de Çukurcuma, de Galata, de Cihangir, en regardant les lumières des réverbères et des télévisions se refléter sur les trottoirs mouillés, m'arrêtant de temps à autre, pour regarder la boutique d'un brocanteur, le Frigidaire utilisé comme vitrine dans une petite épicerie ou la devanture d'une pharmacie exposant encore un mannequin publicitaire datant de mon enfance, je me rendrais compte combien en fait j'étais heureux. Une heure plus tard, dans le réseau des petites rues de Beyoğlu – à moins que je n'aille me

perdre dans Üsküdar ou Fatih – tandis que je marcherais, transi par le froid, la colère étourdissante, parfaite et pure que j'avais éprouvée en écoutant ma mère à la maison se transformerait en une ardente passion qui ferait resplendir tout mon avenir. Alors, dans ma tête un peu étourdie par la bière et ma longue marche, sentir que les rues sombres et tristes tremblotaient et sautaient comme un de ces vieux films que j'aimais me procurerait un tel bonheur que j'aurais envie de capturer, de conserver ces merveilleux moments – comme lorsque je portais à ma bouche un fruit ou une bille que j'aimais beaucoup et les y laissais pendant des heures – j'aurais envie de rentrer à la maison par les rues vides, de m'asseoir à ma table, de prendre du papier et des crayons, et d'écrire et de dessiner.

«Le tableau qui est au mur, c'est Nermin et son fiancé qui nous

l'ont offert quand nous nous sommes mariés, ton père et moi. Lorsque à leur tour ils se sont mariés, nous sommes allés avec ton père
voir ce peintre célèbre pour leur faire un cadeau. Si tu avais vu
comme le peintre le plus célèbre de Turquie s'est réjoui parce que
quelqu'un était finalement venu sonner à sa porte pour lui acheter
quelque chose, de quelle manière il se tortillait et quelles poses il

prenait pour essayer de camoufler cette joie, et lorsque nous sommes
sortis de chez lui avec un tableau, les saluts et les courbettes à n'en
plus finir qu'il nous a faits ; c'était un peintre, c'était un artiste dans
ce pays, mais tu ne l'aurais pas du tout envié, mon fils. C'est pour

cela que je cache à ces gens que mon fils a fui l'école pour devenir peintre. Si ces gens, que tu as qualifiés de sans cervelle, apprennent qu'un jour tu as gâché ta vie, ton avenir, et abandonné tes études pour pouvoir faire de la peinture et la leur vendre, pour le plaisir de nous mépriser ton père et moi, ils t'achèteront peut-être une ou deux toiles, comme s'ils te faisaient l'aumône, peut-être qu'ils auront pitié et te donneront un peu d'argent. Mais jamais ils ne donneront leur fille à un artiste. Pourquoi donc crois-tu que le père de cette fille adorable dont tu avais fait le portrait l'a envoyée ni une ni deux en Suisse dès qu'il a appris qu'elle était amoureuse de toi ? Ici, dans ce pays pauvre, parmi ces gens sans volonté, faibles et ignorants, pour pouvoir vivre comme tu le mérites sans être broyé, tu dois avoir ton propre travail et ta propre richesse, de façon à pouvoir garder la tête haute. Ne laisse surtout pas tomber l'architecture, mon fils, ce serait une grosse erreur. Ce Le Corbusier dont tu parles à tout bout de champ, regarde, il voulait être peintre, et il est devenu architecte. »

Dans ma tête, les artères de Beyoğlu, et ses recoins ténébreux clignotaient comme des néons, m'incitant à fuir tout en me culpabilisant. Comme je pouvais le sentir dans des moments de colère et de sensibilité exacerbée, toutes ces rues plongées dans une semi-obscurité, à la fois attirantes, sales et sordides que j'aimais tant avaient depuis longtemps pris la place de ce deuxième monde dans lequel je pouvais m'échapper. Je savais que ce soir-là il n'éclaterait pas de dispute entre ma mère et moi, que peu après je passerais la porte et fuirais vers ces rues qui m'apporteraient consolation et réconfort ; puis, après avoir longuement marché, je rentrerais au milieu de la nuit et m'assiérais à ma table pour restituer quelque chose de l'atmosphère et de l'alchimie de ces rues.

« Je ne serai pas peintre, dis-je, moi, je serai écrivain. »

2002-2003

À propos des photographies

En choisissant ces photos, j'ai revécu une partie de l'enthousiasme et des indécisions que j'avais ressentis en écrivant ce livre. La plupart appartiennent à Ara Güler, qui a passé presque toute sa vie à Beyoğlu. À Beyoğlu justement, alors que je poursuivais mon travail dans sa maison-centre de photographie-archives- musée, en tombant sur un paysage d'enfance (comme le remorqueur en page 340 qui replie sa cheminée pour passer sous le pont), j'étais partagé entre la nostalgie et l'étonnement face à l'étrangeté du passé. Et parfois, comme c'est le cas par exemple pour le paysage enneigé du pont de Galata à la page 375, en

observant la magnifique photographie qui ressemblait à un souvenir très ancien et récurrent, je me hâtais, comme dans un rêve, de retenir chaque réminiscence ou de la noter. Les inépuisables et incroyables archives d'Ara Güler, qui suscitent en moi le plaisir visuel et l'ivresse du souvenir, constituent la meilleure mémoire de la vie et des paysages d'Istanbul depuis 1950. Voici la liste des pages de ce livre sur lesquelles figurent les photos d'Ara Güler :
12-13, 44, 51, 55, 56, 58, 59, 61, 69, 71, 72 (à droite), 118, 119, 120, 122, 123, 125, 126, 129, 131, 135, 139, 173, 213, 214, 222, 247, 271, 278, 280 (en

haut), 298 (en bas), 300, 301, 305 (en haut), 309, 310, 311, 313, 315, 334, 336, 337, 339, 340, 349, 365, 375, 383, 385, 386, 410 (en bas), 412, 415, 417, 418, 419, 428, 433, 436, 437.

Quant à mes recherches dans les archives de Selahattin Giz (né en 1912) je ressentais, en regardant ses photos – qu'il avait commencé à prendre dans les rues de Beyoğlu alors qu'il était encore élève au lycée Galatasaray, puis pendant quarante-deux ans pour le journal *Cumhuriyet* –, je ne sais pour quelle raison, une fascination comme si je découvrais quelque chose de secret. Peut-être était-ce parce que Giz appréciait comme moi les paysages enneigés d'Istanbul et ses rues calmes et désertes que l'on retrouve dans les pages suivantes :
43, 44, 49, 50, 57, 58 (en haut), 67, 68 (en haut), 69 (en bas), 70, 72 (en haut à gauche), 76, 78, 79, 110, 121, 137, 163, 171, 172, 175 (en bas), 176, 177, 209, 210, 256, 258.

Je tiens à remercier la municipalité d'Istanbul, qui a su conserver et protéger les photographies de Hilmi Şahenk, également photo-reporter, et m'a autorisé à les reproduire dans ce livre dans les pages :
42, 58 (en bas), 59, 60, 66, 81, 124, 175 (en haut), 245, 254, 286, 338, 364, 374, 410 (en haut), 416 (en haut et en bas).

Page 274 : photographie de Sainte-Sophie prise par James Robertson en 1853.

Dans les pages 273, 277 et 281 (en haut), je me suis servi des photos prises par Abdullah Biraderler, qui avait fondé une agence de photographie pendant le dernier quart du xixᵉ siècle.
Au cours des recherches menées pour écrire ce livre, j'ai vu que le fabricant de cartes postales Max Fruchtermann, lui aussi, avait utilisé quelques-unes des photos d'Abdullah Biraderler.

Dans les pages 67, 68 (en haut), 75, 77, 279, 280, 281 (en bas), 295, 307, 308, 342 à 345, j'ai utilisé les cartes postales éditées par Max Fruchtermann (5 cartes postales imprimées en lithographie au format panoramique, comme c'était la mode à l'époque).
Je ne sais pas à qui appartiennent les photos des pages 164, 167, 169, 189, 192, 267, 282, 305 (en bas), elles m'ont été données par d'autres personnes, et bien que j'aie cherché, je n'ai pas réussi à en retrouver les propriétaires.

Je remercie la Fondation Le Corbusier pour le dessin de Le Corbusier qui figure à la page 55.

Page 63 : gravure de Thomas Allom ; page 312 : dessin de Hoca Ali Riza, et page 400 : *La Femme couchée* de Halil Paşa.

Dans les pages 82 à 97 on trouve des tableaux de Melling, ainsi que dans la page 266, qui correspond à un détail agrandi.

Les autres illustrations sont des photos de famille issues de ma collection privée, prises pour la plupart par mon père, et quelques-unes par ma mère ou mon oncle. La photo page 439 a été prise par Murat Kartoğlu.

Comme je l'indique dans le chapitre 28, les photos de Cihangir et de Beşiktaş qui figurent dans les pages 321 à 325 ont été prises par mes soins. Je me réjouis aujourd'hui de la photo de paysage de Cihangir qui montre en page 111 une rue en pente recouverte de pavés que j'avais prise lorsque je n'avais que quinze ans.

Je tiens à remercier Esra Akcan et Emre Ayvaz, qui ont lu attentivement ce livre et dont les conseils m'ont été utiles.

Notes

* Les mots ou expressions en italique suivis d'un astérisque sont en français dans le texte.

1. Le discours rapporté se forme en turc grâce au suffixe -*miş*.

2. *Pamuk Apt.* : Immeuble Pamuk.

3. *Pamuk* signifie coton en turc.

4. *Rakı* : boisson alcoolisée à l'anis.

5. Saga de la tribu Oghuz en Asie centrale que les textes et récits font vivre entre le xe et le xie siècle ; sa « geste » est fixée à partir du xve siècle sous les Akkoyun. Voir en français : Louis Bazin (en collaboration avec A. Gökalp), *Le Livre de Dede Korkut, Récit de la Geste oghuz*, Paris, L'aube des peuples, Gallimard, 1998.

6. *Saray* : ancien « cinéma Luxembourg », ouvert en 1914 dans une rue perpendiculaire à la Grande-Rue de Péra (avenue Istiklâl), devenu « cinéma Saray » en 1933. Fermé en 1986, ce fut, des années 1930 à 1970, un des lieux culturels les plus en vue de Beyoğlu, fameux, outre sa programmation de films, pour ses concerts et autres spectacles.

7. *Gelincik* : marque de cigarettes « locales » pour femmes fabriquées par le Monopole (Tekel), très en vogue dans les années 1950-1970. Les films turcs de cette époque, et même la poésie, font référence à cette marque au nom si primesautier (coquelicot, petite mariée…).

8. *Pide* : sorte de pâte à pizza épaisse, qui sert de base pour certains plats et même de pain.

9. *Kaşar* : sorte de fromage de vache ressemblant au cantal que l'on mange souvent fondu.

10. *Rum* : nom des Grecs orthodoxes à Istanbul.

11. *Poyraz* : fameux vent du nord.

12. *Muhallebeci* : pâtisserie où, à l'origine, on vendait des desserts à base de gelée faite de farine de riz et de lait.

13. *Surname* : œuvres convenues de la littérature ottomane, qui content des cérémonies fastueuses, comme les noces ou les circoncisions impériales.

14. Bosphore se dit Boğaz en turc, ce qui signifie « la gorge ».

15. *Motor* : bateau privé et de taille relativement modeste (par opposition aux *vapur*, à l'origine) assurant la traversée du Bosphore.

16. *Fasıl* : dans la musique ottomane, il s'agit d'une pièce construite sur la même structure rythmique (*makam*).

17. *Lüfer* : poisson très consommé à Istanbul : temnodon sauteur.

18. *Tef* : sorte de tambour de basque.

19. *Bezelye* : petit pois.

20. En turc : *kara sevda* = amour noir.

21. Güzin Abla : célèbre, apaisante et maternelle « conseillère conjugale et affective » de la presse populaire turque (*Hürriyet*). Ses articles sont conçus sous la forme de réponses à des courriers de lecteurs, surtout de lectrices, désemparés.

22. Un *gazino* est un endroit où l'on boit et mange pendant que des artistes chantent.

23. *Tuğra* : signature impériale.

24. *Köfte* : boulettes de viande.

25. *Babıali* : centre de l'imprimerie et de la presse – au cœur de Stamboul et près du Palais –, du milieu du XIXᵉ aux années quatre-vingt.

26. *Meyhane* : lieux de consommation d'alcool (*rakı*, bière) accompagné d'entrées froides et chaudes, souvent tenus par des minorités à l'époque ottomane.

27. *Basiret* : perspicacité, *Basiretsiz* : sans perspicacité.

28. *Dolmuş* : taxis qui ne se mettent en route que quand ils sont pleins et qui s'arrêtent à la demande.

29. *Simit* : petit pain au sésame en forme d'anneau.

30 *Kokoreç* : tripes hachées menu et grillées.

31. Karyağdı à Eyüp : l'endroit le plus élevé et le plus retiré de la colline d'Eyüp, où la neige persistait le plus longtemps. *Kar yağdı* : « Il a neigé. »

32. *İktisap* ou *ihtisâp ağası* : principal fonctionnaire chargé d'inspecter les marchés, d'assurer le maintien de l'ordre et de faire respecter les réglementations du sultan sur les prix, les bénéfices et la qualité des marchandises. Placé sous les ordres du *kâdî* (juge), il veille également sur la moralité publique.

33. *Tulumbacı* : pompier.

34. *Şehrengiz* : œuvre de la littérature classique du divan vantant les beautés d'une ville et de ses éphèbes. Ce genre littéraire, dont la tradition remonte au début du XVIᵉ siècle, s'est éteint au XVIIIᵉ siècle.

35. *Hacıağa* : de *hacı* (hadji) : musulman qui a fait le pèlerinage de La Mecque et *ağa* : notable de village. Ici, nouveau riche aux manières provinciales et musulman bon teint.

36. *Cezve* : petit récipient au col resserré et à long manche utilisé pour faire le café turc.

37. İstiklal Caddesi : avenue de l'Indépendance.

38. Derviches rufai : confrérie de derviches hurleurs dont le couvent était situé à Üsküdar.

39. Réforme du vêtement promulguée en 1925 et qui interdit le port de tout costume religieux, du fez, du voile pour les femmes, pour les remplacer par des vêtements de style européen.

40. Ladino : dialecte espagnol parlé par les Judéo-espagnols.

41. *Selatin* (pluriel de sultan) : mosquées à plusieurs minarets uniquement construites par les sultans ou leurs familles.

443

42. Samiha Ayverdi (1905-1993) : auteure de romans et d'essais accordant une place centrale à l'Histoire, à Istanbul et à la mystique soufie.

43. « La famille Uğurlugiller » : programme qui existe encore sous la forme d'une série télévisée.

44. *Bahçe* signifie « jardin » en turc.

45. Madame : appellation donnée aux femmes non musulmanes.

46. *Tarih* : histoire.

47. *Kurabiye* : biscuits à la farine.

48. *Ayran* : boisson au yaourt fouetté.

49. *Gazoz* : boisson gazeuse et sucrée.

50. *Pushed* se prononce comme le mot *puşt*, qui signifie homosexuel en turc.

51. *Milli piyango* : jeu de tirage au sort national.

52. Le procédé BeTeBe est un mode très courant de revêtement/maquillage des façades. Il consiste en une espèce de mosaïque formée de plaques collées à la façade ; il caractérise les immeubles construits dans les années 1980-2000 (pour les classes modestes).

Ouvrage composé
par Dominique Guillaumin, Paris
Achevé d'imprimer
par Normandie Roto Impression s.a.s.
à Lonrai, le 18 avril 2007
Dépôt légal : avril 2007
Numéro d'imprimeur : 07-1137
ISBN 978-2-07-077627-6 / Imprimé en France

139580